Francesca Zappia

ELIZA
Y SUS MONSTRUOS

 DIAMANTE

Título original: ELIZA AND HER MONSTERS
Copyright © 2017 by Francesca Zappia

ISBN 978-607-98307-7-9

Traducción: Fabiola Lozano Robledo
Derechos reservados:
© Lennart Sane Agency A.B.
© Ediciones Selectas Diamante, S.A. de C.V. México, 2019.
Mariano Escobedo No. 62, Col. Centro, Tlalnepantla, Estado de México, C.P. 54000, Ciudad de México. Miembro núm. 2778 de la Cámara Nacional de la Industria Editorial Mexicana.
Tels. y fax: (0155) 5565-6120 y 5565-0333
EU a México: (011-5255) 5565-6120 y 5565-0333
Resto del mundo: (0052-55) 5565-6120 y 5565-0333

informes@esdiamante.com ventas@esdiamante.com

www.editorialdiamante.com
facebook.com/GrupoEditorialDiamante
twitter.com/editdiamante

IMPRESO EN MÉXICO / PRINTED IN MEXICO

Esta obra se terminó de imprimir en octubre de 2019 en los talleres de:
Litográfica Ingramex, S.A. de C.V. Centeno 162-1, Col. Granjas Esmeralda
Ciudad de México C.P. 09810

ESD 1e-7-9-M-3-10-19

Para mis amigos conectados
y desconectados en línea.
Y para Jack y Norm.

PRÓLOGO

Eliza Mirk es la clase de nombre que le das a la chica rara que se aferra a su exnovio durante semanas después de que este la manda a volar, porque se niega a aceptar que él la odia con toda su alma. Eliza Mirk es una villana de poca monta con una guarida secreta en las alcantarillas. Eliza Mirk pertenece al mundo de los cómics.

Pero yo soy Eliza Mirk. No creo estar tan desesperada o desquiciada como para aferrarme a un exnovio que rompió conmigo. No tocaría una alcantarilla ni con un palo de tres metros de largo y, desafortunadamente, no vivo en un cómic. Aunque creo que mi vida sí parece una especie de historieta.

Durante el día voy a la escuela, y al llegar la noche me despojo de mi identidad secreta para convertirme en LadyConstellation, creadora de *Mar Monstruoso*, uno de los *webcómics* más populares de Internet, e intrépida madre de su grupo de fans. Mi superpoder es la capacidad de dibujar durante horas sin darme cuenta del tiempo que ha pasado o de que no he comido. Siempre logro desaparecer detrás de mi disfraz, y soy excelente para sobresalir bajo mi verdadera forma.

Tal vez se pregunten por qué elegí el nombre Lady-Constellation.

La respuesta es que en *Mar Monstruoso* mi cultura favorita proviene de un pueblo que tiene estrellas en su sangre. Estas personas —los Nocturnianos— trazan instintivamente gráficas de las estrellas. Esa es su vocación en la vida. Es lo que sienten que tienen que hacer, así como yo siento que es mi deber contar su historia.

LadyConstellation es quien está trazando esta historia, dibujando las líneas entre las tramas, los personajes y los lugares, del mismo modo que los Nocturnianos dibujan las conexiones entre las estrellas. Es intrépida, como los Nocturnianos; misteriosa y reservada, igual que los Nocturnianos; y como ellos, también cree en el misticismo, lo sobrenatural y lo desconocido.

LadyConstellation es la heroína que derrota a Eliza Mirk una vez por semana y celebra con todos sus admiradores. Es amada por todos, incluso por la villana, porque sin ella la villana no existiría.

Yo soy LadyConstellation.
También soy Eliza Mirk.
He aquí la paradoja que jamás podrá ser resuelta.

CONSTELACIONES NOCTURNIANAS

Constelación de Amity
¿¿¿No nocturniana???

FAREN
El Rey Cuervo /
el primer Nocturniano.

REIRAL
El Acantilado, el Peñasco
de las Almas.

Esta estrella
también se llama Lucis

LUCIS
la Luz de la Vida.

BYRAL
El Pico, el ladrón
que roba la luz
de la vida de
manos de Nox.

NOX
Reina Madre de la Noche,
Madre de los Nocturnianos.

GYURHEI
Devorador de luz
(brota desde el mar cada mil años para tragarse al Sol).

Mentes Maestras:: Mentes Sustitutas:: Webcómics

LO MEJOR QUE LEERÁS HOY

Publicado a las 10:46 a. m., el 02-19-2014 por *Apocalypse_Cow*

> Vayan al enlace, lean esto y agradézcanme después.
>
> *http://marmonstruoso.blogspot.com/*

+503, 830/-453 | 2, 446, 873 Comentarios | Responder | Marcar

CAPÍTULO 1

El post que originó todo apareció en la pantalla de mi computadora cuando me tumbé frente a ella esta mañana. De ayer a hoy llegaron otros trescientos comentarios. Ya no sé qué es lo que dicen, porque dejé de leerlos hace meses. Sé que algunos los escriben los fans, pero la mayoría son de los trolls. No checo el post para revisar los comentarios, sino porque es mi recordatorio diario de que todo esto —toda mi vida— es algo real.

Mi inicio está marcado con fecha y hora en la historia.

Me aliso un poco el enredado cabello, bostezo y me froto los ojos para espantar el sueño. Parpadeo, y cuando abro los ojos de nuevo el post sigue ahí, ocupando felizmente los primeros puestos del subforo Mentes Maestras para webcómics. Uno pensaría que, después de dos años, ya habría bajado de lugar, pero no.

Cierro el navegador antes de traicionar mis propias reglas. No leo los comentarios. Los comentarios son como bombas para los muros mentales, y en este momento necesito esos muros más que nunca. Abro Photoshop para buscar el archivo en el que estaba trabajando anoche: una página a medias de *Mar Monstruoso*. Todos los dibujos lineales están listos. Empecé a colorearlos pero no terminé, y también debo añadir el texto. Pero no importa, porque todavía tengo tiempo. Esta será una de esas semanas en las que debo preparar un capítulo entero. El mínimo por semana es una página. Normalmente, mi promedio son tres páginas. Siempre tengo algo que publicar.

Doy un vistazo rápido a la página de cómics, yendo de recuadro en recuadro, mientras reviso nuevamente los personajes y los escenarios. Organizo el resto de los colores en mi mente, y después las fuentes de luz, las sombras y el texto. La secuencia de movimientos parece estar bien, pero en el recuadro inferior volví a dibujar la nariz de Amity demasiado angosta. Esto es muy evidente en los primeros planos de su cara, y el problema siempre es su nariz. Tendré que arreglarla más tarde, porque ahora ya no tengo tiempo.

Como si mi despertador estuviera de acuerdo conmigo, la alarma empieza a sonar y pego un salto, aunque ya sé que está a punto de sonar, y aun cuando estoy mirándolo fijamente. Camino con pereza al otro lado de la habitación para apagar el despertador, antes de que el ruido despierte a Church y a Sully que duermen en la habitación de al lado. Los estudiantes de bachillerato son tan estúpidos que se sienten los reyes del mundo por poder dormir media hora más. Cuando por fin bajo las escaleras, veo que mamá ya me ha preparado dos huevos cocidos y un vaso de jugo de naranja recién exprimido. No sé cuándo puso a cocer esos huevos. Estoy segura de que no lo hizo anoche, y apenas acaba de salir el sol.

Amity

Mamá está sentada frente a la barra de la cocina, con su ropa para hacer ejercicio y su cola de caballo saltarina, leyendo en la tableta un artículo sobre cosas de salud. Tiene algunos mechones de cabello fuera de lugar. Alcanzo a escuchar el sonido de la regadera en el baño al final del pasillo. Eso quiere decir que mamá y papá acaban de regresar de su carrera matutina. Qué odioso.

—¡Buenos días, cari!

Sé que en algún universo el volumen de su voz debe de ser considerado normal, pero en este no lo es.

—Te preparé el desayuno. ¿Te sientes bien? Te ves un poco gris.

Le respondo con un gruñido. La mañana es la hora del diablo. Y mamá me ha dicho: "Te ves un poco gris", al menos una vez por semana durante el último año. Me dejo caer sobre el banco en la barra de la cocina, frente a los huevos y el jugo, y empiezo a comer. Tal vez debería beber un poco de café. El café podría ayudarme, aunque también podría desencadenar un interminable ataque de depresión.

Debajo del codo de mamá está la edición de hoy del *Westcliff Star*. Lo saco de un jalón y le doy la vuelta. El encabezado de la primera plana dice COLOCAN SEÑALAMIENTOS EN LA CURVA DE WELLHOUSE. Abajo del título hay una imagen que muestra la peligrosa curva de la carretera, más allá del puente Wellhouse, donde varias coronas de flores, listones y juguetes decoran el lugar. Así son siempre las noticias locales de Indiana: como no tienen nada que contar, llenan las páginas con recordatorios de que la Curva de Wellhouse mata a más personas anualmente que el gran tiburón blanco. Otra noticia local de Indiana: comparar una curva de la carretera con un tiburón.

Termino de comer el primer huevo. Papá llega desde el final del pasillo, oliendo a chicle de hierbabuena y vistiendo un conjunto deportivo ligeramente distinto al que usa cuando sale a correr con mamá, lo cual quiere decir que esa es su ropa de trabajo para el día.

—¡Buenos días, Huevito! —me grita papá, poniendo las manos sobre mis hombros e inclinándose para besarme la coronilla. Al escuchar ese apodo suelto un nuevo gruñido, y me meto a la boca un enorme trozo de huevo. Mis celestiales huevos cocidos.

—¿Cómo dormiste? —me pregunta.

Me encojo de hombros. ¿Es mucho pedir que nadie me hable por la mañana? Apenas tengo la energía suficiente en la boca para comer mis deliciosos huevos; ya no me queda fuerza para formar palabras. Y eso sin tomar en cuenta que en veinte minutos tengo que manejar hasta mi escuela para pasar allí siete horas seguidas, y estoy segura de que ahí habrá mucha gente hablando sin parar, me guste o no.

Mamá distrae a papá con su artículo sobre la salud, que creo que habla de los beneficios del ciclismo. Dejo de prestarles atención, y empiezo a leer sobre el conductor del autobús de la banda de la Preparatoria Westcliff que el verano pasado se quedó dormido mientras manejaba de regreso de las competencias regionales, saliéndose de la carretera en la Curva de Wellhouse. Mastico un bocado. El caso anterior fue un hombre que manejaba acompañado de su hijo durante el invierno. Bebo un poco de jugo. Y antes de eso, una mujer que llevaba a sus dos hijos a la guardería temprano por la mañana. Mastico otro bocado. Un grupo de adolescentes ebrios. Termino de comer mi huevo. Una chica que viajaba sola y que tuvo la mala suerte de pasar por el trozo equivocado de capa de hielo. Bebo el último trago de jugo. Lo que deberían hacer es levantar una valla protectora para impedir que la gente siga saliendo disparada por la curva, colina abajo hasta el río, pero no. Sin la Curva de Wellhouse no tendríamos noticias.

—No olvides que tus hermanos tienen su primer partido de futbol esta tarde —me dice mamá mientras me levanto del banco y llevo mi plato y mi taza al fregadero—. Están muy emocionados, así que todos debemos estar ahí para apoyarlos. ¿De acuerdo?

Odio cuando dice "¿de acuerdo?" en ese tono. Como si estuviera esperando que yo reaccione enojada incluso antes de que las palabras salgan de su boca. Siempre lista para pelear.

—Sí —es la única palabra que consigo decir.

Subo las escaleras para ir por mi mochila, mi cuaderno de dibujo y mis zapatos. Brinco un par de veces intentando que la sangre fluya hacia mi cerebro. Huevos: terminados. Nivel de energía: alto. Estoy lista para la batalla.

Resisto la tentación de regresar a mi computadora, abrir el navegador y revisar los foros de *Mar Monstruoso*. No leo los comentarios y tampoco reviso los foros antes de ir a la escuela. Esa computadora es mi madriguera e Internet es mi País de las Maravillas. Solo puedo sumergirme en él cuando no importa que me pierda allí dentro.

Amity había nacido dos veces. El primer nacimiento era igual al de todos los demás, y nunca se acordaba de él. No le daba mucha importancia al hecho de no recordarlo, porque había aprendido hacía muchos años que no ganaba nada con pensar en ello. El segundo nacimiento —o renacimiento, dependiendo de su estado de ánimo— lo recordaba con una claridad sorprendente, y suponía que así sería por el resto de su vida.

Su segundo nacimiento fue el día en que el Observador la eligió como su receptora.

CAPÍTULO 2

Hay quienes han calificado a *Mar Monstruoso* como un fenómeno. Uno que otro artículo, algunos críticos y los fans.

Yo no puedo decir lo mismo, porque es una creación mía. Es mi historia —la historia que más me importa en esta vida, y que además muchas personas disfrutan— pero no puedo decir que es un fenómeno porque eso sería pretencioso y narcisista, y la verdad es que me da asco verlo de ese modo.

¿Es extraño que el reconocimiento me provoque asco?

Hay muchas cosas relacionadas con *Mar Monstruoso* que me dan asco.

La historia es, a la vez, muy fácil y muy difícil de explicar. Nunca he intentado hacerlo en persona, pero supongo que si lo hiciera terminaría vomitando en los zapatos de alguien. Explicar algo en línea es tan sencillo como copiar un enlace y decir: "Mira, lee esto". Entonces la persona hace clic en el enlace y lee la página de inicio. Si le gusta, continúa leyendo. Si no, bueno, ¡qué se le va a hacer!, al menos no tuve que hablar.

Si de verdad tuviera que explicar la historia sin tener a la mano la referencia tan útil de la historia misma, supongo que sonaría más o menos así:

"En el lejano planeta Orcus, una chica y un chico luchan en bandos opuestos en una guerra entre nativos y colonizadores de la Tierra. Tanto la chica como el chico son receptores de parásitos de energía, cuya única debilidad son el uno para el otro. Hay cantidades enormes de océano y hay monstruos dentro de ese océano. Pasan muchas cosas y los colores son bonitos".

Por algo soy dibujante y no escritora.

Empecé a publicar *Mar Monstruoso* en línea hace tres años, pero la cosa explotó cuando el post que originó todo apareció en el sitio Mentes Maestras. La gente lo descubrió, y empezó a leer.

Les *interesó*.

Eso fue lo más extraño de todo. Otras personas, además de mí, se interesaron en la historia. Se interesaron en Amity y Damien, y en el destino de Orcus. Querían saber si las especies de monstruos marinos tenían nombres. Querían que publicara las páginas puntualmente y que tuvieran buena apariencia. Incluso empezaron a interesarse en mí. Querían conocerme, aunque nunca han podido averiguar más allá de mi nombre de usuario. Los fans no lo han logrado, los trolls tampoco, y ni siquiera los artículos o los críticos. Tal vez lo que ayudó a convertirlo en un fenómeno fue el anonimato de la autora. Esto definitivamente me ayudó a no sentir tantas náuseas al trabajar. Todo el tiempo recibo correos electrónicos de agentes y editoriales ofreciéndome publicar *Mar Monstruoso*, pero los elimino de inmediato; la edición tradicional es una cosa enorme y aterradora a la que tengo que

espantar con un palo de vez en cuando para no sentirme ago-
biada por la idea de una máquina corporativa maltratando a
mi bebé.

No hice *Mar Monstruoso* pensando en que se convertiría en un fenómeno; lo hice porque era la historia que me
gustaba. Y sigo haciéndolo porque hay algo dentro de mí, en
el fondo de mi corazón, que me dice que tengo que hacerlo.
Fui puesta en la Tierra para crear esto, para mí y para mis
fans. Esta historia es mía, y es mi deber darla a conocer al
mundo.

¿Esto me hace sonar pretenciosa?

No me importa.

Es la verdad.

PERFIL DE USUARIO
LadyConstellation**
Admin.

EDAD: 00
UBICACIÓN: Isla Nocturna
INTERESES: Montar monstruos marinos, trazar estrellas, explorar palacios con forma de reloj.

Seguidores 2 340 228 | Siguiendo 0 | Publicaciones 5 009

ACTUALIZACIONES
Ver actualizaciones anteriores

Oct 14 2016

> ¡No olviden que esta semana las nuevas playeras de Mar Monstruoso estarán en oferta! Tenemos playeras de Amity y Dallas, de Damien y los cuervos del terror, y de muchos monstruos marinos. ¡Vayan a verlas! marmonstruoso.com/store

Oct 15 2016

¡Guau, sí que les gustaron las playeras! ¡Ya vienen más en camino!

(¡Por cierto, no se olviden de la próxima recopilación!).

Oct 17 2016

Chicos, creo que las páginas de esta noche les van a encantar.

...

Oct 18 2016

Jejejejeje les dije que les iban a gustar. >:D

Oct 19 2016

Sí, sí, ya lo sé. Soy mala.

Oct 19 2016

¡Como les gustaron tanto las playeras, esta semana también estarán en oferta! ¡Recién salidas de la imprenta!

Oct 20 2016

¡Estoy súper emocionada por el capítulo de Dog Days de esta noche! Espero verlos a todos en la sala de chat.

Cuando le preguntaban a Amity cómo había sido el renacimiento, ella respondía diciendo: "Doloroso". Una criatura de pura energía se había metido en ella para reorganizar toda su estructura genética. ¿De qué otra forma podría ser? Pero la gente de Isla Nocturna era persistente, y profundamente espiritual, y el Observador era uno de sus grandes guardianes, así que después cambió la respuesta a "Iluminador".

CAPÍTULO 3

La escuela me parece más que nunca un castigo.

Simplemente *no me importa*. Estoy de pie frente a mi casillero en esta linda mañana de octubre mirando fijamente al final del corredor. Un cartel de bienvenida decora la entrada del pasillo, recordando a los estudiantes que no se olviden de comprar sus boletos para el partido de futbol americano del viernes por la noche. Alguien colgó ese cartel allí. Por Dios, alguien *hizo* ese cartel. Una persona dibujó eso. Los demás estudiantes pasan a mi lado vistiendo sus atuendos para este día en particular de la semana de bienvenida, que resulta ser el día hippie. Se pueden ver por todas partes símbolos de paz y camisetas desteñidas. El espíritu escolar en todo su esplendor.

Yo apenas logro terminar mi tarea cada noche; ¿cómo es posible que los demás tengan la fuerza de voluntad necesaria para interesarse en este tipo de cosas? Los que parecen más divertidos, con sus disfraces totalmente ridículos, son estudiantes de último año, igual que yo. ¿Cómo? ¿Por qué? Estas son preguntas reales: siento como si alguien acabara de contar un chiste, y yo me hubiera perdido la parte graciosa. Y ahora todos se ríen excepto yo.

Sigo de pie frente a mi casillero, con mis pantalones

de mezclilla flojos y una sudadera holgada, contando los minutos hasta que tenga que rendirme e ir a la hora de Tutoría. Un grupo de chicos con bandas en la cabeza y gafas color de rosa se amontonan alrededor del casillero junto al mío; uno de ellos abre la puerta con tal fuerza que me golpea la espalda en medio de los hombros. El chico empieza a disculparse, pero cuando se da cuenta de que es a mí a quien ha golpeado, su voz se transforma en una carcajada mal disimulada. Me doy la vuelta y los ignoro hasta que se marchan, pero entonces otro de los chicos se cubre la cabeza con su capucha y empieza a actuar como una criatura de las cavernas, con la espalda encorvada y las manos extendidas simulando unas garras retorcidas. Los otros chicos se ríen, como si no se dieran cuenta de que todavía puedo verlos. Me quito mi propia capucha de un tirón.

No entiendo este lugar, pero solo tengo que sobrevivirlo otros siete meses —siete meses hasta la graduación, y luego la universidad—. Y, según lo que he escuchado de varias fuentes respetables entre los fanáticos de *Mar Monstruoso*, la universidad supera en tal grado a la preparatoria que es ridículo.

Quiero estar ahí. Quiero estar en ese lugar en el que la preparatoria es un chiste; donde no tenga que estar cerca de nadie si no quiero y a nadie le importe la ropa que uso, ni cómo me veo, ni las cosas que hago.

Cuando los chicos desaparecen a la vuelta de la esquina y toda la atención puesta en mí se desvanece, vuelvo a voltear hacia mi casillero. Durante el primer año lo adorné con ilustraciones y fan art[1] de *Los Hijos de Hipnos*, mi serie de libros favorita. Había algunos bocetos de *Mar Monstruoso* escondidos en las esquinas, pero eso fue antes de que *Mar Monstruoso* existiera. Ahora, lo único que hay en mi casillero son mis cosas de la escuela. Mis libros de Estadística e Historia los guardo en mi mochila. Y mi cuaderno de dibujos lo llevo siempre bajo el brazo. La mochila va colgada sobre mis hombros, y así mi dignidad va bien resguardada.

Llego al salón de Tutoría.

—Eliza, necesito que vengas conmigo un segundo.

La profesora Grier tiene la mala costumbre de acaparar al primer estudiante que entra por la puerta de su salón siempre que necesita algo, y hoy me tocó a mí ser la desafortunada incauta que llevará a cabo sus felices deseos. La profesora me sonríe y parece el vivo retrato de la alegría, con su vestido de verano amarillo fuera de temporada y sus aretes en forma de plátano.

Alejo mi brazo de su mano para que no parezca que no quiero que me toque. La profesora Grier no me molesta. La mayoría de los días me cae bien. Ojalá me enseñara alguna asignatura real en vez de tenerla solo durante la hora de Tutoría, porque no me obliga a hablar si no quiero, y toma en cuenta el simple hecho de asistir a la tutoría como la calificación total de tu participación en el curso.

—Hoy tenemos un nuevo estudiante de intercambio en la escuela —dice, sonriendo, mientras se hace a un lado.

---

1. El término *fan art* significa "arte hecho por fans", y denomina a las obras de arte principalmente visuales, que están basadas en personajes, vestuarios u otros que el artista toma de universos previamente creados por un tercero.

Detrás de ella hay un chico un poco más alto que yo, con cuerpo de jugador de futbol americano, que lleva pantalones de mezclilla y una camiseta de la preparatoria Westcliff. No ha estado aquí ni un día y ya está lleno de espíritu escolar. Se pasa una mano a través de su corto cabello oscuro y me mira, con una expresión vacía, como si no me viera ahí frente a él. El estómago me da un vuelco. Es exactamente el tipo de persona que trato de evitar —me gusta *ser invisible*, no quiero que nadie me mire *así*.

—Te presento a Wallace —dice la profesora Grier—. Pensé que podrías darle algunos consejos sobre la escuela y ayudarlo con su horario antes de que termine la hora de Tutoría.

Me encojo de hombros. No me voy a negar, porque, normalmente, decir *no* ocasiona más problemas de los que resuelve. La profesora Grier me sonríe.

—¡Estupendo! Wallace, te presento a Eliza. Puedes pasar y sentarte junto a ella.

Wallace me sigue hasta mi asiento al fondo del salón. Se mueve lentamente, camina despacio y mira a su alrededor como si todavía estuviera dormido. Me mira de nuevo, y al ver que no digo ni una sola palabra, saca su teléfono del bolsillo y empieza a revisar sus mensajes.

De todas formas no quería hablar con él. La escuela es bastante simple —estoy segura de que es lo suficientemente listo para arreglárselas sin mi ayuda.

Doblo mis piernas poniendo los pies sobre la silla de mi escritorio, acomodo el cuaderno de dibujos sobre mis rodillas para que nadie pueda verlo y empiezo a trabajar en la siguiente página de *Mar Monstruoso*. Me olvido de Wallace; me olvido de la profesora Grier; me olvido por completo de toda la escuela.

Ya no estoy aquí.

Logro llegar al final del día igual que siempre: siendo tan invisible que los profesores nunca me detectan, y resistiéndome a la tentación de revisar los foros de *Mar Monstruoso* en mi celular. He oído decir que la escuela se vuelve mucho más fácil cuando tienes amigos con quienes hablar, pero todos mis amigos son virtuales. Solía tener amigos reales, o al menos eso creía. De pequeña, tenía amigos en la escuela y en mi vecindario, pero nunca fueron buenos amigos. Jamás me invitaban a sus pijamadas o al cine. Un par de veces me invitaron a sus fiestas de cumpleaños, pero creo que lo hacían porque mamá acosaba a las otras mamás. Era una niña rara, y sigo siendo rara. La diferencia es que ahora ninguno de mis compañeros de clases, ni yo tampoco, creemos que deberíamos interactuar más allá de lo estrictamente superficial.

Papá suele decirme que el hecho de que yo me considere rara es normal.

—Bueno, Huevito, confía en mí cuando te digo que muchos chicos de tu edad piensan lo mismo.

Tal vez tenga razón. Lo único que sé es que cuando, el año pasado, Casey Miller me vio caminando detrás de ella en el pasillo, *gritó* aterrorizada antes de echarse a correr. Obviamente se disculpó conmigo a regañadientes unos segundos después, pero estábamos en un pasillo repleto de gente —¿quién se asusta por tener a otro estudiante detrás suyo?—. Sé que una semana antes, llegué tarde a la clase de Educación Física porque tenía unos cólicos menstruales particularmente desagradables, y por mi culpa toda mi clase tuvo que subir y bajar escaleras durante diez minutos, cosa que hasta el día de hoy hace que me miren como solamente debería mirarse a los asesinos. Sé que unos meses antes de eso, Manny Rodríguez les propuso a algunos de sus compañeros de natación que se colaran antes que yo en la fila del almuerzo, pero ellos se negaron a hacerlo porque les dio miedo que yo invocara un demonio para castigarlos.

¿Parezco ese tipo de persona? ¿Una sectaria? ¿Una fanática religiosa? ¿Acaso soy tan rara como para ser la "villana" de la semana en algún programa de crimen del horario estelar?

Mis padres se preguntan por qué no tengo más amigos, y he aquí la razón: porque *no quiero* ser amiga de esta gente. Hasta los que son buena onda creen que soy rara; puedo verlo en sus caras cuando nos ponen a trabajar en pareja para algún proyecto. Soy esa clase de persona que te hace rezar por que la maestra no la ponga en tu equipo. Y no es porque sea una mala estudiante, ni porque deje que los demás hagan todo el trabajo, sino porque me visto como una indigente y nunca hablo con nadie. Cuando era muy pequeña, esta clase de comportamiento era adorable. Ahora solo es raro.

Debería haberlo superado.

Debería tener ganas de socializar.

Debería querer tener amigos a los que pudiera ver con mis ojos y tocar con mis manos.

Pero no quiero ser amiga de esta gente que ya ha decidido que soy demasiado rara para ellos. Tal vez si supieran quién soy realmente y lo que he hecho, no creerían que soy tan rara. Quizá lo *raro* se convertiría simplemente en *excéntrico*. Pero la única persona que puedo ser en esta escuela es Eliza Mirk, y Eliza Mirk no es más que una nota al pie de página en la vida de cualquiera, incluida mi propia vida.

Cuando suena la campana de la séptima hora, ya tengo toda una página de *Mar Monstruoso* lista para entintar, pero mi mente está enfocada en la página que todavía tengo que terminar cuando llegue a casa. Los viernes subo las nuevas páginas, siempre es así, como los programas de televisión o los torneos deportivos. A mis lectores les gusta la constancia. Y a mí me gusta ser constante con ellos.

Lanzo dentro de mi casillero los libros que no voy a necesitar y me dirijo al estacionamiento, pegándome lo más que puedo a las paredes y encogiéndome hasta que apenas puedo sentir mi propia presencia. La mayoría de las personas ya están dentro de sus autos, atascando el lugar. Logro abrirme camino para salir por las puertas frontales de la escuela, y empiezo a buscar mis llaves en la mochila.

Ese chico Wallace está sentado en una de las bancas de la entrada, con su teléfono en una mano y la pantalla encendida como si estuviera esperando un mensaje, y una pluma en la otra mano para poder escribir en el montón de papeles que hay en la carpeta sobre sus rodillas. Todavía parece como si estuviera a punto de quedarse dormido. Tal vez necesita que alguien lo lleve a casa, o quizá simplemente es más listo que los demás y sabe que es mejor esperar hasta que el estacionamiento se vacíe para poder marcharse. Me detengo afuera de la puerta y lo observo por un instante. Podría ofrecerle llevarlo a casa, pero eso sería extraño. Eliza Mirk nunca se ofrece a llevar a nadie en su auto, y nunca nadie se lo pide.

Cuando veo que empieza a levantar la cabeza, me doy la vuelta y me alejo corriendo hasta llegar a mi auto.

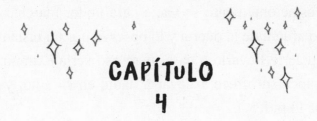

CAPÍTULO 4

Apocalypse_Cow: ¿Estás trabajando ahora en la siguiente página?

MirkerLurker: No. Terminé una página hace un rato. Ahora estoy sentada en mi auto mientras me dirijo al partido de futbol de mis hermanos. Solo tengo conmigo mi cuaderno de dibujos.

emmersmacks: Qué mal.

emmersmacks: Oye, ¿recibiste mi paquete?

MirkerLurker: ¡No! ¿Enviaste otro? ¡No tenías que hacer eso, Em!

emmersmacks: :DDD ¡Me encanta enviarles cosas, chicos! ¡Además este paquete tiene cosas excelentes!

Apocalypse_Cow: ¿Cuándo traen cosas que no sean excelentes?

Apocalypse_Cow: Y, por cierto, ¿¿¿dónde está Mi paquete???

emmersmacks: Ay, tranquilízate, tú también vas a recibir uno, tonto.

emmersmacks: Vas a conectarte para la transmisión en vivo de Dog Days, ¿verdad, E?

MirkerLurker: Obvio. Prefiero comerme mi propio pie antes que perderme un capítulo de Dog Days.

Apocalypse_Cow: *toma una captura de pantalla*

Apocalypse_Cow: Que quede registrado este día que si Eliza llegara a perderse un capítulo de Dog Days se comerá uno de sus pies.

emmersmacks: A los de Mentes Maestras les encantaría ver eso.

emmersmacks: La Creadora de Mar Monstruoso se come su propio pie por una telenovela para adolescentes.

Apocalypse_Cow: Una cursi telenovela para adolescentes.

MirkerLurker: ¿Es una telenovela cursi? Sí. ¿Es súper entretenida? Definitivamente sí.

emmersmacks: Amén.

—¿Estás escribiéndole a tu novio otra vez? —me pregunta Sully.

Me da un codazo y sentándose a mi lado, pone la barbilla sobre mi hombro. Al escuchar su pregunta, Church deja de mirar por la ventana del auto y se inclina sobre mi otro hombro. Azoto mi celular con la pantalla boca abajo sobre el cuaderno de dibujos que tengo en mis rodillas.

—Dejen de leer por encima de mi hombro —les grito—. Y no es mi novio, solo son Max y Emmy.

—Ah, *solo* son Max y Emmy —dice Sully, simulando unas comillas con sus dedos.

—Seguro —lo secunda Church, riéndose y haciendo el mismo gesto con sus manos unos segundos después.

—No peleen allá atrás —dice mamá desde el asiento del copiloto.

Papá hace un ruido para indicar que está de acuerdo con mamá.

Entramos en el estacionamiento del gimnasio donde Sully y Church tendrán su partido de futbol. La media hora de trayecto se pasó muy rápido gracias a Max y a Emmy, pero no vuelvo a mirar mi teléfono hasta que las dos pesadillas se bajan del auto. Luego camino detrás de mamá y papá hasta el edificio, sin despegar los ojos del celular.

Apocalypse_Cow: Pero ya hablando en serio, Dog Days es lo peor que hay.

emmersmacks: Está mejor que la segunda temporada cuando Heather se hizo novia de Ben.

Apocalypse_Cow: Heather se hizo novia de Jason en la segunda temporada, no de Ben.

emmersmacks: lo dice el que supuestamente no ve Dog Days.

Apocalypse_Cow: ...

emmersmacks: Ah, cómo caen los poderosos.

Me río entre dientes. Papá voltea a verme por encima del hombro.

—¿De qué te ríes, Huevito?

Apago el celular y vuelvo a ponerlo sobre mi cuaderno de dibujos.

La gente molesta acaba con mi buen humor, como si fueran pequeñas manchas oscuras en la luz.

—De nada.

Mantengo el celular sobre mis rodillas y la mirada hacia el frente hasta que me aseguro de que mamá y papá no están volteando hacia atrás. Este gimnasio parece más una bodega que otra cosa. Es un enorme cuarto vacío con paredes móviles divisorias entre las distintas canchas. Voleibol, basquetbol, tenis. Este lugar es gigantesco. En el centro hay una cancha de futbol amurallada, con gradas y todo. Tomo una foto y la envío al chat.

MirkerLurker: Este lugar es verdaderamente el infierno.

emmersmacks: A mi hermana le encanta pasarse la vida en uno de esos gimnasios.

emmersmacks: Con solo verlos me dan ganas de bañarme.

Apocalypse_Cow: Eso es extrañamente específico, Ems. lamento tu mala suerte, E.

MirkerLurker: Si me muero en este lugar, entiérrenme junto con mis dibujos.

Apocalypse_Cow: Se cantarán canciones. Se llorará por el potencial perdido. Alguien tendrá que notificar a los fans, por supuesto. Como jefe de seguridad de los foros de MM, acepto esa responsabilidad.

emmersmacks: ¿Desde cuándo te autonombraste Jefe de Seguridad Administrador?

emmersmacks: Lo único que haces es bloquear a los trolls.

—Oh, Eliza, mira —dice mamá, rozando mi hombro con la mano.

Levanto la vista y me doy cuenta de que está viendo un cartel colocado en un tablero cerca de la entrada del gimnasio. Papá y los chicos ya se han adelantado a la cancha, donde los equipos están preparándose para el partido.

—Van a empezar a dar clases de tenis dentro de poco. Creo que te encantaría el tenis. Es un juego solitario, y es un excelente ejercicio.

—No —respondo, y regreso a mi teléfono.

Mamá se da por vencida inmediatamente. Con el paso de los años hemos progresado mucho en este proceso. Cuando era pequeña y no podía opinar al respecto, mis papás me inscribían en todos los deportes habidos y por haber. La liga infantil de beisbol, soccer, basquetbol, voleibol. Odiaba todos y cada uno de ellos, porque no tenía —no tengo— ni la más mínima coordinación. Además de que no me gustaba —no me gusta— hablar, así que no jugaba bien, y mis compañeros no me querían en sus equipos. La primera vez que le dije a papá que quería dejar de jugar softbol, enloqueció y me dejó de hablar por una semana. Mamá intentó hacerme cambiar de opinión.

Me dijo que me ayudaría a forjar mi carácter; que me serviría para hacer amigos y que sería un excelente ejercicio.

Me negué. Después de eso, renuncié a todos los otros deportes. Hacer eso fue como despojarme de una vieja y pesada armadura. A Church y a Sully les encantan los deportes, así que la atención de papá y mamá dejó de centrarse únicamente en mí, pero aun así siguieron intentándolo.

Ahora estamos en una posición en la que ellos me sugieren algo, yo respondo que no, y punto final.

Camino detrás de mamá hasta llegar a la cancha de futbol y me siento junto a ella en la parte inferior de las gradas. Papá se queda en las líneas laterales, sosteniendo en una mano su tabla sujetapapeles de entrenador, y hablando con un grupo de chicos flacuchos de catorce años, o menos, vestidos con sus uniformes azul cielo. Saco de mi bolsillo los lápices y la goma de borrar, y abro mi cuaderno de dibujos.

—Me gustaría que no llevaras esa cosa contigo a todas partes —me dice mamá—. ¿Por qué no pones atención al partido de tus hermanos?

Levanto la mirada para verla, luego volteo hacia la cancha y vuelvo a concentrarme en mi cuaderno de dibujos. Ninguna de mis respuestas es la que ella espera oír, así que mejor no digo nada.

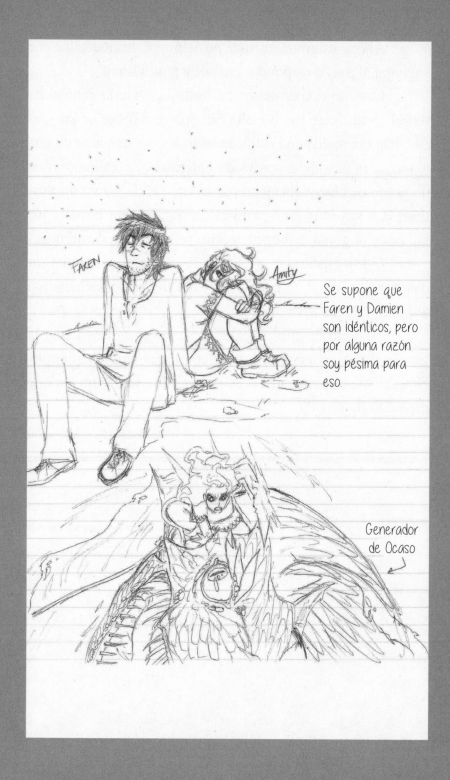

Llegamos a casa a tiempo para *Dog Days*. Salgo del auto con dificultad pasando por encima de Church, que está todo lleno de sudor, tomo una botella de agua mientras me dirijo a toda prisa a mi habitación, enciendo el pequeño televisor que está en la esquina del escritorio junto a la computadora, y empiezo a cambiar los canales hasta que encuentro el que busco. Los créditos iniciales ya están en la pantalla, así que enciendo la computadora y abro rápidamente la página web.

Marmonstruoso.com no es solo el sitio principal que contiene todas las páginas de *Mar Monstruoso* que he hecho hasta ahora, sino que además es el enlace a los foros más grandes de los admiradores del cómic y a una página de chat donde una vez por semana aparezco bajo mi nombre artístico para mirar *Dog Days* junto con los fans. Solo en estas ocasiones LadyConstellation habla en vivo y en directo.

LadyConstellation: ¡YA ESTOY AQUÍ! ¡Que nadie se preocupe, porque ya llegué!

moby66: ¡Genial!

GirlWho: Genialísimo.

hustonsproblem: ¡Creímos que no vendrías!

A continuación, aparece una avalancha de comentarios. Normalmente hay tanta gente en la sala de chat que no puedo responder ni a uno solo. De modo que solo escribo algunos comentarios sobre el programa y dejo que los demás respondan. Así empiezan a hablar entre ellos. Básicamente lo que importa es que estoy aquí, que estamos viendo la misma cosa, y que por un instante nadie está hablando de *Mar Monstruoso*.

Amo *Mar Monstruoso* tanto —o probablemente más— que ellos, pero hasta yo necesito un tema de conversación simple de vez en cuando. De pronto, aparece en mi teléfono una ventana de chat privado, donde sigo conectada con mi cuenta de MirkerLurker.

> **Apocalypse_Cow:** ¡Me muero de ganas de ver este capítulo! ¿¿Se enterará por fin Spencer de que Jane es lesbiana y que además está saliendo con su ex??

Max nunca lo admitirá públicamente, pero le encanta ver *Dog Days* tanto como a los demás. Esto solo lo sabemos Emmy y yo, pero en este momento Emmy está demasiado ocupada divirtiéndose con los otros fans en el chat principal.

Le envío algunos *emojis* sin sentido a Max y empiezo a comentar en el chat principal mientras aparecen las primeras escenas de *Dog Days*, donde Spencer efectivamente descubre que Jane ha salido del clóset y ahora está saliendo con su exnovia Jennifer. No podría decir si este giro en la trama es estúpido o si la telenovela está intentando pronunciarse sobre los derechos de los homosexuales. Escribo eso y lo envío al chat. Les encanta mi comentario.

Durante el primer corte comercial, escaneo en mi computadora la nueva página de *Mar Monstruoso* que dibujé hoy en la escuela y la importo a Photoshop para empezar a hacer los dibujos lineales. Mi selección de plumas está frente a mí esperándome igual que un caballo de carreras ganador listo para salir disparado en cuanto abran la reja, con su pantalla duplicando la pantalla de mi computadora. Me pongo mi protector contra las manchas —un viejo guante con los dedos medios índice y pulgar cortados— en la mano derecha, para evitar que la pantalla de la selección de plumas se ensucie y para permitir que mi mano se mueva fácilmente sobre ella. Nada arruina un dibujo tan rápido como un movimiento de manos deficiente.

Trazar los dibujos lineales es mi parte favorita de todas las páginas. Colorearlos es la segunda, pero el dibujo lineal tiene una cierta sutileza y delicadeza que no se compara con nada. Un buen trabajo lineal puede crear o destruir un dibujo. Además, esta página tendrá unos dibujos realmente increíbles: justo en este momento, Amity y Damien están en medio de la Batalla de Arenas, donde los orcianos y los terrícolas se enfrentan por el control de la ciudad capital de las tierras desérticas.

Mar Monstruoso está repleto de muchos poderes elementales, muy del tipo anime, así que la mayoría de las batallas tienen excelentes dibujos lineales. Especialmente cuando Amity y Damien participan en ellas, porque pelean con cristales y niebla. Ángulos y curvas. Una delicia.

El corte comercial termina antes de que pueda terminar nada. Suelto mi pluma y regreso a la pantalla de chat donde encuentro algunos recién llegados destacables entre la multitud.

LadyConstellation: Espero que nadie haya causado problemas durante el corte comercial.

rainmaker: Define la palabra "problema".

Fire_Served_Cold: Problema: s. def: Este tipo.

rainmaker: Qué sutil.

Fire_Served_Cold: Trato de serlo.

Debajo de ese rápido intercambio aparecen varios comentarios emocionados aclamando a "¡¡rainmaker!!", y algunos cuantos que dicen: "¡Ya llegaron Los Ángeles!".

Los Ángeles a los que se refieren son un grupo de cinco admiradores que tomaron sus nombres a partir de los Ángeles que aparecen en *Mar Monstruoso*, los guardianes del planeta Orcus. En realidad, nunca he interactuado con rainmaker ni con los otros Ángeles del grupo de fans, pero los he visto en las salas de chat. Es prácticamente imposible no verlos, porque son casi tan populares como yo.

La música en la pantalla del televisor va subiendo de volumen hasta llegar a su clímax. Volteo la cabeza a tiempo para ver que Jane acaba de enterarse de que está embarazada de Spencer, justo antes de otro corte comercial. Esta vez sí que se trata de un capítulo especial. Regreso al chat principal.

LadyConstellation: ¡¿Otro embarazo?! ¡En este programa ya ha habido un bebé, una adopción y un aborto! ¿Cómo van a solucionar ahora este problema sin perder la relevancia en la VIDA REAL DE LOS ADOLESCENTES?

rainmaker: Jajajajaja

La respuesta aparece inmediatamente, y una extraña sensación cálida revolotea en mi pecho. Otras personas también se ríen, pero la respuesta de rainmaker es la que me produce esa sensación. Es el escritor de *fanfic*[2] de *Mar Monstruoso* más leído. O sea, ni aunque me lo propusiera podría hacer que *Mar Monstruoso* fuera así de gracioso.

Así que el hecho de que se ría de algo que yo dije es como ganar la lotería.

Y luego responde con esto:

> **rainmaker:** GIRO INESPERADO EN LA TRAMA: el bebé era de Jennifer. Jane, estaba engañando a Spencer mucho antes de esto. Cuando el bebé nazca, le pondrán Janifer y vivirán juntas una feliz vida de lesbianas en los suburbios y nunca más volverán a pensar en Spencer.

Cuando leo la palabra *Janifer* casi escupo el agua encima de la pantalla de mi computadora. Cuando rainmaker aparece, el resto de los comentarios en el chat y todas las otras voces, pasan a segundo plano y mis ojos solo se fijan en lo que escribe.

> **Fire_Served_Cold:** Un momento, ¿cómo hicieron dos lesbianas para tener un hijo biológico juntas?

---

2. El *fanfiction* es una narración creada por fans y para fans, la cual toma un texto original o persona famosa como punto de partida. Se crea, por lo general en una comunidad o fandom y es distribuido, principalmente, en línea.

rainmaker: Mmm, oye, nadie dijo que era el hijo biológico de Jennifer. Sangre=/=familia. ¿Me equivoco? ¿Están de acuerdo?

LadyConstellation: Perdón, pero sigo tratando de procesar "Janifer".

rainmaker: Te gustó, ¿verdad? ;)

¡Oh, por Dios!, una carita de guiño. El emoticono más provocativo de todos. Siento cómo me sonrojo y me froto las mejillas para disimularlo, aunque no hay nadie aquí para verlo. Qué tipo tan confianzudo y engreído. Los chicos de la escuela nunca se comportan así conmigo —no sé si es porque puedo ver sus caras, o porque ellos pueden ver la mía— Solo tengo este tipo de sentimientos por las personas que conozco en línea y, honestamente, rainmaker es el primero en desenterrarlos desde hace muchísimo tiempo. Es como si solo me estuviera hablando a mí en todo este chat. Como dos personas sentadas en un sillón, una al lado de la otra, en medio de una fiesta llena de gente.

He aquí el nuevo problema: ¿le respondo algo?

Mis dedos revolotean encima del teclado. En el televisor aparece un comercial de medicamentos para el acné, y luego otro para anunciar el programa que sigue después de *Dog Days*. Escribo lo siguiente:

LadyConstellation: ¿Tú qué crees? ;)

Qué respuesta tan evasiva. Al menos pude incluir también la carita de guiño. Tal vez suene lo suficientemente tímida como para compensar la falta total de inteligencia. Es estúpido porque eso es precisamente lo que me gusta de internet —que te da tiempo para pensar en lo que quieres decir antes de decirlo—. Pero mi cerebro no está funcionando adecuadamente. No estoy segura de que sea una buena idea coquetear públicamente como LadyConstellation, y ni siquiera sé quién es rainmaker. Podría ser un tipo de cuarenta años que vive en el sótano de la casa de sus padres, con los dedos llenos de queso de sus Cheetos y una colección de camisetas *vintage* de Star Wars que cada vez aprietan más su estómago en constante crecimiento.

Me pongo a trabajar de nuevo en mis dibujos. Mis manos temblorosas se tranquilizan una vez que las apoyo contra la pantalla de la selección de plumas, y las líneas brotan con facilidad y llenas de energía. Dibujar mantiene mi mente ocupada mientras pienso en esa carita de guiño, y en la que yo mandé como respuesta.

Amity, con su maraña de cabellos blancos y sus agudos ojos anaranjados, cobra vida línea por línea contra el fondo blanco. Todavía no tiene color, pero aun así puedo verlo en ella cada vez que la dibujo. Siempre me he preguntado qué se sentirá ser esa persona que irradia color aun estando completamente inmóvil. Ser alguien tan vibrante que los demás no puedan evitar notar tu presencia. No son los ojos de Amity, ni tampoco su cabello; ni siquiera es su piel la que produce ese efecto. Es simplemente *ella*.

Dejo para después el conjunto de cristales anaranjados

tipo cuchillo que crecen a lo largo del brazo derecho de Amity —dirigidos hacia atrás, listos para fulminar a sus enemigos. El programa vuelve a aparecer en la televisión.

Rainmaker no ha dicho nada más en el chat. De vez en cuando aparezco por ahí para comentar algo sobre el programa, pero la mayor parte del tiempo me recargo en mi silla, dejo de pensar y disfruto viendo a ese grupo de veinteañeros fingiendo ser adolescentes, tomando decisiones astronómicamente malas y aprendiendo de sus errores. Cada cierto tiempo, algún *troll* se apodera de la ventana de chat gritando en letras mayúsculas o enviando un sinfín de emoticonos, y entonces aparece la cuenta de Forges_of_Risht para bloquearlo.

Un mensaje de Max se muestra en la pantalla de mi teléfono.

Apocalypse_Cow: Reportándome al servicio con el martillo bloqueador listo.

MirkerLurker: Excelente trabajo, soldado.

Apocalypse_Cow: Por algo me contrataste para este trabajo.

MirkerLurker: Sí, para que Emmy no tenga que hacerlo y pueda hacerse cargo de la página web.

Apocalypse_Cow: Qué graciosa.

MirkerLurker: Pero ya, en serio, buen trabajo. Nadie maneja el martillo bloqueador tan bien como tú.

Max envía más *emojis*. Una chica bailando salsa; una mano pintándose las uñas; un foco. Suele fastidiar rutinariamente a Emmy para que los *emojis* formen parte del chat del foro de *Mar Monstruoso*, y ella se niega porque le parece muy gracioso.

Emmy comenta algo en la sala de chat de *Dog Days*, provocando una ráfaga de respuestas tan rápidas que no me permiten desplazarme hacia arriba para ver el comentario original.

Max y Emmy no son los únicos que ayudan a manejar los foros, pero son los mejores. Y solo ellos no me conocen como LadyConstellation sino como Eliza. Antes de que Max fuera mi cadenero, incluso antes de que compartiera el enlace a *Mar Monstruoso* en el foro de Mentes Maestras que atrajo a todos los fans, era un obsesivo teorizador de tramas en los foros de *Los Hijos de Hipnos*. Y Emmy —antes de que creara marmonstruoso.com, así como los foros y la tienda donde vendo mis productos, era el alma de la fiesta de *Los Hijos de Hipnos*—. Hoy es una niña de catorce años con la energía de una *fangirl* suficiente para abastecer una ciudad pequeña.

Si ellos dos no hubieran descubierto mi *fan art*, nada de esto habría pasado. Ambos descubrieron por separado mi post olvidado en los foros de *Los Hijos de Hipnos*, y fue precisamente en ese post donde creamos un pequeño espacio solo para nosotros.

Sí tengo amigos. Tal vez vivan a kilómetros de distancia de donde yo estoy, y quizá solo puedo hablar con ellos a través de una pantalla, pero son mis amigos. No solo llenan de vida a *Mar Monstruoso*. Me llenan de vida a mí.

Max y Emmy son la razón por la que todo esto existe.

Después del segundo nacimiento, podía sentir al Observador dentro de su mente, sus ojos fijos en ella. Desde luego, en su interior solo estaban sus propios ojos, pero así es cómo se sentía. Un trozo de carbón ardiente en la nuca. Algunas veces se aferraba a sus hombros, pero cuando volteaba para ver su reflejo no había nada allí. No sabía si todo eso eran alucinaciones provocadas por el síndrome post-renacimiento, o si simplemente se había acostumbrado a la sensación. En cualquier caso, ya había dejado de sentirlo. Y el Observador no había hablado con ella desde aquel primer día, cuando habían hecho el trato.

Su cuerpo a cambio de su poder.

CAPÍTULO
5

En el transcurso de los días siguientes, terminé otras dos páginas. Podría hacerlo más rápido —puedo terminar una página por día si me lo propongo— pero la calidad empezaría a deteriorarse, y eso es lo último que quiero en estos momentos. Ya hemos avanzado tanto en el cómic que a partir de ahora las cosas solo deberían mejorar, no empeorar. Mientras estoy en la escuela, dibujo a lápiz las páginas, tratando de adelantar lo más que puedo la base de los dibujos lineales antes de escanearlo en la computadora. Hago esto en clase cuando nadie me observa, o durante la hora del almuerzo mientras estoy sentada sola en el patio interior helado fuera de la cafetería. Dentro de poco el clima estará muy frío como para poder sentarme afuera, y tendré que encontrar una mesa adentro, lo cual suena divertido si tomamos en cuenta que todas las mesas están ocupadas siempre que entro a la cafetería.

El viernes, día de nuestro partido de bienvenida, todos están vestidos con el color dorado típico de Westcliff en camisetas de futbol americano, tienen las caras pintadas y listones dorados atados en colas de caballo. En el pasillo principal, hay cinco carteles distintos animando al equipo. De camino hacia la cuarta clase, está el cartel número tres que se desprende de la pared cuando paso debajo de él. El mundo se oscurece. Empiezo a luchar para intentar quitármelo de encima, y en ese momento escucho las carcajadas en el pasillo detrás de mí. El anuncio se cae el suelo.

Travis Stone y Deshawn Johnson, los dos únicos estudiantes en esta escuela que me asustan aun en los días buenos, se inclinan contra los casilleros mientras me observan tratando de quitarme el cartel de encima. Travis Stone parece un buitre, con sus pantalones de mezclilla guangos y su corte militar de cabello. Deshawn Johnson es un chico que la mitad del tiempo es demasiado *cool* para juntarse con Travis y la otra mitad es la persona menos *cool* del mundo. Hace diez años eran dos niñitos tiernos en mi escuela primaria que jugaban a los encantados conmigo en el patio de recreo, y que me hubieran ayudado con este cartel en vez de quedarse ahí mirándome.

—Lindo cabello —dice Travis.

Me paso una mano por la cabeza y descubro que tengo una infame cantidad de brillantina entre el cabello. La expresión de mi cara provoca una nueva ronda de carcajadas en Travis y en Deshawn.

Entro al baño e intento limpiarme pero no lo logro. Lo único que consigo es llenar el lavabo de brillantina dorada tipo caspa, mientras las otras chicas me miran extrañadas, como si yo hubiera provocado esto. Todas mis esperanzas de felicidad y de un futuro brillante se desvanecen.

Al final del día, salgo de la escuela y me encuentro con un cielo gris. Camino en medio del aire helado y de largas filas de automóviles peleándose por salir del estacionamiento. Dentro de algunas horas, todo el mundo estará de regreso para el partido, amontonados en la cancha que está en la parte trasera de la escuela, expresando a gritos su apoyo en el frío aire de la noche y apiñados junto a sus amigos. Habrá carros alegóricos de los distintos grupos desfilando alrededor del perímetro de la cancha. También habrá un minuto de silencio y un breve homenaje en honor a los miembros de la banda que salieron volando de la Curva Wellhouse el verano pasado. Las camisetas del equipo estarán a la venta y habrá fiesta hasta la madrugada.

Reacomodo mi mochila sobre los hombros y sostengo entre las manos mi cuaderno de dibujos. Hay demasiados autos. Apuesto a que en la universidad no suceden este tipo de problemas con el estacionamiento. Apuesto a que la universidad es genial.

Me doy la vuelta y veo a Wallace nuevamente en la misma banca. Todos los días de esta semana se ha sentado en el mismo lugar. Ayer me enteré de que se apellida Warland, lo cual parece apropiado para alguien de su complexión y estatura, capaz de provocar destrucción a donde quiera que vaya.

Hoy, Wallace Warland no está solo. A su lado están Travis Stone y Deshawn Johnson, la pesadilla de mi vida hoy y siempre. Toparme una vez al día con mis amigos de otros tiempos ya es bastante malo, pero dos veces significa un problema seguro. Deshawn está de pie junto a la banca con los brazos cruzados, y Travis está tumbado junto a Wallace, como si fueran viejos amigos. Wallace está sentado muy rígido, con sus manos cubriendo las hojas en las que siempre está escribiendo algo, y la mirada fija en la banqueta un poco a la izquierda de donde están los zapatos de Deshwan. No pensé que Wallace fuera la clase de persona que iniciaría una amistad con un tipo como Travis Stone, al menos no con el estúpido Travis Stone de esta preparatoria. La curiosidad hace que mis pies se acerquen unos centímetros más a ellos, mientras finjo que estoy considerando ir a mi automóvil. Saco mi teléfono y me quedo mirando la pantalla negra.

—… debe haber escrito esto. Nadie puede escribir tan bien. ¿Qué has dicho que es?

Travis intenta tomar una de las hojas, pero Wallace las sujeta con fuerza.

—¿Cómo dices que se llama? Fan… fan…

—*Fanfiction* —dice Deshawn.

No es posible. Ni en broma creería que Wallace Warland escribe *fanfiction*. *Fanfiction* ¿de qué? ¿Qué puede disfrutar Wallace Warland tanto como para escribir *fanfiction*? ¿Acaso existe *fanfiction* sobre equipos deportivos profesionales?

—Dame eso —Travis intenta tomar nuevamente una de las hojas, pero Wallace reacciona apretándolas con más fuerza.

—Creo que es acerca de esa cosa en internet —dice Deshawn, tratando de echar un vistazo a las hojas—. Esa cosa del mar. Al oír esto se me erizan todos los cabellos de la nuca. Los latidos de mi corazón parecen una matraca. No es posible que estén hablando de *Mar Montruoso*.

Wallace Warland *no* escribe *fanfiction* para *Mar Monsruoso*.

—Déjenlo en paz —al decir esto, me doy la vuelta y empiezo a caminar hacia ellos antes de poder detenerme.

Mi voz proviene de algún oscuro depósito de valentía en mi interior, un lugar que normalmente está reservado para la clase de Oratoria, o cuando tengo que ir yo sola al dentista. Mi cara se arruga; las piernas me empiezan a temblar y el corazón me late como si acabara de correr dos kilómetros.

Travis y Deshawn voltean a verme al mismo tiempo y sonríen —bueno, Deshawn no sonríe realmente, y todas las sonrisas de Travis parecen estar llenas de lascivia—. Por Dios, aún recuerdo cuando esas sonrisas solían ser tiernas. Wallace me mira fijamente, con una expresión incomprensible en su rostro. ¿Es que acaso se ha dado cuenta de lo inútil que es todo esto? Tal vez podría darle por lo menos algunos segundos para correr. Lo único que no puedo hacer es quedarme de brazos cruzados mientras un fan —si no es fan de *Mar Monstruoso*, por lo menos es fan de algo— es ridiculizado por sus gustos. LadyConstellation no lo toleraría, y en este preciso momento, yo tampoco lo haré.

—Oh, por Dios, *Murky* puede hablar —dice Travis, fingiendo sorpresa.

Hemos ido a la misma escuela desde que estábamos en segundo año. Sabe perfectamente bien que puedo hablar, a diferencia de algunos de nuestros compañeros de clase, que creen que en verdad soy muda.

—Déjalo en paz, Travis.

Mi voz empieza a sonar demasiado débil para esto. El depósito de valentía de emergencia se ha agotado.

—¿Por qué lo defiendes, *Murky*? ¿Acaso alguien está enamorada?

Siento que mi cara se calienta en cuestión de segundos. Aprieto el borde de mi cuaderno de dibujos entre mis muslos. Sé que ésta es su mejor táctica para lograr que una chica deje de hablar, o para ponerla tan nerviosa que ya no pueda elaborar un argumento racional. Empezó a utilizarla en secundaria, cuando me volví tan rara que ya nadie quería juntarse conmigo. Si puedo mantenerme firme, tal vez logre vencerlo en su propio juego.

—No. Cállate —digo débilmente—. Es solo que... tú... Deja que escriba lo que él quiera. Sea lo que sea, no es asunto tuyo.

—¿Que no es asunto mío? ¡No me estoy burlando de él, *Murky*, solo quiero leer lo que escribe! No te metas.

—¡Es obvio que no quiere que lo leas! —le digo.

Wallace me mira fijamente mientras hablo, y siento cómo el calor empieza a recorrer también mis orejas. Y por eso no me doy cuenta cuando Deshawn me arrebata mi cuaderno de dibujos de las manos.

—¡Oye!

Trato de quitárselo, pero él retrocede unos pasos, abriéndolo rápidamente para mirar los dibujos. Algunas de las páginas sueltas revolotean a causa del viento helado pero no se salen del cuaderno. —Vaya, estos dibujos son muy buenos —dice Deshawn—. Trav, creo que ella también está metida en esa cosa del mar.

Cierra el cuaderno de un golpe y lo lanza a Travis por encima de mi cabeza, tan alto que mis dedos no pueden atraparlo cuando brinco para intentarlo. Travis se levanta de la banca y lo atrapa en el aire, lanzando al viento algunas de las páginas sueltas, y abre el cuaderno.

—Ah, así que ésta es la razón por la que lo defendiste. ¡Les gusta la misma cosa!

—¡Devuélvemelo!

Nadie debe ver ese cuaderno. Es el que traigo conmigo a la escuela, así que no es tan revelador como los otros, pero aun así hay varias cosas en él relacionadas con *Mar Monstruoso* —por ejemplo, algunas páginas inconclusas del cómic— y existe el riesgo de que revele mi verdadera personalidad. Además, detesto la idea de que los saltones ojos de Travis Stone miren las cosas que he dibujado. Ni siquiera cuando éramos amigos dejaba que viera mis dibujos, y definitivamente no voy a empezar a permitirlo ahora. Me abalanzo sobre Travis para tratar de recuperar mi cuaderno, pero éste se lo lanza de nuevo a Deshawn.

No quedaré en medio de un juego de "atrápalo si puedes". No ahora que soy una estudiante de último grado. *No lo haré*. Pero Deshawn sigue ahí con el cuaderno en sus manos, hurgando entre sus páginas, y no se mueve hasta que yo lo hago. Las lágrimas me nublan la visión. *Genial*. Para colmo de todo ya estoy llorando. Hay que empeorar la situación. Aprieto los puños y camino hacia Deshawn. En cuanto me acerco a él lo suficiente, empieza a reírse y lanza al aire mi cuaderno.

Me giro nuevamente, a punto de lanzar un grito de frustración, pero en ese momento descubro a Wallace interponiéndose entre Travis y yo, con el cuaderno de dibujos en una de sus manos. Debe haberlo atrapado en el aire. No creí que pudiera moverse tan rápido. Travis se queda ahí estupefacto y ligeramente impresionado. Wallace se da la vuelta y lo mira fijamente. Travis es casi de mi estatura, así que, al estar ambos de pie, Wallace lo sobrepasa casi por media cabeza y es mucho más corpulento. Travis parece un arbolito junto a un roble adulto.

Wallace empieza a caminar hacia él, con el cuerpo completamente tenso, y Travis retrocede levantando las manos.

—¡Eh! Vaya. Tranquilízate, amigo. Maldición.

Voltea a ver a Deshawn, estirando la cabeza hacia el estacionamiento, y ambos desaparecen de la escena. En el camino, Travis levanta del suelo uno de mis dibujos, y me mira fijamente mientras lo dobla y lo guarda en uno de sus bolsillos.

Cuando me doy cuenta Wallace ya está en la acera de enfrente recogiendo del suelo las otras páginas sueltas. Yo intento recuperar las que están cerca de mí —Amity usando sus cristales para lanzarse hacia el cielo, Damien envuelto en una nube de niebla con una bandada de cuervos muertos— mientras me seco las lágrimas.

Wallace se acerca a mí, caminando pesadamente y utilizando mi cuaderno de dibujos como una superficie de apoyo para poder garabatear algo en una de las páginas sueltas. Acto seguido, mete el papel dentro del cuaderno junto con los dibujos que recuperó, y luego me lo entrega. En vez de mirarme como si yo fuera invisible, no me mira en absoluto; sus ojos se dirigen primero hacia la izquierda, luego a la derecha y, finalmente, baja la mirada, hasta que recupero mi cuaderno. Casi se me cae de las manos y tengo que sujetarlo contra mi pierna.

Wallace permanece inmóvil. ¿Se supone que tengo que decir algo? ¿Quiere que diga algo? Se rasca la nuca, y luego pone la mano en su cuello, mientras respira profundamente.

Meto la mano a mi bolsillo en busca de mi teléfono, pero lo más probable es que Emmy y Max ni siquiera estén conectados en este momento. Emmy debe estar en la escuela y Max en el trabajo. Mis dedos juguetean con las llaves de mi auto, sin tener ningún lugar a dónde ir. Wallace sigue de pie frente a mí, pero ahora él también ha sacado su teléfono.

Sacó su teléfono. Eso quiere decir que está distraído.

Me doy la vuelta y me marcho antes de que Wallace levante nuevamente la cabeza. Estoy casi segura de que lo hace, pero no importa porque ya estoy al otro lado del estacionamiento, y me tiene sin cuidado que piense que soy rara, porque nunca más voy a volver a hablar delante de él. Cuando llego a mi auto, me subo rápidamente y cierro la puerta con fuerza. Todavía hay demasiada gente en el estacionamiento como para poder irme. Y, de todas formas, creo que debería quitarme la mochila de los hombros antes de empezar a manejar.

Pongo la mochila en el asiento del copiloto, me ajusto el cinturón de seguridad y recargo la cabeza sobre el volante. Inhalo. Exhalo. Me siento mareada. Esto no va nada bien. El calor que siento en mi cara impregna el auto, y el sudor provocado por la vergüenza me empapa el cuerpo. ¿Por qué Travis y Deshawn tenían que haber elegido este día para molestar a Wallace? ¿Por qué Wallace no se defendió solo? ¿Por qué tenía que ser tal vez un escritor de *fanfiction* de *Mar Monstruoso?*

Levanto la cabeza y echo un vistazo a mi cuaderno de dibujos. Quizá no escriba *fanfiction* de *Mar Monstruoso*, pero definitivamente escribe sobre algo. Me estiro para tomar el cuaderno, lo abro y agarro el papel que Wallace metió dentro.

Un pedazo cualquiera de papel rayado. Pero en él, con una escritura sorprendentemente precisa y limpia para la rapidez con que lo hizo, están garabateadas las palabras:

Gracias.
Tus dibujos son realmente buenos.

emmersmacks: A ver.

emmersmacks: Espera un momento.

emmersmacks: Entonces, ¿lo defendiste?

MirkerLurker: Sí.

emmersmacks: … No entiendo tu punto, E.

emmersmacks: ¿¿Te lastimaron??

MirkerLurker: No… No realmente. Solo me quitaron mi cuaderno de dibujos y lo lanzaron en el aire algunas veces.

MirkerLurker: Bueno, mira, sé que no suena tan terrible.

MirkerLurker: Pero la cosa es que no entiendes la forma en que este tipo me mira. Es una de esas miradas que dice: "¿Por qué estás parada frente a mí? Eres más fea que la porquería que uno defeca después de haber comido mucho chipotle".

3:19 p. m. (Apocalypse_Cow se ha unido a la conversación)

Apocalypse_Cow: Creo que llegué en un mal momento. mejor me voy.

emmersmacks: E está teniendo una crisis.

Apocalypse_Cow: ¿Una crisis de qué?

MirkerLurker: Por un estúpido chico nuevo en mi escuela que podría o no ser escritor de fanfic de Mar Monstruoso, y que definitivamente cree que soy la escoria de la Tierra.

emmersmacks: ¿Y por qué pensaría eso, si lo defendiste?

MirkerLurker: ¡No sé! Tal vez porque puse en duda su

hombría. O algo así. Max, necesito el consejo de alguien que haya pasado por lo mismo.

Apocalypse_Cow: Oye, ¿por qué asumes inmediatamente que alguien ha dejado en ridículo mi hombría?

MirkerLurker: Porque eres el único hombre aquí.

Apocalypse_Cow: Si lo que quieres saber es si hay tipos que sienten que su hombría queda en ridículo cuando una chica los defiende de un bravucón, entonces desafortunadamente tengo que decirte que sí, que ese tipo de cosas son muy comunes.

Apocalypse_Cow: PERO NO ES MI CASO.

Apocalypse_Cow: QUE EL MUNDO SEPA QUE LA HOMBRÍA DE MAX CHOPRA JAMÁS HA SIDO PUESTA EN RIDÍCULO.

Apocalypse_Cow: Pero ¿en serio este chico te dijo algo? ¿Por qué te sientes tan mal?

MirkerLurker: No, no me dijo NADA. ¡Ese es el problema!

MirkerLurker: Solo se quedó ahí parado. Ni siquiera me miró.

emmersmacks: ¿Tú le dijiste algo?

MirkerLurker: … No.

emmersmacks: Bueno.

emmersmacks: E.

emmersmacks: Ahí sí que podrías tener un problema.

Apocalypse_Cow: Una niña de doce años te está enseñando a interactuar con la gente. ¿Qué se siente?

emmersmacks: Tengo catorce años, no doce.

emmersmacks: Idiota.

Apocalypse_Cow: A ver, dices que te dejó una nota en tu cuaderno de dibujos, ¿no? ¿Qué decía?

MirkerLurker: Decía gracias, y que mis dibujos eran buenos.

emmersmacks: OH, POR DIOS.

emmersmacks: PUES POR ESO NO TE DIJO NADA.

MirkerLurker: ¿Por qué?

emmersmacks: ESTABA DEMASIADO NERVIOSO.

emmersmacks: AY, LE GUSTAS, E.

MirkerLurker: Lo dudo muchísimo.

MirkerLurker: O sea, EN SERIO lo dudo.

MirkerLurker: No es precisamente el tipo de chico que se interesaría en alguien como yo.

Apocalypse_Cow: ¿A qué clase de chicos les pareces interesante?

MirkerLurker: A los que invento en mi cabeza.

Apocalypse_Cow: Guuuuuuuuuuuuuuuuuuuuuau.

Apocalypse_Cow: Guuuuuuuuuuuuuuuuuuuuuuuuuuuuu uuuuuuuuuuuuuuuuuuuau.

Apocalypse_Cow: Guuuuuuuuuuuuuuuuuuuuuuuuuuuuu uuuuuuuuuuuuuuuuuuuuuuuuuuuuuuuuuuuuuuuuu uuuuuuuuuuuuuuuuuuuuuuuuuuuuuuuuuuuuuuuuu uuuuuuuuuuuuuuuuuuuuuuuuuuuuuuuuuuuuuuuuu uuuuuuuuuuuuuuuuuuuuuuuuuuuuuuuuuuuuuuuuu uuau.

Apocalypse_Cow: ¿Quieres que vaya a tu casa de una vez y empiece a llenarla de gatos, o prefieres esperarte algunos años?

MirkerLurker: Qué gracioso.

MirkerLurker: Tengo que sentarme junto a este chico el lunes durante la hora de Tutoría. ¿Qué voy a decirle?

emmersmacks: ¿Qué le has dicho estos días?

MirkerLurker: Nada. Pensé que eso ya había quedado bastante claro.

emmersmacks: Pues entonces sigue haciendo lo mismo.

emmersmacks: Si él quiere decirte algo, lo hará.

MirkerLurker: ¿Cómo es posible que una niña de doce años sepa más sobre chicos que yo?

emmersmacks: TENGO CATORCE.

CAPÍTULO 6

El lunes, cuando llego a la hora de Tutoría —después de pasar varios banderines que dicen LOS WILDCATS SON LOS CAMPEONES—, Wallace ya está sentado en el lugar junto al mío. Pero la Profesora Grier también está ahí, y en cuanto cruzo la puerta del salón me atrapa. Hoy lleva puestos sus aretes en forma de tréboles, una blusa verde y pantalones negros.

—¿Cómo te encuentras esta mañana, Eliza? —me pregunta, sonriendo.

Son las siete de la mañana, ¿cómo puede estar sonriendo a esta hora?

Guardo silencio mientras espero a que diga algo más, pero ella se queda ahí parada mirándome, como si de verdad quisiera saber la respuesta a lo que acaba de preguntarme.

—Mmm. ¿Bien? —respondo.

La Profesora Grier frunce el ceño y se inclina hacia adelante.

—¡Bien! —digo, alzando la voz.

—¡Estupendo! Solo quería asegurarme de que todo estuviera bien.

¿Solo quería asegurarse? ¿Por qué? ¿Acaso se enteró

de lo que pasó el viernes con Travis y Deshawn? Wallace no se lo habrá contado, ¿o sí? Cuando veo que se queda callada otra vez, me encojo de hombros y me dirijo a mi asiento pasando muy cerca de ella. Ya es bastante malo tener que lidiar con Wallace; no quiero tener que enfrentarme también a los profesores preocupados por los estudiantes acosados.

Me deslizo a mi asiento lo más discretamente que puedo, pero de todas formas Wallace despega los ojos de su celular y levanta la mirada. Luego, vuelve a bajar la cabeza, se rasca el cuello y mira hacia otro lado. Mientras tanto, pongo mi mochila sobre las rodillas y miro fijamente la parte trasera de la pelirroja cabeza de Shelby Lewis. Después de algunos segundos de angustia paralizante, saco mi teléfono y empiezo a revisar la larga conversación que tuve anoche con Emmy y Max. Les mandaría un mensaje ahora mismo, pero Emmy seguramente está dormida y Max en el trabajo. El caso es que no van a responderme, y para cuando lo hagan yo ya no estaré en esta situación.

Reviso entonces los foros de MM. No suelo leer los comentarios del foro en mi celular, pero, bueno, ésta es una situación desesperada. Veo que están conectados algunos miembros conocidos, como rainmaker y Fire_Served_Cold, que están en medio de un juego de etiquetas en los mensajes de la sala Temas Generales. Después de actualizar la página, empiezan a conectarse más personas. Los fans siguen a rainmaker a donde quiera que va. Al cabo de algunos minutos, siento que se me erizan los cabellos de la nuca. Miro fijamente la pantalla de mi celular, fingiendo que no me doy cuenta de que la profesora Grier está viéndome desde la puerta.

Suena la campana. La profesora Grier cierra la puerta y camina hacia su escritorio para tomar su lista de asistencia. Guardo mi teléfono en el bolsillo, como lo manda el reglamento escolar, y me esfuerzo para que parezca que estoy poniendo atención a lo que sucede en vez de estar pensando en el instante en que pueda volver a sacar mi teléfono.

Entonces descubro un papel sobre mi escritorio que no estaba allí cuando me senté.

En él están escritas, con una letra tan limpia y clara que parece como si hubiera sido impresa por una máquina, las palabras:

"¿Te gusta Mar Monstruoso?".

Esta vez la letra es más bonita y menos apresurada. No conozco a nadie más que escriba con ese tipo de letras cuadradas tan perfectas que parecen impresas. Volteo para ver a Wallace, que está inclinado sobre su escritorio, con la cabeza ligeramente volteada para poder masajear la punta de su oreja derecha. Su cabello está revuelto en la parte donde se rascó la nuca.

Genial. En serio le gusta *Mar Monstruoso*. No sé si debería sentirme halagada o aterrada. Siempre supuse que entre el gigantesco número de personas que asisten a mi escuela tendría que haber por lo menos un fan de *Mar Monstruoso*, pero nunca pensé que terminaría hablando con él. Nunca. Nunca jamás en toda mi vida. ¿Por qué ahora? Solo tenía que sobrevivir otros siete meses sin que pasara algo así. ¿Por qué ahora, oh cruel universo?

Wallace gira la cabeza, y mira *mi maldito escritorio*.

Por Dios, está esperando una respuesta. Genial. Bueno, ¿qué tan terrible puede ser? No sabe quién soy. Lo único que sabe es que hago dibujos sobre *Mar Monstruoso*. Solo es fan art. No tiene por qué ser otra cosa. Y este papel, este papel es una ventana de chat. No tengo que verlo a la cara mientras escribo. Solo debo anotar algo y entregárselo.

Saco una pluma, y la punta flota encima del papel. "¿Te gusta Mar Monstruoso?".

Sí, me gusta. *Mar Monstruoso* es lo que más me gusta en este mundo. Me gusta más que cualquier persona. Me gusta más de lo que me gusto yo misma. Me gusta más que comer, dormir y tomar un baño caliente. Me gusta más que estar sola. Significa todo para mí.

Escribo "Sí".

Acto seguido, le devuelvo el papel.

Tal vez la profesora Grier ve lo que acaba de suceder desde el frente del salón, pero no dice nada. Wallace acomoda el papel en su escritorio, y se queda mirando fijamente la única palabra que escribí. Luego toma su pluma lentamente y empieza a escribir con mucho cuidado. Lo hace superlento. Parece como si las placas tectónicas se movieran más rápido que él. Miro hacia otro lado mientras escribe, hasta que siento el delicado roce del papel contra mi mano.

"¿Quién es tu personaje favorito?".

¿Mi personaje favorito? Todos son mis favoritos. Los conozco a todos desde hace tanto tiempo, que incluso aquellos a los que solía odiar se han convertido también en mis favoritos. Son más reales para mí que la mayoría de las personas reales que conozco. Los amo a todos. Pero supongo que amo a unos más que a otros. Y a LadyConstellation le encanta preguntar a sus fans cuáles son sus personajes favoritos.

Escribo "Izarian Silas".

Cuando me devuelve el papel, veo que ha escrito: "Izzi es bueno. El mío es Dallas. Tiene el mejor poder de todos los Ángeles. ¿Lugar favorito?".

Orcus es mi lugar favorito. Si pudiera vivir allí, en vez de vivir en la Tierra, me iría sin pensarlo dos veces. Construiría una aeronave para volar sobre los océanos repletos de monstruos, y visitaría todos los lugares que solo he visto en mi mente. La oscura y desierta Isla Nocturna, donde creció Amity; el inmenso y hermoso Gran Continente, donde se asentaron los antepasados de los Terráneos; Risht, la ciudad en forma de reloj, donde Amity y Damien aprendieron a ser amigos, y comprendieron que cuando trabajan juntos son más fuertes.

Escribo "Risht". En Risht, nadie teme a los monstruos. En Risht, los monstruos son un recuerdo de épocas pasadas, y aquellos que los derrotaron son venerados como dioses.

Ahora escribe más rápido. "Igual. Por la energía de fusión, el palacio reloj y la música. También por esa gigantesca estatua de ave fénix con cuernos que hicieron con comida para el cumpleaños de Rory. Quiero una estatua gigante de ave fénix comestible".

Esta vez no hay pregunta. Permanezco inmóvil durante varios minutos con el papel sobre mi escritorio, sin quitar la mirada de la parte trasera de la cabeza de Shelby

Lewis y de sus pasadores de mariposa retro de los años noventa. Presiono la punta de la pluma sobre el papel hasta que solo hay un enorme punto azul junto a la palabra *palacio* escrita con la letra perfecta de Wallace.

Finalmente garabateo: "¿Estabas escribiendo *fanfiction* de MM?".

Pero cuando pongo el papel nuevamente sobre su escritorio, suena la campana de la primera clase. Tomo mi mochila y salgo corriendo, vacilando por un segundo en la puerta. Todavía no empieza la primera clase y ya necesito ponerme más desodorante. Todavía no empieza la primera clase y el chico nuevo es fan de *Mar Monstruoso*. El primero que conozco en la vida real.

Corro hacia el pasillo antes de que Wallace pueda alcanzarme.

***

Entre la primera y la segunda clase, envío un mensaje a Emmy y a Max, aunque sé que no lo verán hasta más tarde.

MirkerLurker: Noticias sobre el chico nuevo. Realmente le gusta Mar Monstruoso, y ahora ya sabe que a mí también me gusta. No sé qué hacer. Consejos, por favor.

Cuando llega la cuarta clase, mi temperatura corporal ha regresado a su estado normal. Por suerte. Justo a tiempo para ir por mi almuerzo y dirigirme a mi asiento en el patio interior. El césped es marrón y ondulado. Las hojas muertas vuelan a ras del suelo de cemento en medio de la fuerte brisa. Cuando me siento ante mi mesa de picnic de la esquina, la banca me congela el trasero a través de mis pantalones de mezclilla. Hace demasiado frío para el mes de octubre en Indiana, pero tal vez ya no estoy tan ambientada a los cambios de temperatura como solía estarlo. Ya no paso mucho tiempo afuera.

Pero me quedo con el frío, si eso significa que puedo estar sola aquí afuera. Reviso mi teléfono, y descubro un mensaje de Emmy —"ESTÁ ENAMORADO DE TI, E"— que probablemente escribió entre clases. Pongo los ojos en blanco, y saco mis audífonos y mi cuaderno de dibujos de la mochila. Conecto los audífonos al teléfono para escuchar música —*Pendulum*, por supuesto, la única música posible para las escenas de acción de *Mar Monstruoso*— y el cuaderno de dibujos se abre en una página en blanco. Por fin, un poco de tiempo sin interrupciones para dibujar. Me meto a la boca algunas papas a la francesa y empiezo a trazar una idea vaga de la próxima página.

La semana pasada no fue precisamente una de esas de un capítulo entero; solo hice cuatro páginas, pero fueron cuatro páginas increíbles.

Tuve la oportunidad de introducir en la historia a los gigantescos *mechas*[3] con cabeza de animales que los Haiganos, los habitantes del desierto, utilizan para luchar en la Batalla de las Arenas. Me encantan los *mechas*, pero tardo una *eternidad* dibujándolos. Y si me concentrara menos en los detalles, sentiría que estoy defraudando a los grandes artistas de *mechas* del anime. La batalla continuará al menos durante otros dos capítulos, máximo cuatro, y eso significa un montón de recuadros con gigantescos robots de combate.

Quiero hacer dibujos superdetallados de *mechas* hasta hartarme.

Busco con las manos mi charola del almuerzo para tomar otro puñado de papas a la francesa, pero en vez de eso siento el contacto de un pedazo de papel suspendido en el aire.

En un movimiento instintivo, cierro mi cuaderno de dibujos de un golpe y me arranco los audífonos al mismo tiempo. Ahí está Wallace, de pie frente a mí, con el pedazo de papel en las manos. Siento que el corazón se me va a salir del pecho; el cuello me punza por lo rápido que levanté la cabeza para mirarlo. Está completamente inmóvil, con los ojos muy abiertos, como si lo hubiera pillado en medio de algo. Aleja un poco el pedazo de papel, y luego vuelve a acercarlo. En la otra mano tiene su charola del almuerzo.

El único ruido proviene de las hojas que parecen bailar tap sobre el suelo, y de la canción "Pesadillas de propano" que suena a todo volumen en mis audífonos.

---

3. Robots con una potencia, armas y altura inmejorables. Suelen desafiar las leyes de la física.

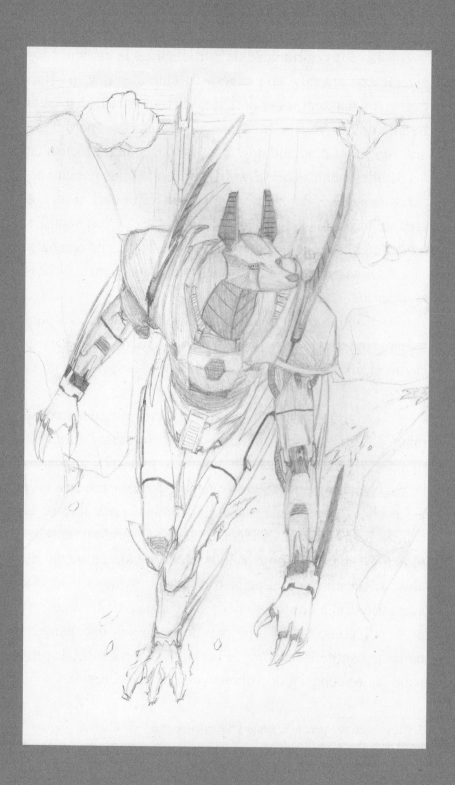

Tomo el papel. Puedo leer lo último que escribí en él hace unos instantes: "¿Estabas escribiendo *fanfiction* de MM?", y debajo de eso, está su respuesta: "Sí". Luego, en la siguiente línea, escrito con lápiz en vez de pluma, dice: "¿Puedo sentarme aquí?".

Otra vez estoy sudando. Maldita sea. Además, me acabo de dar cuenta de que arranqué el papel de sus manos, y ahora tiembla porque yo estoy temblando. No creerá que somos amigos porque le dije a Travis y a Deshawn que lo dejaran de molestar, ¿o sí? Porque definitivamente no lo somos. ¿Cree que está en deuda conmigo?

Tomo mi lápiz de dibujo y escribo: "¿Puedes hablar?".

Wallace toma de nuevo el pedazo de papel, lo lee y lo apoya sobre la mitad vacía de su charola para poder escribir en él. Luego, me lo devuelve.

"Sí. Algunas veces. ¿Esto te parece raro?".

¿Raro? Sí. ¿Malo? Depende.

"Puedes sentarte".

Hago a un lado mi cuaderno de dibujos, mi mochila y mi teléfono para que pueda poner su charola frente a mí. Realmente tiene toda la pinta de un jugador de futbol americano —tiene que doblar las piernas para poder acomodarse en la pequeña banca de la mesa de picnic, mientras encorva los hombros para apoyar sus codos sobre la mesa— y también come como un jugador de futbol americano. Dos hamburguesas, dos papas a la francesa, dos raciones de leche, y un cono de helado. Tiene la nariz torcida, como si se la hubiera roto, y sus mejillas están rojas por el frío.

Cuando nuestras miradas se cruzan, sonríe un poco.

Solo un poco. Apoya el papel sobre la mesa, deteniéndolo con una de sus enormes manos, mientras toma con la otra su lápiz para escribir con mucho cuidado un nuevo mensaje. Sus labios se mueven mientras escribe, como si estuviera diciendo las palabras en voz alta a medida que las anota.

"Gracias. Sé que la profesora Grier ya nos presentó, pero me llamo Wallace. Escribo *fanfiction* sobre *Mar Monstruoso*. Es un poco difícil hacer nuevos amigos cuando cambias de escuela a mitad del último año".

"No hablar también dificulta las cosas", escribo en respuesta. "Me llamo Eliza".

Come con una mano y escribe con la otra.

"Hola, Eliza. Sí, lo de no hablar tampoco ayuda".

"¿Qué tipo de *fanfiction* estabas haciendo?".

Después de leer eso levanta la mirada. Luego vuelve a bajarla y escribe algo con su lápiz en el papel.

"Ahora estoy trabajando en la transcripción del cómic a prosa. Para convertirlo en un libro".

¿Un libro? He pensado en hacer eso yo misma —y lo haría, si tuviera el más mínimo talento para escribir en formato largo— pero no es fácil convertir un cómic en un libro. Lo más que he logrado hacer hasta el momento es reunir todas las páginas del cómic en novelas gráficas disponibles a la venta en la tienda de *Mar Monstruoso*.

"Eso es una tarea monumental", escribo. "El cómic es muy grande".

Dibuja nuevamente esa carita sonriente, tardándose tres minutos enteros.

"La historia principal podría llenar una trilogía, y eso

sería si eliminara la historia de fondo. En cuanto a la historia de fondo —lo de la Alianza Orciana, los piratas de Damien, los Ángeles y los Rishtianos— con eso podrían hacerse otras dos o tres precuelas".

Respiro profundamente.

"¿Y quieres transcribirlo todo? ¿Algo que ni siquiera creaste tú?".

Wallace se encoge de hombros.

"Realmente me encanta *Mar Monstruoso*. Y lo veo como un desafío".

Me muerdo el labio para mantener bajo control todas estas emociones que burbujean en mi pecho. No sabe que me está elogiando. Esto es muy raro. Y seguramente está mal, ¿no? O sea, creo que debería decirle quién soy. Pero, ¿y si al hacerlo se arruinara todo? No quiero que sepa quién soy, porque no soy esa persona todo el tiempo. En este momento no soy LadyConstellation. No puedo serlo.

Cuando se da cuenta de que no respondo nada de inmediato, pone cuidadosamente la punta de sus dedos sobre el papel para pedírmelo de regreso. Escribe otra cosa y lo desliza hacia mí.

"De hecho, necesito un nuevo lector beta para mi trabajo. ¿Te gustaría serlo? El otro día vi algunos de tus dibujos, y parece que sabes mucho sobre ese mundo".

Mi mano duda un poco antes de escribir una respuesta.

"No soy una gran lectora de *fanfiction*. No sé si sería de mucha ayuda".

Esto es verdad; intento mantenerme alejada del *fanfiction* porque no quiero que influya accidentalmente en la historia, y luego tener que lidiar con las acusaciones de plagio de algún fan. Me gustaría ver una transcripción en prosa del cómic, pero no sé qué tan buen escritor sea Wallace; y si resultara ser terrible, no quiero leer su escrito y luego tener que fingir que me ha gustado para no herir sus sentimientos. Aunque Wallace no parece ser el tipo de persona que se ofende fácilmente, o al menos creo que no lo demuestra.

Lee mi mensaje y, levantando un dedo, suelta la segunda hamburguesa y empieza a buscar algo en su mochila. Saca una hoja de papel, escrita por ambos lados. Luego escribe algo en nuestra hoja de mensajes, y me entrega ambos papeles.

"Lee la primera página. Si no te gusta, no tienes que leer el resto".

Creo que no entiende que si leo *cualquier* parte será muy difícil para mí negarme a leer lo demás. De cualquier modo, tomo la hoja y la extiendo sobre la mesa frente a mí. El viento helado mueve la esquina del papel. En la parte superior está escrito el título: *Mar Monstruoso: Una transcripción del cómic escrito por LadyConstellation.*

Y debajo de eso, escrito con su letra superexacta de impresora, dice:

"Amity había nacido dos veces".

Es mi historia. Mi historia convertida en palabras, algo que yo jamás podría hacer.

No necesito terminar de leer la página. Ya sé que quiero leer el resto.

Wallace escribe:

"¿Tan terrible te parece?".

—¡No!

Ambos nos sorprendemos al escuchar mi voz, como un sonido repentino en medio del silencioso patio interior. Wallace se queda inmóvil, con su cono de helado a medio abrir. Me estiro para tomar el papel y escribo:

"No. ¡Es muy bueno! ¿Cuánto llevas escrito hasta ahora?".

"Solo un capítulo", escribe.

"¿Estás seguro de que quieres que lo lea?".

"Ya pasé a la computadora este capítulo, así que no es mi única copia. Si quieres, puedes escribir anotaciones en él".

Eso no fue lo que pregunté, pero no importa. Saca de su mochila un montón de papeles y me los entrega. Están cubiertos por ambos lados con su letra, y las esquinas superiores derechas están decoradas con números de página claros y pequeños. Guardo los papeles en la portada de mi cuaderno de dibujos, el lugar más seguro que conozco.

"Puedo entregártelos mañana", escribo. "¿Está bien?".

Lee mi mensaje y asiente con la cabeza, sonriendo nuevamente.

Solo un poco.

CAPÍTULO
7

Nunca le he dado mucha importancia a mi apariencia. No me refiero a la ropa que uso ni a los nefastos cortes de cabello que elijo, sino a mi cuerpo. No soy ni muy alta ni muy baja. No sufro de acné descontrolado y los rasgos de mi cara no están horriblemente distribuidos. No soy gorda —mamá dice que mi Índice de Masa Corporal probablemente está por debajo del nivel adecuado, lo que sea que eso signifique—. La gente no habla sobre mi apariencia, pero nunca me había sentido tan consciente de ella como cuando estoy cerca de Wallace.

Cuando termina la hora del almuerzo, regresamos juntos a la cafetería. Sus piernas son más largas que las mías, pero se mueve tan lentamente que podemos caminar a la misma velocidad. Es una lentitud megarrara; muchas personas se mueven lentamente porque deambulan, como si no supieran adónde se dirigen, o no quisieran llegar a su destino. Wallace se mueve con la misma lentitud que los *mechas* gigantes: hay tanto que mover que toma tiempo ponerlo en acción. Pero sabe exactamente adónde quiere dirigirse.

Mientras caminamos, yo estoy más consciente que nunca de mis brazos y piernas, de la dirección hacia la que apuntan mis pies en el suelo y de todos los vellos de mi cuerpo. Ojalá hubiera algún detalle extraño en mi apariencia para que pudiera concentrarme en eso, porque supongo que *él* haría lo mismo, pero solo soy yo.

No hablamos. Wallace dobló nuestra hoja de conversación y la guardó en el bolsillo de sus pantalones de mezclilla, junto con su lápiz. Mientras caminamos hacia el bote de basura para vaciar nuestras charolas, algunas de las personas sentadas en las mesas voltean a vernos. Supongo que las miradas son más para él que para mí, pero podría ser que la rareza del chico nuevo ya haya perdido su efecto. Cuando se da vuelta, observo por primera vez las palabras escritas en Sharpie con letra precisa en la parte inferior de su mochila: "HAY MONSTRUOS EN EL MAR".

Es una de las citas favoritas de los fans de *Mar Monstruoso*. Es de Dallas Rainer. Aunque me dijo que Dallas era su personaje favorito, siempre me parece interesante cuando los fans me envían imágenes de las frases y dibujos con los que adornan sus paredes o su ropa, o incluso los que se tatúan en la piel. Aunque la gente suele hacerlo porque cree que suena genial, algunas veces sí tienen un significado.

No tengo oportunidad de despedirme de Wallace. Salimos de la cafetería en medio de la ola de estudiantes y nos separamos en el pasillo, donde luego desaparece.

Vuelvo a verlo más tarde, afuera, esperando en la banca. Travis y Deshawn no están a la vista. Al llegar a la puerta me detengo un instante, y luego camino sigilosamente hacia él. Tiene puestos sus audífonos, y está escribiendo algo. Siempre está escribiendo.

Lo golpeo ligeramente en el hombro. Esta vez, es él quien brinca asustado arrancándose los audífonos de las orejas. Aprieto los puños fuertemente alrededor de las correas de mi mochila, presionándolos contra mi estómago, para lograr que dejen de temblar.

—¿Quieres... quieres que te lleve a tu casa?

Mueve la cabeza negativamente y garabatea algo rápidamente en la parte superior de su hoja:

"Mi hermana vendrá por mí".

—Ah, bueno.

Era obvio que no necesitaba mi ayuda. Qué pregunta más estúpida. Ha estado sentado aquí todos los días de la semana pasada y se las ha arreglado para llegar a su casa sin problemas.

—Bueno... Nos vemos luego.

No me espero para ver si me responde algo. Camino rápidamente hasta mi Nissan y me atrinchero dentro. Luego, finalmente, sonrío.

Nunca había conocido a un fan real. Jamás había pensado en ello, y es una cosa superextraña. Todas esas personas a las que les encanta *Mar Monstruoso* no son más que un número en la pantalla. Comentarios, vistas, *likes*. Mientras más aumenta el número, menos reales me parecen. Es muy fácil olvidar que son humanos, como Wallace. Como yo. Encontrar a alguien a quien le gusta —*le encanta*— tanto como para basar en él su propio arte y dármelo en persona, en vez de enviarlo a algún apartado postal o mandármelo en un correo electrónico, es surreal al grado máximo.

Pero Wallace no sabe quién soy. No sabe que acaba de entregarle su *fanfiction* a LadyConstellation. Eso sí que está mal. Siento que está mal. Pero tampoco es como si fuera a utilizarlo para hacerle daño. ¿Qué se supone que debería hacer? Tal vez si supiera quién soy, me habría obligado a leerlo. Nunca había conocido a uno de mis fans en la vida real, así que no sé hasta dónde podrían llegar.

Sé que, si yo hubiera conocido alguna vez a Olivia Kane, la autora de *Los Hijos de Hipnos*, probablemente hubiera estallado en llanto y colapsado en el suelo a sus pies. No creo que Wallace hiciera algo así, pero no quiero arriesgarme.

Interactuar con Wallace sería mucho más fácil si supiera quién soy. Podría controlar todas las conversaciones. Todos los encuentros. Cada acción y palabra que sucediera entre nosotros. LadyConstellation es un dios que crea corrientes en su propio mundo. Eliza es un pececito guppy arrastrado por esas corrientes, incapaz de ver hacia dónde lo llevan.

LadyConstellation tendrá que esperar. Por ahora —al menos con Wallace—, tendré que arreglármelas con Eliza Mirk.

CAPÍTULO 8

Hay dos cosas esperándome al llegar a casa.

Una es el paquete de Emmy, una cajita envuelta con cuidado y adornada con corazones y brillantina.

La segunda es Davy. Cuando cruzo la puerta, su enorme cuerpo blanco sale corriendo a toda velocidad desde la esquina y choca con mis piernas y mi cadera, haciéndome perder el equilibrio. Nunca salta, solo se queda ahí parado, meneando la cola y esperando a que lo acaricie, cosa que obviamente hago, porque ¿quién puede resistirse a hacerle mimos a su perro cuando los pide de esa manera?

Me inclino sobre Davy, recargándome en su cuerpo para no caerme, mientras él está ahí jadeando, dejando todo su pelo en mi ropa y siendo adorable.

—¿Quién acaba de regresar del campamento para perritos? —dice mamá, caminando desde la esquina, con la cara que pone cuando habla como bebé y haciéndole pucheros a Davy.

—Te divertiste con tus amigos, ¿verdad, Davy-Dave?

—No tienes que hablarle como si fuera un niño —le digo, con la cara hundida en el pelo de Davy.

—¿Qué dijiste? —me pregunta mamá.

—Nada —respondo, enderezándome.

—Pasó una linda y larga semana corriendo con sus amigos, y ahora está de regreso justo a tiempo para Halloween, ¿verdad, amiguito? Por cierto, Eliza, llegó un paquete para ti. Está sobre la barra de la cocina.

Lo dice como si el paquete contuviera una bomba. Solo pone cosas sobre la barra de la cocina cuando no está segura de si quiere conservarlas o tirarlas a los botes de basura de la cochera.

—Me lo mandó Emmy, mamá —digo.

—¿Emmy? —dice, frunciendo el ceño—. ¿Qué es?

—Aún no lo sé.

Suelto a Davy, que camina detrás de mí hasta la cocina. Mamá nos sigue de cerca. Tomo un par de tijeras y rasgo la caja.

Dentro hay una nota de Emmy y un montón de dulces surtidos, el tipo de dulces que enviaría una estudiante de catorce años; varios lápices duros, que seguramente estaban de oferta en la tienda del campus, o fueron un regalo de algún estudiante de arte; una imagen de un hombre cuyo cuerpo está formado por una combinación de recortes que ella debe de haber encontrado en revistas e internet, y que de algún modo parece ser anatómicamente correcto; y, por supuesto, algunos paquetes de fideos ramen. Mamá hace una mueca cuando ve la imagen del hombre y el ramen. La ignoro y abro la carta, que está escrita a mano. A Emmy le gusta poner pequeños corazones sobre sus íes. Es algo irónico, según ella.

¡¡¡E!!!

¡Más te vale que te guste tu paquete! Recuerdo que dijiste que necesitabas lápices duros, así que espero que no los hayas comprado todavía. El ramen es para que comas algo, porque sé que algunas veces te olvidas de hacerlo. Pero obviamente ambas sabemos que lo mejor de todo es el Sr. Grancuerpo. Sí, tiene nombre. Reuní todas las características que me has dicho sobre tu hombre perfecto a lo largo de los años y lo creé para ti. Maravíllate ante mi obra maestra. Deleita tus ojos con mi creación fantástica.

Hablando de ojos... si se le caen los ojos es porque me quedé sin pegamento. Soy estudiante de ingeniería civil, no una tienda de artículos para manualidades.

¡Te quiero mucho!
Emmy

Miro nuevamente al Sr. Grancuerpo. Tiene una mandíbula fuerte, ojos imponentes, cuerpo musculoso; la verdad, es el tipo de cosas que cualquiera encontraría atractivas. Nunca me ha importado mucho la apariencia de los chicos, y creo que Emmy trató de hacer aquí una broma sobre eso. Me río de todas formas.

—¿Qué es eso? —pregunta mamá.

Puedo sentir el desprecio en su voz.

—Nada —respondo, guardando todas las cosas dentro de la caja—. Es una broma entre nosotras.

—Emmy es... Emmy es una chica, ¿verdad? —dice mamá, caminando nuevamente detrás de mí al salir de la cocina y subir las escaleras.

—*Sí*, Emmy es una chica. ¿Cuándo has oído que alguien se llame Emmy y *no* sea una chica?

—No sé, pero con esa gente de internet es mejor preguntar…

Aprieto los dientes para mantener la boca cerrada. Creo que su intención ya no es hacerme enojar —probablemente nunca lo fue— pero siempre que tenemos esta conversación, una de las dos se enoja tanto que no podemos continuar hablando. Subo corriendo las escaleras, con Davy pisándome los talones, y doy vuelta al final del vestíbulo para llegar a mi recámara.

—No sé si me gusta que sepan nuestra dirección —dice mamá.

—Son mis amigos. No le doy nuestra dirección a personas que no sean amigas mías —respondo, mientras entro a mi habitación.

Davy entra después de mí, y luego cierro con llave. El ruido de las pisadas de mamá se detiene afuera de mi puerta, y empieza a regañarme enfadada.

—¡Deberías sacar a pasear a Davy más tarde! —grita.

—Sully y Church lo sacan a pasear —grito—. Les encanta hacerlo.

—¿Qué tarea tienes que hacer hoy?

—No sé. Matemáticas. Física.

—No dejes de hacerla. Tu profesora volvió a llamarnos, porque está preocupada de que no te estás esforzando tanto.

—Tampoco es como si quisiera entrar a una universidad de la Ivy League. Entraré a una universidad normal. Así que no importa.

No responde nada, pero sé lo que me diría. Primero, que debería tener aspiraciones más altas y no conformarme con una escuela a menos que sea la mejor, pero, de momento, no me interesa aprender. Lo único que me importa es dibujar. Y segundo, que también es difícil ingresar a las universidades que no pertenecen a la Ivy League, o que podría perder oportunidades de becas, o lo que sea. No creo que sea *tan* difícil ingresar a la universidad, porque es algo que muchas personas hacen todo el tiempo. Y ahora mismo no tengo nada que me ayude a conseguir una beca, porque planeo pagar la universidad con el dinero que he ganado de la venta de mis productos de *Mar Monstruoso*. Cuando Emmy creó el sitio marmonstruoso.com, también abrió una tienda virtual donde vendemos los artículos oficiales: bolsas, libretas, carpetas, lápices, camisetas, broches, carteras, fundas para celular y cualquier cosa en la que podamos poner la marca y logotipos de MM. Así fue como compré mi computadora, y la versión más nueva de Photoshop y, lo más importante de todo, mi selección de plumas.

Mis papás no tienen idea de la magnitud que ha alcanzado. Lo único que saben es que me he comprado esas cosas. Pero cuando esto empezó, me ayudaron a abrir una cuenta bancaria y me dieron el teléfono de su contador, diciéndome que, si quería ganar un poco de dinero con mi pasatiempo, tendría que aprender a hacerme cargo de él yo misma, porque sería educativo para mí.

El cómic empezó a generar ganancias a principios de este año, y en cuanto me di cuenta de lo que estaba pasando, reuní el poco valor que tengo y fui al banco para abrir mi propia cuenta, una a la que mis papás no pudieran acceder por internet. A veces transfiero dinero desde esta cuenta a la otra, para que cuando mamá la revise vea que sigo teniendo ingresos, pero ni ella ni papá saben exactamente cuánto dinero tengo. No saben que podría pagar mi universidad y además vivir de esto.

No quiero que sepan. No quiero que se involucren en mi vida virtual tanto como intentan hacerlo en mi vida real.

Mamá se marcha dando fuertes pisadas. Lo más probable es que papá me diga algo cuando regrese de… de donde sea que haya ido hoy. Seguramente alguna reunión sobre equipos deportivos de alta tecnología. Me dirá que debo hacer mi tarea porque eso me convertirá en una persona bien equilibrada, independientemente de que pueda ayudarme a mejorar mis opciones universitarias; también me dirá que debo sacar a pasear a Davy porque es un buen ejercicio. "Un buen ejercicio" es la frase más horrible que puede existir en cualquier idioma, junto con "despiértate" y "ya no hay más huevo".

Tiro mi mochila al suelo, pongo la caja de Emmy sobre el escritorio —sacando de ella al Sr. Grancuerpo para colgarlo en la pared entre dos pósters de *Mar Monstruoso*— y me echo en la cama con mi cuaderno de dibujos. Los libros en el librero de mi cabecera saltan impulsados por el golpe.

Todos son distintas ediciones de los cuatro libros publicados de *Los Hijos de Hipnos*, la serie que siempre quedará incompleta. Davy se sube a la cama y se acuesta junto a mí.

Me recuesto de lado por un minuto, y hundo mi cara en su maraña de pelo blanco. El mundo se reduce al silencioso zumbido del calentador encendido y al olor a caspa de perro. Nadie me observa, ni me juzga, ni siquiera están pensando en mí. No hay nadie más en la habitación. Davy suspira y apoya su cabeza sobre mi brazo.

Al cabo de un minuto, me enderezo y tomo mi cuaderno de dibujos. Lo primero que se cae son mis dibujos manchados por la banqueta, y luego los papeles de Wallace. No puedo creer que me los haya dado para que los evalúe. Para que escriba en ellos. Apenas hablamos hoy por primera vez. No conozco a muchos escritores, pero no creo que esto suceda todo el tiempo. Tal vez él solo estaba feliz de poder hablar con una fan de *Mar Monstruoso*. Extiendo los papeles y se los muestro a Davy, que los olfatea, los golpea con su nariz y, apoyando su cabeza sobre sus patas, me mira fijamente con sus enormes ojos oscuros.

—¿Les das tu aprobación? Lo tomaré como un "sí".

Ojeo las páginas. Me producen una sensación muy agradable al escucharlas crujir. No están planas una encima de la otra porque los trazos de la pluma de Wallace han arqueado el papel. Paso mis dedos sobre las palabras sin leerlas. Se ven tan limpias y claras —uno de los beneficios de moverse lentamente, supongo—. Esta clase de habilidad podría convertirlo en un artista.

Mantengo mi emoción a raya.

"Amity había nacido dos veces".

Leo rápidamente, pasando las hojas como si me pagaran por hacerlo. De hecho, sí me pagan. Bueno, como sea. La historia se desarrolla lentamente pero de manera muy natural, desplazándose a través de distintas partes de la narración que yo pude explorar hasta que el cómic estaba más avanzado. No pensé que Wallace pudiera capturar correctamente los sentimientos —los sentimientos de Amity hacia Faren, la atmósfera de su isla natal, el alcance de la historia— pero sí lo hizo.

En el cómic hay imágenes de todo esto, uno o dos recuadros para transmitir la atmósfera y el sentido de pertenencia, pero Wallace le infunde vida a través de las palabras. Tal vez yo lo veo así porque conozco la historia. Esto es demasiado bueno. Es como comer un trozo de pastel que no sabías que existía.

Creé *Mar Monstruoso* porque es la historia que quería. Yo quería una historia como esa, y no encontraba ninguna, así que yo misma la creé. Pero ahora alguien más la ha reconstruido para mí utilizando una técnica distinta —algo que no podría haber hecho yo misma— y me permite ser parte de esto. Por fin tengo en mis manos la historia que quería, y aunque sé cómo se desarrolla, y conozco a la perfección todos los detalles, vuelve a ser nueva.

Es más de lo que merezco. Es perfecto.

Un escalofrío me recorre toda la espalda. Cuando me doy cuenta de que estoy llorando ya es demasiado tarde, pues mis lágrimas han caído sobre el papel. Maldigo, hago a un lado las hojas y me levanto la sudadera para secar rápidamente mis ojos. Davy mueve la cabeza para apoyarla sobre mi muslo.

—Estoy bien —digo, pero mi voz está temblando.

Presionó suavemente contra el papel la manga de mi sudadera para tratar de secar las lágrimas. Seguramente Wallace podrá verlas mañana.

Estoy riendo y llorando sola en mi habitación. Genial.

Wallace me ha leído la mente. Ha adivinado las cosas que yo pensaba mientras dibujaba este cómic y las ha puesto por escrito. No entiendo, y no sé cómo sucedió esta serie de eventos. Lo único que sé es que Wallace Warland puede hacer magia —magia real y verdadera— con palabras.

No es solamente que haya leído mi mente, sino que conoce bien el material. Wallace sabe que la constelación que Faren dibujó en el techo sobre su cama se llama Gyurhei. Conoce todo sobre su mitología —bueno, casi todo—. Podría anotar la corrección sobre la página, pero sería una lástima arruinar esa escritura tan cuidadosa siendo ese el único error que he encontrado, así que mejor se lo diré mañana. En el cómic no se explica nada de eso —ni el nombre ni la mitología. Era una de esas cosas que tenía que explicar cuando alguien me lo preguntaba en los foros.

Todavía hay más por leer. Doy vuelta a la última página.

Es una cita de la obra *Doctor Fausto*.

"La palabra *condenación* no me asusta,

Porque el Infierno y Elíseo son para mí una misma cosa".

Lo recuerda. Una vez, no estoy segura de si esto fue en los foros o en el chat, dije que *Mar Monstruoso* era una combinación entre los videojuegos de *Final Fantasy* y la leyenda de Fausto. La mayoría de los fans no tenían idea de qué era Fausto, solo sabían que era el apellido de Damien. Eso fue hace muchísimo tiempo. Desde el inicio del sitio web y de los foros. Esa publicación ya está más que olvidada.

Pero Wallace lo recuerda.

CAPÍTULO 9

Paso los siguientes diez minutos dibujando cuidadosamente un estilizado planeta Orcus con sus tres lunas alrededor de la cita de *Doctor Fausto* escrita por Wallace. Luego, dibujo en un lado un generador de ocaso brotando del océano, y en el otro un cuervo muerto con las alas extendidas. Espero que no le importe.

Tomo los regalos que quiero enviar a Max y Emmy desde hace tiempo —una copia para cada uno de la nueva recopilación de la novela gráfica de *Mar Monstruoso* y un paquete de *Twizzlers*[4] para Max y de *Starburst*[5] para Emmy— y los envuelvo. Max vive en Canadá; Emmy estudia en California. El costo del envío de Max suele ser mortal, pero no importa, puedo declararlo como un gasto comercial.

Una vez hecho eso, termino una página de *Mar Monstruoso* y empiezo otra nueva. Sé que los colores están dentro la computadora y que son los mismos que siempre uso, pero hoy parecen más brillantes. Las líneas se ven más oscuras y firmes. Ya había dibujado detalladamente las expresiones de los rostros de los personajes, pero ahora también parecen mejores.

---

4. Marca de dulces con sabor a fruta muy populares en Estados Unidos.
5. Caramelos masticables cúbicos con sabor a fruta.

Los foros están muy activos esta noche. Rainmaker acaba de publicar otro capítulo de su *fanfiction* más reciente sobre *Mar Monstruoso: Azul Cobrizo*. Esto lo sé porque el noventa por ciento de las personas conectadas están leyendo los comentarios de su *fanfiction*, pero él no está por ningún lado. Creo que nunca se queda para ver lo que la gente opina de sus escritos. Es uno de los míos.

Ignoro la publicación. El único *fanfiction* que planeo leer es el que Wallace me dé. Hay una cierta pureza que jamás me proporcionará algo publicado en internet en el hecho de saber que es tan bueno y que soy la única que lo ha leído. Esto es solamente para mí. Al menos por ahora.

Hago una pausa y leo dos veces más el capítulo que escribió. Luego, reviso mis mensajes.

Emmy y Max me han escrito sus consejos. Por decirlo de alguna manera sutil.

2:00 p. m. (emmersacks se ha unido a la conversación)

emmersmacks: Espera.

emmersmacks: Entonces, qué pasó con el Chico Nuevo

2:30 p. m.

emmersmacks: En serio.

3:01 p. m.

emmersmacks: ¡¡E!!

3:33 p. m.

emmersmacks: E, contesta, maldita sea.

3:59 p. m. (Apocalypse_Cow se ha unido a la conversación)

Apocalypse_Cow: ¿E está teniendo problemas con el chico nuevo otra vez?

emmersmacks: Pues creo que sí.

emmersmacks: No me ha contestado.

emmersmacks: Y solo le he mandado mensajes cada MEDIA HORA.

emmersmacks: EEEEEEEE.

Apocalypse_Cow: No creo que gritarle haga que revise su teléfono más rápido.

Apocalypse_Cow: ¿Por qué estabas mandándole mensajes a las 2:30? ¿No eran como las 11:30 para ti? Pensé que a esa hora tenías tu clase de arquitectura.

emmersmacks: Ya no tomo esa clase.

emmersmacks: La arquitectura es estúpida.

Apocalypse_Cow: Pero estás estudiando ingeniería civil...

emmersmacks: Y cuál es tu punto.

Apocalypse_Cow: Olvídalo.

Apocalypse_Cow: ELIZA, QUÉ HA PASADO CON EL CHICO NUEVO.

4:12 p. m.

emmersmacks: Creo que voy a morir y a pudrirme aquí en mi dormitorio.

4:40 p. m.

emmersmacks: Aaagh.

Apocalypse_Cow: *Prepara el funeral*

4:46 p. m. (MirkerLurker se ha unido a la conversación)

MirkerLurker: Guau, vaya.

MirkerLurker: Obviamente debí haber revisado esto antes.

emmersmacks: -_-

MirkerLurker: ¡Recibí tu paquete! Me encantó el Sr. Grancuerpo.

emmersmacks: CHICO NUEVO.

emmersmacks: AHORA.

MirkerLurker: ¿Y si la cosa se puso tan horrible que no quiero hablar sobre eso? ¿Qué tal si descubrí que es un asesino serial?

emmersmacks: Ay, por Dios, al menos dime cómo es.

MirkerLurker: Creo que Max no quiere saber acerca de estas cosas.

Apocalypse_Cow: Pues la verdad es que, como Emmy lo exageró tanto, ahora yo también quiero saber.

MirkerLurker: ¡De acuerdo! De acuerdo.

MirkerLurker: Cabello oscuro, ojos oscuros. Más alto que yo. Cuerpo de jugador de futbol americano.

Apocalypse_Cow: ¿Un jugador de futbol americano que escribe fanfiction? recuérdame en qué mundo estamos viviendo.

Emmersmacks: Estoy segura de que hay muchos jugadores de futbol americano a los que les gusta participar de vez en cuando en el mundo del fanfiction.

emmersmacks: Continúa, E.

MirkerLurker: Fue a buscarme al patio durante el almuerzo y se sentó conmigo a comer. Aunque es un poco raro… Solo habla algunas veces, creo, así que escribe todo en vez de hablar.

MirkerLurker: Me mostró una cosa en la que está trabajando.

Dejo de escribir. Podría decirles exactamente de qué se trata, pero Wallace no me lo dio para que yo lo ande contando por ahí a todo el mundo. Especialmente a Emmy y a Max. Los amo, pero si se enteraran de que alguien está tratando de transcribir *Mar Monstruoso*, y si supieran lo bueno que creo que es, querrían leerlo.

No quiero que lo lean. No solo porque sería sin el conocimiento y el permiso de Wallace, sino porque además arruinaría esta pequeña y feliz burbuja en la que me encuentro ahora. Es un secreto entre Wallace y yo, y me gusta. Me gusta ser la única que sabe acerca de esto.

> **emmersmacks:** Qué cosa.
> **MirkerLurker:** Nada, es solo algo de fanfiction. Pero todavía no lo he leído.
> **Apocalypse_Cow:** ¿Está en los foros? ¿Cuál es su nombre de usuario?
> **MirkerLurker:** No sé. No hablamos mucho sobre eso.

Ni siquiera sé si Wallace participa en los foros, aunque creo que es difícil no estar enterado acerca de ellos si eres fan de *Mar Monstruoso*. Tal vez Wallace no publica sus escritos en internet.

Davy lloriquea. Miro el reloj; es la hora de la cena. Está parado frente a la puerta, así que lo dejo salir para que pueda ir corriendo a la cocina, donde mamá ya está sirviéndole su comida. Mientras Davy baja, escucho a Church y a Sully subiendo ruidosamente por las escaleras, y cierro la puerta antes de que entren por la fuerza en mi habitación.

emmersmacks: ¿¿Solo hablaron de eso?? ¿¿De fanfiction??

emmersmacks: Qué aburrido.

MirkerLurker: Has visto demasiados capítulos de Dog Days.

MirkerLurker: Estoy casi segura de que no debes tener una relación instantánea y locamente profunda en cuanto conoces a una persona.

Apocalypse_Cow: ¿Estás diciendo que nuestra relación no fue locamente profunda desde el primer momento en que nos conocimos?

Apocalypse_Cow: Qué ofensa.

MirkerLurker: >.>

MirkerLurker: No sé cómo decirte esto, Max, pero eeeh…

Apocalypse_Cow: No. Ya pasó tu oportunidad para eso. ahora tengo una relación feliz y estable, y ninguna de ustedes dos puede convencerme de dejarla.

MirkerLurker: Por cierto, ¿cómo está Heather?

Apocalypse_Cow: Pues acaba de conseguir un trabajo en una agencia de modelaje…

emmersmacks: -_-

Apocalypse_Cow: Está dando clases en sexto grado.

Apocalypse_Cow: ¡Pero podría ser modelo si quisiera!

Ay, menos mal que ya cambió el tema de la conversación.

MirkerLurker: ¿No llevan ya cinco años de novios? ¿Te vas a casar con ella?

Apocalypse_Cow: Ni idea.

Apocalypse_Cow: Si dice que sí.

emmersmacks: ¡¡PREGÚNTALE!!

emmersmacks: ¿Qué estás esperando?

Apocalypse_Cow: Mmm.

MirkerLurker: No lo presiones, Emmy. Si no quiere proponerle matrimonio todavía, no tiene que hacerlo.

emmersmacks: Buu.

Apocalypse_Cow: Gracias, Eliza.

Apocalypse_Cow: Ahora, hablemos sobre el caballero con el que pasaste la tarde…

MirkerLurker: ¡Solo almorzamos juntos!

Apocalypse_Cow: Eso es lo que dices. Pero voy a llegar al fondo de esto.

emmersmacks: ¿Cómo se llama?

MirkerLurker: Wallace.

Apocalypse_Cow: …

emmersmacks: . . .

Apocalypse_Cow: …

emmersmacks: …

Apocalypse_Cow: …

emmersmacks: …

MirkerLurker: ¿Qué tiene de malo el nombre Wallace?

Apocalypse_Cow: Es muy equis.

emmersmacks: Es tonto al grado máximo.

MirkerLurker: ¡Wallace no es un nombre tonto!

Apocalypse_Cow: Me recuerda a un personaje de dibujos animados.

emmersmacks: Aquí en el campus hay algunos drogadictos pesados que se llaman Wallace.

MirkerLurker: ¿Por qué sabes los nombres de los drogadictos pesados de tu campus?

emmersmacks: Porque son buena onda.

MirkerLurker: Ahora estoy preocupada por tus relaciones con los drogadictos, pero no sé qué quieres que haga con el nombre de Wallace.

Apocalypse_Cow: No le gusta que le digan Wally o algo así, ¿verdad?

MirkerLurker: Él me dijo Wallace, y así es como voy a llamarlo.

emmersmacks: ¿Vas a volver a comer con él?

MirkerLurker: No sé. A lo mejor. Tengo que devolverle sus cosas.

emmersmacks: Más te vale que nos cuentes todas las novedades.

MirkerLurker: ¿Cuáles?

Apocalypse_Cow: Apoyo la moción.

MirkerLurker: ¿Cuáles novedades?

emmersmacks: Tengo que hacer tarea.

emmersmacks: Pero más te vale que cuando hablemos mañana nos tengas BUENAS NOTICIAS.

MirkerLurker: ¿¡BUENAS NOTICIAS DE QUÉ!?

CAPÍTULO 10

Hay un pequeño monstruo en mi cerebro que controla mis dudas.

En sí mismas, las dudas son una cosa estúpida, sin sentido ni lógica, ciegas y tensas al final de una larga cadena. Pero el monstruo es inteligente. Siempre está observando, y cuando por fin estoy completamente segura de mí misma, desencadena una duda y le da rienda suelta. No puedo detenerla, aunque sepa que está a punto de llegar.

Por ejemplo:

Sé que cuando entre al salón para la hora de Tutoría y le regrese a Wallace su capítulo, seguramente me dará las gracias —por escrito, obviamente— y tal vez sonreirá un poco, y ahí terminará todo. Pero, estando parada afuera de la puerta, siento que entraré y que cuando le dé los papeles a Wallace, se me quedará viendo con indiferencia porque para entonces ya se habrá dado cuenta de que no debería haber desperdiciado su tiempo conmigo. No debería haberme pedido que leyera su escrito, porque ni siquiera nos conocemos. Lo de ayer fue una casualidad, una mala decisión suya. Ahora ya se ha dado cuenta. Tiene que ser así. Eliza Mirk no es nada, para nadie. Esa debería ser todos los días la noticia titular del *Westcliff Star*. ELIZA MIRK: NADA PARA NADIE.

Me limpio la frente con la manga de mi sudadera. Las malditas cejas me están sudando, y ni siquiera le puedo contar a Emmy o a Max sobre esto. Algunos estudiantes entran al salón antes que yo, y los sigo deslizándome entre sus sombras.

Wallace no ha llegado todavía. Pongo las hojas en su escritorio y me acomodo en mi silla con mi cuaderno de dibujos. Recalco las líneas de un dibujo antiguo, haciéndolas demasiado oscuras y gruesas. Wallace llega un minuto después, caminando pesadamente, y toma las hojas antes de sentarse. Empieza a hojearlas, y se queda mirando el dibujo que hice en la última parte, encima de la frase de *Doctor Fausto*. Mi cuaderno de dibujos se me cae de las manos, y tengo que atraparlo con mis piernas.

Entonces, Wallace saca una nueva hoja de papel. Escribe algo en ella, y la desliza sobre mi escritorio.

"El dibujo es realmente increíble. Pero, ¿no tienes ningún comentario?".

Cierro mi cuaderno de dibujos y dejo de fingir. Mi letra se ve toda temblorosa en el papel.

"Solo uno, pero no quise arruinar tu letra tan genial. Gyurhei brota desde el mar para tragarse al sol cada mil años, no cada cien".

Cuando lee esto, se cubre la cara con las manos y mueve la cabeza. No debería haberlo corregido. ¿Por qué lo hice?

Me regresa el papel.

"Vaya. Tienes toda la razón". Y debajo de eso escribe: "Mis lectores beta habituales no habrían captado eso".

Eso es porque tus lectores beta habituales no son los creadores de ese mundo.

Vacilo un minuto, y luego escribo:

"Es muy, pero muy bueno".

Y le regreso el papel antes de que mis dedos tengan un espasmo y lo rompan en mil pedazos.

"¡Gracias! ¿Te sientes bien? Estás pálida".

"Estoy bien. Siempre me veo así".

Como una rata ahogada vestida con un traje deportivo.

La profesora Grier se levanta y empieza a pasar lista.

"Bueno. ¿Almorzamos juntos otra vez?".

"Hoy hará frío en el patio interior. Mucho viento".

"Golpearé a alguien en la cafetería para conseguir un lugar. Soy bueno para esa clase de cosas".

Cuando termino de leer esto, hace una demostración, poniendo su codo sobre el escritorio y flexionando su brazo como si estuviera ejercitándose. Su bíceps sobresale por encima de la manga de su camiseta. Entonces su codo se resbala del escritorio y lo atrapa con la otra mano, mirando a su alrededor. Se me escapa una carcajada.

La profesora Grier se detiene, mirando hacia atrás, con sus aretes en forma de cebollas balanceándose en sus orejas, pero no dice nada. Nunca regaña a los estudiantes por cosas así. Aprieto los labios fuertemente hasta que sigue leyendo. Luego escribo:

"No tengo nada que supere eso. Lo siento".

Wallace sonríe y contesta:

"No puedes superar a un genio".

Wallace sí consigue una mesa para el almuerzo, pero solo porque llegó temprano, y no porque haya golpeado a alguien.

La mesa está al final de las filas para el almuerzo, así que después de recoger mi comida, Wallace está sentado frente a mí, sonriendo como si estuviera orgulloso de lo que acaba de hacer. Su almuerzo es el mismo de ayer: dos hamburguesas, dos órdenes de papas a la francesa, dos raciones de leche. Un cono de helado. Frente a él, sobre la mesa, hay un montón de papeles con una nota pegada al frente.

"Solo por si quieres".

La primera página dice: "Capítulo dos".

—¿En serio? —nuevamente, me doy cuenta demasiado tarde de que lo dije en voz alta.

Pero a Wallace no parece importarle. Toma otro pedazo de papel para escribir.

"¿Quieres ser mi nueva lectora beta?".

No tengo una pluma a la mano.

—Sí. Claro. Definitivamente.

Sé que el sonido de mi voz es muy bajo ahora. Como Wallace no habla, siento que yo tampoco debería hacerlo, porque es como si arruinara el ambiente. Busco un lápiz en mi mochila, y luego me estiro para tomar el papel, que él me regresa de buena gana.

"Perdón. Se me olvida que debo escribir. Uno pensaría que lo recordaría, tomando en cuenta todo el tiempo que paso en internet".

"Está bien. No tienes que hacerlo si prefieres hablar".

"No sé si lo prefiero".

Sonríe un poco.

"Así que tienes vida virtual. ¿Estás en los foros de MM?".

"Sí. A veces".

"¿Nombre de usuario?".

Escribo el único que puedo darle, el único nombre de usuario que tengo.

"MirkerLurker".

"Déjame adivinar... No publicas cosas muy seguido".

"No si puedo evitarlo. ¿Y tú?".

"¿Lees el *fanfiction* de MM?".

"A veces".

"¿Conoces a rainmaker?".

"Todo el mundo conoce a rainmaker".

"Hola".

¡No puede ser! Levanto la mirada, pero él tiene la cabeza agachada porque está poniendo salsa cátsup a sus papas a la francesa, como si lo que acabara de decir fuera cualquier cosa. Es imposible que este chico sentado frente a mí sea RAINMAKER. El principal cabecilla del *fanfiction* sobre *Mar Monstruoso*, la persona más popular en los foros después de LadyConstellation, líder de un millón de fans. Éste NO puede ser el chico que me mandó una carita de guiño la semana pasada.

Escribo:

"NO ME JODAS", y sostengo el papel justo debajo de su nariz.

Me arrebata el papel delicadamente.

"Más tarde te enviaré un mensaje para probarlo".

"Estoy a punto de creerte ahora mismo, porque la gente no suele bromear sobre ser RAINMAKER. ¡¿Por eso te gusta tanto Dallas?!".

"Me convertí en rainmaker porque me gusta Dallas, no al revés".

Miro alrededor de la cafetería. Tiene que haber otra persona presenciando este momento. Alguien más *debe* formar parte de esta revelación tan monumental, porque esto no es algo que suceda todos los días. Rainmaker no anda deambulando por mi escuela ni pone sobre mis rodillas una transcripción de *Mar Monstruoso* como si fuera cualquier cosa.

Pero sí está pasando. Y nadie a nuestro alrededor entiende lo que acaba de suceder. No hay nadie en las mesas cercanas a nosotros que sepa quiénes somos o lo que estamos diciendo.

En este momento, solo somos nosotros.

Aquí.

Wallace toma el papel y escribe:

"¿Qué planes tienes este viernes para Halloween?".

"Probablemente estaré muerta en mi tumba porque acabo de enterarme de que rainmaker va a la misma escuela que yo".

Frunce los labios para contener una sonrisa.

"Pero ya, en serio".

¿De verdad quiere cambiar el tema así sin más? Bien, como sea.

"Seguramente estaré escondida en mi habitación viendo el especial de Halloween de *Dog Days*".

"Eso SÍ que suena como un día que da envidia".

"¿Por qué? ¿Tú qué vas a hacer?".

"Hay una librería a la que normalmente vamos mis amigos y yo, que organiza una fiesta de Halloween todos los años. Vamos a disfrazarnos de personajes de MM".

He visto en internet miles de imágenes de cosplay de *Mar Monstruoso*, y la verdad es que parece un cosplay bastante genial, si se me permite decirlo. Pero nunca lo he visto en la vida real.

"Déjame adivinar. Irás disfrazado de Dallas".

"Qué inteligente. Bueno, estaba pensando que, si no tienes nada más que hacer, tal vez quieras ir. Es una librería, así que no creas que la fiesta se pone muy salvaje, y todos los que van son ratones de biblioteca frikis. Si no quieres ir, está bien".

Quiere que vaya a una fiesta. No he ido a una desde que Kenny Smith, de la casa de al lado, me invitó a su cumpleaños cuando teníamos ocho años, y la cosa terminó cuando alguien me lanzó a la piscina y todos se rieron de mí durante el trayecto de regreso a casa.

"¿Me das tiempo para pensarlo?".

"Sí, claro".

No voy a ir. Me gusta engañarme diciéndome a mí misma que tal vez lo haré —me encanta creer que quizá haré miles de cosas— pero mi cerebro y yo, y todos los demás, sabemos que voy a acobardarme en el último minuto y terminaré atrincherada en mi habitación con un plato lleno de rollitos de pizza y mi suscripción a Netflix.

Me siento un poco culpable cuando escribo en el papel que voy a pensarlo.

Mar Monstruoso Mensaje Privado

2:54 p. m. 28 - Oct - 16

    rainmaker: Eh, soy Wallace. Por favor dime que la cabeza te acaba de explotar otra vez. Pones una cara genial cuando alguien hace explotar tu mente.

    MirkerLurker: Vaya, eso suena como a doble sentido.

    rainmaker: ¿Me pasé de la raya?

    MirkerLurker: Mmmmmmmmmm.

    rainmaker: Me pasé. Anotado.

FOROS SOBRE MAR MONSTRUOSO

ACTUALIZACIONES

Ver actualizaciones anteriores

Oct 20 2016

Es probable que el próximo capítulo de fanfic de Azul Cobrizo salga un poco tarde. Acabo de entrar a una escuela nueva. Divertidísimo.

Oct 21 2016

¡Gracias a @joojooboogee por mi nuevo avatar! #DallasRainerForever

Oct 23 2016

Si la tarea de Matemáticas fuera una persona real, ya me hubieran dado una sentencia de 25 años a cadena perpetua. #HomicidioInvoluntario

Oct 24 2016

Creo que hay otro fan de MM en la escuela. GRACIAS, JESÚS, ME HAS SALVADO.

Oct 26 2016

Hoy la vida está acabando conmigo. No tengo tiempo para escribir. Estúpidas Matemáticas. #HomicidioInvoluntario

Oct 27 2016

Confirmado. Hay otra fan de MM en esta escuela.
Pros: Genial; no estoy solo; chica bonita.
Contras: Chica bonita. #Mierdaaaaaaaa

Oct 28 2016

Oigan, ya no hablemos de la chica bonita, ¿de acuerdo? Es probable que esté leyendo esto.

CAPÍTULO 11

Wallace piensa que soy bonita.

¿Wallace piensa que soy bonita?

¿Será que escribió eso porque sabía que yo lo leería? ¿Está tratando de tenderme una trampa? Wallace no parece ser un tipo mañoso, pero no sé, porque no soy un chico.

Esto es muy raro.

Llevo puesta una sudadera dos tallas más grande que la mía y unos pantalones de mezclilla tan gastados que ya no se puede distinguir la forma de mis piernas. Mi cabello está bien, creo, cuando no está cubierto de brillantina. No es que piense que soy fea, es solo que jamás pongo atención en cómo me veo. No vivo *allá afuera*. Si por mi fuera, no me *vería* como nada en absoluto. Sería una conciencia que de algún modo puede dibujar y que flota libremente. No me importa cómo me veo. No quiero que me importe.

Es raro que Wallace lo haya mencionado. Nadie habla sobre mi apariencia. No soy el tipo de chica cuya apariencia es "un tema de conversación".

Me encantaría poder hablar de esto con Emmy y Max para preguntarles su opinión, pero no puedo, porque no quiero que sepan que Wallace es rainmaker. Es lo mismo que decirles sobre la transcripción: sería una traición a la confianza. Podría decirles que me lo dijo en persona, pero es un hecho que Emmy revisa las actualizaciones de contenido de los Ángeles al menos una vez por semana, y lo vería en la página de rainmaker. No se necesita ser un prodigio de la ingeniería para llegar a esa conclusión.

Pero Wallace me dio otro capítulo de *Mar Monstruoso*, así que no puede estar bromeando. Le ha dedicado tiempo y esfuerzo a esto. *Mar Monstruoso* es importante para él, no lo utilizaría para lastimar a alguien. ¿Verdad?

CAPÍTULO 12

El miércoles, Wallace y yo nos reunimos en la escuela como si no hubiera pasado nada diferente. Y al decir "nos reunimos", me refiero a que intercambiamos mensajes durante la hora de Tutoría y nos sentamos juntos en el almuerzo. Trato de disimular lo entusiasmada que estoy por el segundo capítulo de su transcripción de *Mar Monstruoso*. Cuando lo veo sentado en la banca afuera de la escuela, al final del día, Wallace levanta la cabeza despidiéndose de mí con la mano, y no siento la necesidad de correr a mi auto y encerrarme. El jueves pasa lo mismo, pero cuando llego a casa y reviso mis mensajes para ver si Emmy y Max ya recibieron sus paquetes, me encuentro con una nueva conversación de Wallace.

> *2:47 p. m.*
>
> **rainmaker:** Entonces ¿qué dices sobre la fiesta de Halloween? :D
>
> **rainmaker:** Si no tienes disfraz, podrías escribir la palabra "lurker"[6] en tu camiseta. Estoy seguro de que a mis amigos les parecería lo más gracioso del mundo.

---

6. Juego de palabras intraducible al español. El nombre de usuario de la protagonista es "MirkerLurker", y en inglés, la palabra *lurker* significa "fisgón" o "merodeador".

rainmaker: Por cierto, todos son megafans de MM. No sé si ya te lo había dicho.

rainmaker: Y voy a llevar mi auto, así que no te preocupes por el transporte, yo puedo llevarte.

Vaya. Supongo que realmente quiere que vaya. Eso debe de ser una buena señal. Pensé que era tan callado y raro como yo, pero no lo es en lo más mínimo. No es precisamente el centro de la vida social en Westcliff, pero es mucho más directo de lo que yo sería con cualquier persona. Si yo invitara a alguien —cosa que es casi imposible— y me dijeran que van a pensarlo, me atrincheraría inmediatamente en mi habitación y jamás volvería a hablar con esa persona.

Esto es lo que sé hasta el momento sobre esa fiesta:

- Wallace quiere que vaya
- Los amigos de Wallace también irán
- Habrá disfraces de *Mar Monstruoso*
- Me perderé el capítulo especial de Halloween de *Dog Days*
- Será en una librería, que no es precisamente un lugar superfiestero.

No suena tan terrible. Y estoy segura de que, si no me gusta, puedo encontrar alguna excusa para marcharme. Pero echaré de menos mis comentarios en vivo sobre *Dog Days*.

Un momento. Me levanto de la computadora y asomo la cabeza por la puerta de mi cuarto, mirando sobre el barandal del segundo piso.

—¡Oigan!

—¿Qué pasa, Huevecillo? —dice papá, saliendo de la cocina con su rompevientos y sus pantalones cortos para correr, y mirando hacia las escaleras.

—¿Tengo que acompañar este año a Church y a Sully a pedir dulces para Halloween?

—¿Church y Sully van a pedir dulces en Halloween? —pregunta papá, frunciendo el ceño—. ¿No son muy mayores para eso?

Su pregunta es genuina, porque realmente no lo recuerda. Sabe que estudian en el mismo grado, y que tienen menos de catorce porque juegan en el equipo deportivo U-14, pero el resto son solamente pormenores. Sully tiene catorce, Church tiene trece; nacieron exactamente con once meses de diferencia, la mayoría de la gente cree que son gemelos.

—Sí, creo que ya son muy mayores para eso —digo.

—Ah. Bueno, pregúntale a mamá.

—¿Está en casa ahora?

—No. Se llevó a Davy para que la acompañara en su carrera de diez kilómetros con sus estudiantes.

—¿Qué? ¡Davy no puede correr diez kilómetros!

—Solo están trotando —dice papá, alzando las manos en un gesto de rendición—. Y, de todas formas, los estudiantes lentos siempre cuidan de él. Estará bien.

Mamá da clases a personas que quieren ponerse en forma para correr maratones, lo que, por definición, significa que cualquiera que se inscribe a ellas está completamente loco. El hecho de pensar en esa gente jaloneando a mi perro por todas partes no me tranquiliza para nada.

La puerta de la entrada se abre detrás de él, y Church y Sully entran a toda velocidad, empujándose mutuamente en el umbral. Casi se estrellan contra papá, que se aparta justo antes de que lo golpeen.

—Hola, chicos —dice, en un tono amable, sonriendo de nuevo y caminando detrás de ellos hasta la cocina. El sonido de su conversación flota por las escaleras hasta donde estoy yo—. ¿Qué tal estuvo hoy la escuela?

—Marcy Garrison robó la calculadora de Church, y no se la regresó hasta que él le prometió que le compraría una caja de dulces para San Valentín —dice Sully.

La puerta del refrigerador golpea contra la barra, y las repisas se sacuden cuando los chicos sacan la comida.

—Pero no voy a hacerlo —dice Church, en un tono más tranquilo.

—¿Van a ir este año a pedir dulces en Halloween? —pregunta papá.

Bajo despacio las escaleras para escucharlos mejor.

—No —dice Sully—. Halloween es para niños pequeños.

—Pensé que sí… —dice Church, pero el sonido de su voz se pierde antes de terminar la frase.

—Eliza quiere saber si tiene que acompañarlos otra vez a pedir dulces.

—Eliza odia hacer cosas con nosotros —dice Sully.

Eso no es cierto. No odio hacer cosas con ellos, es solo que la mayoría de las cosas que les gusta hacer me incomodan o me hacen enojar. Como lanzar pelotas, o moverse más rápidamente que alguien en una caminata veloz.

—¡NO, ELIZA, NO TIENES QUE LLEVARNOS A PEDIR DULCES! —grita Sully.

Me escabullo rápidamente escaleras arriba y alcanzo a escuchar lo último que murmura Church:

—Ey, casi me rompes el tímpano.

Vaya, genial. Ahora ni siquiera tengo el pretexto de acompañar a Church y a Sully en Halloween. Aunque claro está que podría mentir, y decir que sí tengo que hacerlo... Wallace no descubriría mi mentira, ¿o sí? No sabe dónde vivo, ni cuántos años tienen mis hermanos, o qué tan importante es Halloween para nosotros, o sea, nada en absoluto.

Pero *no quiero* mentirle. Ya estoy mintiéndole con lo de LadyConstellation, aunque eso es más bien una omisión que otra cosa.

Normalmente no tengo ningún problema para zafarme de algo que no quiero hacer diciendo mentiras. Aunque, desde luego, las personas a las que suelo mentirles siempre son mis papás y mis hermanos, y lo único que tengo que decir en esos casos es que estoy enferma o que tengo mucho trabajo. La cosa es así de fácil con mi familia. No tengo amigos de la escuela que me pidan hacer cosas. Al menos, no hasta ahora.

Regreso a mi computadora, me siento y rasco el borde de mi selección de plumas por un instante. En la pantalla sigue abierta una página de *Mar Monstruoso* —Amity esquivando una horda de enemigos con los cristales anaranjados del Observador—. Amity no le mentiría a nadie para zafarse de algo. Si no quisiera hacerlo, lo diría a la cara. Y si no estuviera segura, lo haría de todas formas para tantear el terreno.

Es una persona callada y reservada, pero no tiene miedo de hacer cosas ni de ir a lugares.

No suelo seguir los consejos de mis propios personajes ficticios, pero llega un momento en la vida de toda chica en que se encuentra en una encrucijada: una noche a solas con su ropa deportiva y su programa de televisión favorito, o una fiesta con gente real que está viva y respira.

Sé lo que *debería* hacer. Llamémosle culpa, o la voz de mis padres permanentemente grabada en mi cabeza. *¿Qué planes tienes para este fin de semana, Eliza? ¿Vas a salir con alguien? ¿Algún amigo de la escuela? ¿Algún pachangón?* Pachangón. Solo mis papás dirían "pachangón", y ni siquiera son tan viejos. Puedo negarme a sus planes para practicar deportes y hacer ejercicio físico, pero hasta ahora no he encontrado una buena forma de desviar sus preguntas sobre mi falta de amigos en la escuela y mi inexistente vida social. Digo "vida social" porque cualquier cosa que tenga que ver con una computadora no es social para ellos. Si les dijera que voy a pasar el rato en una sala de chat de Halloween en los foros de *Mar Monstruoso* con un montón de personas, me preguntarían si conozco en la vida real a alguna de esas personas, y luego deambularían por mi puerta toda la noche, tratando de echar un vistazo a mi habitación.

Si voy a esta fiesta, por lo menos lograré que me dejen en paz.

Abro el mensaje de Wallace en mi computadora y lucho contra las dudas como un domador que hace retroceder a un león usando una silla roída.

2:47 p. m.

rainmaker: Entonces ¿qué dices sobre la fiesta de Halloween? :D

rainmaker: Si no tienes disfraz, podrías escribir la palabra "lurker" en tu camiseta. Estoy seguro de que a mis amigos les parecería lo más gracioso del mundo.

rainmaker: Por cierto, todos son megafans de MM. No sé si ya te lo había dicho.

rainmaker: Y voy a llevar mi auto, así que no te preocupes por el transporte, yo puedo llevarte.

3:11 p. m.

MirkerLurker: Sí, está bien. :)

CAPÍTULO 13

No necesito llevar escrita la palabra *lurker*.

El año pasado, una fan de *Mar Monstruoso* se disfrazó de Kite Waters, uno de los personajes, en una convención de historietas, y publicó algunas imágenes en los foros. Cuando le dije —como LadyConstellation, obviamente— que era el mejor disfraz de Kite Waters que había visto en mi vida, me envió el disfraz por paquetería. Bueno, se lo envió a Emmy, y ella me lo reenvió a mí. Es un uniforme militar de la Alianza Orciana. Un traje blanco con ribetes verdes y botones dorados, sin distintivos ni rangos porque Kite no tiene ninguno. Hasta tiene incluidas las botas de Kite y su sable negro (hecho de algún tipo de hule espuma o relleno o algo así).

Lo bueno es que el disfraz se ve tan diferente en mi cuerpo, que Wallace jamás reconocerá su procedencia. Todo me queda muy holgado. Deslizo el cinturón hasta el último agujero y aun así no es suficiente. Me ajusto la chamarra hasta sentir mis costillas contra el material. Supongo que está bien —tampoco es como si me lo hubieran hecho a la medida.

Me paro frente al espejo y me siento solo un poco ridícula al estar disfrazada de uno de mis propios personajes, aunque no se ve nada mal. Se siente como ropa real y parece ropa real. La chica que lo hizo y que lo usó antes que yo (una experta costurera a la que en realidad debería llamar un genio) es originaria de una isla —Filipinas, creo— como Kite, por eso el disfraz se le veía tan bien, realmente *se parecía* a Kite, pero en mi cuerpo parece solamente como un disfraz.

—YA LLEGÓ TU NOVIO —grita Sully desde las escaleras, y un minuto después escucho la voz de papá:

—Eliza, tu amigo está en la entrada.

Cuando les dije a dónde iba a ir, las caras de mamá y papá se iluminaron como si les hubiera dicho que el minimaratón se llevaría a cabo antes de lo planeado. Les advertí que no podían hacerme ninguna pregunta y, por alguna mágica razón, lograron contenerse. Les dije que iría con un niño de la escuela. Tuve mucho cuidado en no decir un "chico de la escuela", pero Sully se ha encargado, sin ayuda de nadie, de que sea inútil aclarar el punto.

Tomo el sable negro, el par de billetes arrugados de veinte dólares que retiré del cajero hace unas horas y mi teléfono, y salgo de mi habitación sin hacer ruido. Mamá y papá están de pie junto a la puerta, mirando hacia afuera y susurrándose algo. Bajo las escaleras.

—¿De qué se supone que vas disfrazada? —dice Church, que está parado en la entrada de la sala, comiendo una barra de granola. Sus pantalones cortos de basquetbol y su camiseta lo hacen ver extremadamente larguirucho.

Sully aparece detrás de él un minuto después, vestido casi exactamente igual, solo que es un poco más alto.

—¿Es algo de tu cómic? —pregunta.

Mamá y papá se giran para verme. Genial, que venga

todo el clan Mirk al festival "Burlémonos de Eliza".

Aceptando mi derrota, bajo las escaleras dando fuertes pisotones, paso frente a mis padres y abro la puerta de un tirón.

—Regreso más tarde —murmuro entre dientes—. Llevo mi teléfono conmigo.

Cierro la puerta al salir y camino rápidamente por la cochera. Wallace está estacionado al otro extremo en un Taurus color verde pantano, pero como está oscuro no puedo ver su disfraz. Mi corazón salta a un ritmo de *staccato* en mi pecho y el estómago se me revuelve como las enormes mareas espumosas de Orcus. Me acomodo en el asiento del pasajero.

—Hola —digo, mientras me pongo el cinturón de seguridad.

—Hola —responde Wallace.

Me quedo inmóvil. Su cabeza está girada hacia mí, pero desvía la mirada, primero hacia el tablero y luego al parabrisas. Su voz es mucho más suave de lo que esperaba. Pensé que sería superfuerte, tal vez para compensar todo el tiempo que pasa en silencio, pero no. Es profunda y suave, como una gruesa manta de lana en medio del invierno.

—¿Solo hablas a veces? —pregunto.

Wallace asiente con la cabeza.

—Si estoy solo en mi auto, no hay problema. Pero la escuela es… demasiado. Con mis amigos, sí hablo, y algunas veces con extraños. ¿Sigue sin parecerte raro?

—No, no es raro.

Me mira a los ojos y se le dibuja esa pequeña sonrisa.

—Tu disfraz de Kite Waters está *increíble* —dice.

La temperatura de mi cuerpo aumenta algunos grados. Qué bueno que no olvidé ponerme desodorante.

—Gracias —respondo, mientras lo miro de arriba a abajo—. Pensé que irías disfrazado de Dallas.

—Sí —dice—, solo que la peluca y la bufanda están en la cajuela. Es un poco peligroso manejar con esas cosas puestas.

—Ah. Buen punto.

—¿Estás lista?

—Tanto como se puede estar.

Oye, y ¿dónde vivías antes? —pregunto.

Damos vuelta en la esquina y seguimos avanzando por la larga calle que conecta mi vecindario con el resto de Westcliff. Los faros de Wallace parpadean en medio de la oscuridad cada vez más intensa.

—En Illinois —dice, con una voz tranquila, apenas más fuerte que un susurro.

—¿Por qué se mudaron?

—Mi familia consiguió nuevos trabajos —hace una pausa—. Y a mi mamá le gusta más vivir en Westcliff. Además, aquí tengo algunos amigos, así que no está tan mal.

—Cada quien sus gustos, supongo.

—¿No te gusta?

—Me da igual —respondo, encogiéndome de hombros—. Nunca he estado en otro lugar, así que no sé si me gustaría más, pero estoy harta de Westcliff. Estoy fastidiada de esa preparatoria y de las tonterías típicas de los pueblos pequeños, donde todos saben hasta el más mínimo detalle de la vida de los demás. ¿Has leído el *Westcliff Star*?

—Sí.

—A ese tipo de cosas me refiero. Todas las historias que publican. ¿Has visto que llevan semanas publicando reportajes sobre la Curva de Wellhouse? Es lo único que publican en esta época del año. Suceden tan pocas cosas que tienen que centrarse en la carretera asesina. Es un poco… perturbador.

—¿Perturbador?

—Sí, porque solo se enfocan en una o dos cosas. Deberían dejar en paz a la gente.

Gira la cabeza para mirarme y sonríe.

—¿Tienes algo que esconder? —dice.

—No —respondo inmediatamente—. Solo digo que preferiría vivir en un lugar donde nadie volteara a verte dos veces, sin importar quién seas.

—Te entiendo.

Subimos una colina, conduce a través de varios árboles, y empezamos a cruzar el Puente Wellhouse. En el otro extremo del puente, iluminada por los faros de Wallace y el sol que está a punto de ocultarse, se alcanza a ver la Curva de Wellhouse: una curva muy brusca en la carretera donde el suelo desaparece.

Las flores y los otros adornos que se veían en la imagen del *Star* siguen ahí, algunos ya viejos y marchitos, y otros frescos. Hay una barrera de metal abollada y mutilada que vuelven a colocar cada vez que alguien la atraviesa y cae por el otro lado. La empinada pendiente conduce hasta el río que está abajo, donde, según cuentan algunos, hay piezas viejas de autos incrustadas en la tierra.

Me pregunto si aquellos que se salen de la carretera mueren rápidamente, o si la larga caída dura una eternidad.

Al llegar a la curva, Wallace disminuye la velocidad hasta detenerse casi por completo. La mayoría de las personas avanzan más lento cuando llegan a este punto, pero no tanto. Y jamás lo hacen con esa rigidez imperturbable. Echo un vistazo a la pendiente. Incluso descender por ella caminando parece una idea terrible. Estoy segura de que te lastimarías si llegaras a resbalarte, aunque solo fuera un pequeño resbalón. Mientras avanzamos por la curva la cara de Wallace se pone muy pálida, pero luego salimos de ahí y al llegar al siguiente farol amarillo puedo ver que está bien de nuevo. Como si no hubiera pasado absolutamente nada.

—Apuesto a que no tienen lugares como éste en Illinois —digo.

La librería de segunda mano a la que se referían los amigos de Wallace se llama Murphy. He oído hablar de ella, pero nunca había estado aquí; después de terminar *Los Hijos de Hipnos*, no leí mucho, y luego empecé a comprar mis libros por internet. Wallace bromea diciendo que el nombre completo de la librería es La Ley de Murphy. Espero con todas mis fuerzas que sea una broma, porque hay mil cosas que podrían salir mal esta noche, y sería genial que no pasaran.

Murphy es una diminuta tienda de ladrillos, emparedada entre otras dos diminutas tiendas de ladrillos, con un enorme y alegre anuncio en las altas ventanas que dice "Libros de Murphy". Adentro las luces están encendidas y hay cuerpos moviéndose. Cuando llegamos, el pequeño estacionamiento está lleno, por lo que Wallace logra apretujar su auto en un lugar en la calle.

Antes de entrar, abre la cajuela y utiliza su teléfono como linterna para sacar las cosas que necesita, porque la luz del auto ya no funciona. Toma un bulto que parece como algas marinas y una larga bufanda a rayas azul con blanco. Se enrolla la bufanda dos veces alrededor del cuello, dejando un extremo colgado en su pecho y el otro en su espalda. Luego se pone sobre la cabeza el bulto de algas, sacudiéndolo un poco, para que los mechones caigan en los lugares correctos sobre su cara.

—¿Cómo se ve? —dice, extendiendo los brazos.

Debajo de la bufanda lleva puesta una andrajosa camisa de botones y unos pantalones que tienen rayas verticales trazadas con pintura textil de colores azul oscuro y verde. Estrictamente hablando, no es lo suficientemente alto ni estrecho para ser Dallas, pero ¡rayos!, sí que lo hace lucir bien.

—¡Guau!

Da una vuelta, y hasta la bufanda se mueve como debería hacerlo, con los extremos agitándose en sus tobillos.

—¿Dónde la conseguiste?

—Mi hermana me la tejió.

—Es un poco triste que tengas que usar zapatos.

—Ya sé, pero tuve que ignorar los pies descalzos de Dallas y su significado pacifista en pro de la seguridad de mis pies.

—Pues te ves genial.

—*Nos vemos* geniales.

Antes de entrar a Murphy, me ato la correa del sable alrededor de la cintura. Creo que si tuviera que elegir una fiesta a la cual asistir, elegiría ésta. Las paredes están repletas de libros, y hay pequeñas estanterías que dividen las diferentes secciones de la sala. Hay una mesa con bebidas y bocadillos junto al mostrador de la caja registradora, y en las bocinas de la tienda se escucha la canción "Monster Mash". Un enorme grupo de estudiantes de Hogwarts vestidos con túnicas negras y las bufandas de sus respectivas casas ocupan casi todo el centro del lugar. Junto a la pared trasera hay un par de hadas, un vampiro y una bruja platicando. Una chica disfrazada de rollo de sushi es la encargada de arreglar los adornos de calabaza alrededor de la caja registradora.

—Mataría por comer sushi en este momento —digo.

Wallace saca su teléfono, e inmediatamente recibo un mensaje.

"¡Ya sé! ¡Estoy igual que tú! Después de esto deberíamos ir a comer sushi".

¿Abandonar una fiesta para comer sushi? Pero claro que sí.

Wallace me lleva a una esquina oscura donde está reunido lo que parece ser el segundo grupo más grande de personas. Casi me tropiezo con mis propios pies. Todos llevan puestos disfraces de *Mar Monstruoso*. Algunos lucen el cabello blanco de Amity, o el collar de plata de Damien. Otros tienen dibujados en la cara o en los brazos los tatuajes con las líneas blancas de la constelación Nocturniana. Hay muchos que llevan puestos los cuellos altos y la combinación de colores rojo-dorado-negro de los Rishtianos.

Cuando nos ven, muchos de ellos nos reciben con gritos de "¡Dallas!" y "¡Kite!". Wallace sonríe, y sus orejas se ponen muy rosas. Estira el brazo hacia atrás en busca de mi mano y me jala a través de la multitud. Dejo que la tome. La palma de su mano es más áspera de lo que esperaba en un escritor, pero cálida. Nos mantenemos tomados de la mano tímidamente, y cuando llegamos a la mesa que está al centro del grupo, Wallace permite que mi mano suelte la suya.

Frente a la mesita está sentada una mujer joven con una niña pequeña sobre sus piernas, y un chico de nuestra edad, sonriendo ante la pantalla de una computadora portátil. La joven está disfrazada con la loca cabellera marrón —una peluca— y la vestimenta del desierto en capas de Imi, otro de los Ángeles; y la niña lleva puesto un diminuto disfraz que la hace ver como la hija de Imi. El chico luce una camiseta de la marca Under Armour con cuello alto —que sin duda representa exactamente los trajes reguladores de temperatura corporal típicos de los Rishtianos— y una chamarra que simula las que usan los aeronautas Rishtianos. El sitio que ocupan está lleno de comida de la mesa de bocadillos.

El chico y la joven levantan la vista al mismo tiempo y dicen —¡Wallace!

El chico gira la computadora portátil hacia nosotros, y en la pantalla vemos a otras dos chicas sentadas en una sala de chat de video.

Wallace vuelve a escribir algo en su teléfono, y aparece otro mensaje en la pantalla del mío; esta vez se trata de un mensaje grupal con cuatro números que no reconozco.

"Hola, chicos", escribe Wallace. "Traje a una amiga". Al escribir esto, se hace a un lado para que no pueda ocultarme detrás de él. "Se llama Eliza. Eliza, éste es mi amigo Cole y su prima Megan". Hace un gesto con la mano señalando al chico y a la joven. "Y ellas son Leece y Chandra". Las chicas en la computadora. Ambas nos dicen hola en distintas formas, dándome tiempo suficiente para tragar saliva a través del nudo que tengo en la garganta y devolver el saludo.

—Wallace nos ha dicho que estás en los foros —dice Cole.

Me alegra que se haya disfrazado de Rishtiano, porque tiene la misma mirada astuta y perspicaz que casi todos ellos.

—Mmm. Sí. Pero no participo mucho.

Solo para *Dog Days,* que, por cierto, me estoy perdiendo. Dejé un mensaje en mi página de LadyConstellation diciendo que estaba enferma y que no podría ver el capítulo de hoy, así que espero que nadie se moleste.

—¿Todos ustedes son…?

Mi teléfono suena.

"Ah, sí. Olvidé decirte que ellos son los otros Ángeles. Perdón, supongo que no es obvio que también somos amigos en la vida real".

Los observo detenidamente. ¿Estos son los Ángeles de mis foros? ¿El peldaño inferior al mío en la escala de popularidad? ¿Y todos reunidos en un solo lugar?

La cabeza me da vueltas. Tomo mi teléfono con una mano, y con la otra intento sujetarme de algo para no caerme, pero solo hay un espacio vacío.

Wallace sigue escribiendo: "Cole es Fire Served Cold, Megan es Quake, Leece es Tree Chimes, y Chandra es Dark Switch".

Si no adjunto el formato cibernético a los nombres, estos pierden todo su sentido. Los veo todo el tiempo en distintas secciones de los foros:

Fire_Served_Cold, el amigo de rainmaker que participa en los chats en vivo.

QUaKE, supervisa las salas de juegos de rol.

~*treechimes*~, normalmente navega por la sección de comentarios de la mercancía personalizada de *Mar Monstruoso* como toda una fan emocionada.

Y, por último, DarkSwitch, cuyos dibujos son probablemente el mejor *fan art* que he visto en mi vida.

Junto con Wallace, como rainmaker, forman el grupo de los Ángeles, los clanes guardianes de Orcus. En la historia, los Ángeles son los encargados de mantener el planeta en equilibrio. Cuando algo —por ejemplo, la mano corrupta de la Alianza— amenaza ese equilibrio, ellos intervienen. Estos Ángeles mantienen el equilibrio en mis foros, actuando como moderadores.

Siento como si acabara de entrar a los Power Rangers. Están esperando a que diga algo.

—Mmm —es todo lo que sale de mi boca.

—Tu disfraz de Kite Waters está *genial* —dice Cole—. Aunque es muy corto.

—*Cole* —dice Megan, en tono de advertencia, mientras hace saltar sobre sus piernas a la niña, que suelta una risita—. Te ves genial, Eliza. No le hagas caso. ¡Ahora siéntense, y coman algo! El tono en que lo dice suena entre invitación y orden. Me deslizo en el asiento que está junto al de Wallace, y el sable se atora entre las patas de la silla.

—¡Gírame hacia Wallace! —grita Chandra, la chica de la computadora. Cole gira la computadora portátil hasta que Wallace y yo aparecemos en la cámara web. Me hundo aún más en la silla, sintiendo que mi cara se calienta.

—Oye, Wallace —dice Chandra—, ¿qué es esa tontería de que no vas a subir todavía los nuevos capítulos de *Azul Cobrizo*? La relación de Izzy y Anna es la única relación *canon*[7] que me gusta, *no puedes* defraudarme así.

"Lo siento", escribe Wallace, encogiéndose de hombros. "Lo subiré pronto. Ya tengo planeado el resto de la historia, solo necesito tiempo para escribirla. La escuela ha sido un dolor de cabeza últimamente. Y además está lo de la transcripción…".

"Ah, sí, la transcripción que no dejas que nadie lea".

¡Podrán leerla cuando haya escrito un poco más!

—No te preocupes, Wally —dice Leece, la otra chica.

Leece y Chandra están sentadas en dos habitaciones completamente distintas; las paredes de Chandra son café oscuro y están completamente vacías, mientras que las de Leece son brillantes y repletas de posters de *Mar Monstruoso*. Detrás de ella, un enorme bicho marino de peluche descansa sobre su almohada.

—Si te sientes inspirado para trabajar en la transcripción, dedícate a eso. Además, Chan no sabe qué relaciones deberían gustarle.

7. En el contexto de la *fanfiction*, el canon comprende el contenido certificado u oficialmente autorizado por el autor intelectual de la obra.

—Oye, ¡qué te pasa! —gruñe Chandra—. ¿Acaso estabas allí cuando Izzy y Anna fueron obligados a casarse? ¿O cuando formaron una relación de confianza mutua durante los trabajos internos de los motores de las aeronaves? ¿Qué me dices de todas las veces que se han salvado mutuamente mientras luchan contra la Alianza? Ni siquiera sabían que se amaban, solo crecieron juntos. ¡Y eso es perfecto y hermoso, y nadie podrá arrebatármelo!

—Su atención, por favor —dice una voz a través de las bocinas. Es la chica disfrazada de rollo de sushi, que está junto a la caja registradora con un micrófono en la mano—. Ya casi es hora del concurso de disfraces. Si quieren registrarse, acérquense, por favor, para llenar su ficha de entrada y ponerla aquí.

En ese momento levanta su mano sosteniendo un frasco en forma de cráneo sonriente.

—Ah, sí —dice Cole, levantándose de un salto—. ¿Alguien más va a inscribirse? Wallace y Eliza no hace falta que respondan, porque de todas formas voy a anotar sus nombres.

Cole se marcha antes de que pueda decir "no".

Wallace me golpea con su hombro. "Siempre es así, escribe en un mensaje que me envía solo a mí. No lo haremos si no quieres".

Entierro mis dedos en el borde de la silla y miro la mesa fijamente, tratando de inhalar profundo para no sentir como si mis pulmones estuvieran siendo aplastados. Pararme frente a toda esta gente, en este disfraz que ni siquiera es mío, ¿para qué? ¿Para que me aplaudan?

Voy a tropezarme y a romperme la cara.

—¿Eliza?

Levanto la vista. Wallace, Megan, Leece y Chandra están mirándome fijamente.

—Mmm... ¿Qué? ¿Disculpa?

—¡Ay, querida, no te preocupes! —dice Megan—. Solo te pregunté desde hace cuánto tiempo te gusta *Mar Monstruoso*.

—Desde hace como tres años, creo —respondo.

—Guau, entonces te gusta desde antes de que llegara a Mentes Maestras —dice Leece.

Me gusta desde antes de que llegara a cualquier parte.

—¿Kite es tu personaje favorito? —pregunta Chandra.

—Mmm, no… Izzy es mi favorito.

—¡El mío también! —dice Chandra, saltando sobre su asiento, dando un grito tan fuerte que hace crujir las bocinas de la computadora—. ¡Nadie comprende la grandeza de Izarian Silas! El idiota de Cole se disfrazó de Rory como si él fuera el mejor de la familia Silas, ¡pero la única razón por la que Rory Silas vale la pena es porque Izzy es su padre!

Leece lanza un grito ahogado en el otro extremo de la pantalla.

—¡No te atrevas a decir eso, perra!

Chandra empieza a carcajearse alegremente, y Megan intenta cubrir los oídos de la pequeña, pero ya es demasiado tarde. Aunque, de todas formas, no está atenta a la conversación. Wallace sacude la cabeza y sonríe.

CAPÍTULO 14

Cole regresa a la mesa, con el pecho erguido de orgullo, y tres vasos llenos de ponche, para él, Wallace y yo. Megan tiene una botella antiderrames que la pequeña tira cada diez segundos. Aprieto el vaso de ponche fuertemente contra mi pecho y me escondo en mi silla mientras los cinco continúan hablando. Me siento mejor así, sin ser vista ni oída, escondida detrás de la voluminosa sombra de Wallace. Algunos de los otros fans de *Mar Monstruoso* ya se han ido de nuestra mesa, así que cada vez que necesito respirar giro la cabeza hacia el espacio vacío.

Hace muchos años aprendí que está bien hacer esto. Buscar espacios pequeños para mí, donde puedo hacer una pausa e imaginar que estoy completamente a solas. A veces las personas resultan abrumadoras. No importa si se trata de amigos, conocidos, enemigos o extraños; todas forman una multitud. Incluso si están al otro lado de la habitación, son una multitud. Me desconecto por un minuto y pienso:

"Estoy aquí. Estoy bien".

Luego, vuelvo a poner atención en la conversación, y poco a poco me integro nuevamente a ella.

Es increíble todo lo que se puede aprender cuando mantienes la boca cerrada. En media hora, me he enterado de que Cole es un estudiante de segundo grado de preparatoria, un jugador estrella de beisbol en ascenso que mantiene en secreto su amor por *Mar Monstruoso* para evitar cualquier pregunta no deseada acerca de su potencial sobre la cancha; Leece es la mayor coleccionista de mercancía de *Mar Monstruoso* probablemente en todo el mundo, y es una gimnasta de primera categoría que vive en Colorado y que utiliza el cómic como su terapia de relajación; Chandra está al otro lado del Atlántico, en la India, y aunque sus padres no aprueban del todo el tema de sus dibujos —la mayoría de los cuales involucran a los distintos personajes de *Mar Monstruoso* en situaciones amorosas de uno u otro tipo— ella lo ve como un estilo de vida; y Megan, que vive a un par de ciudades de distancia, es madre soltera de Hazel, la pequeña, y trabaja como auxiliar de oficina durante el día, y en el boliche Blue Lane en el turno de la noche.

"Megan fue la primera en volverse fan de Mar Monstruoso", escribe Wallace, "y ella introdujo a Cole en este mundo, así fue como él y yo nos conocimos. Luego encontramos a Leece y a Chandra y nos convertimos en los Ángeles. El resto es historia".

De vez en cuando me preguntan algunas cosas. Preguntas amistosas, como: ¿cuántos años tengo?, ¿cómo conocí a Wallace?, ¿cuáles son mis pasatiempos además de leer *Mar Monstruoso*? Les respondo lo mejor que puedo, no solo por Wallace, sino también un poco por mí misma.

No son enemigos. No van a burlarse de mí si les hablo sobre las cosas que me gusta hacer o cómo paso mi tiempo.

Tal vez no sean mis amigos, pero son mi gente, y el hecho de que no estén detrás de una pantalla no significa que no valga la pena hablar con ellos. Pero aun así, extraño mi habitación en silencio, a Davy y a mi computadora. ¿Qué estará pasando en el capítulo de hoy de *Dog Days*? ¿La gente extrañara a LadyConstellation en el chat?

Cuando la chica con traje de sushi llama a los participantes para que muestren sus disfraces, Cole logra levantar a Wallace de su silla para pararse torpemente enfrente de todos, pero yo me niego a hacerlo cuando escucho mi nombre.

—Es cosa de un segundo —dice Cole, haciéndome gestos con su mano para que me levante—. Vamos. Solo un segundo.

—No… No tengo ganas.

Wallace empuja suavemente a Cole para poder regresar a su silla y toma su teléfono.

"Si no quiere hacerlo, no la obligues".

Cole lanza un suspiro tan ridículamente dramático que debe tratarse de una broma, y luego voltea para decirle a la chica sushi que no participaré después de todo. Algunas personas de los otros grupos en la sala se levantan también. Hay un panel conformado por un grupo de jueces adolescentes colocados detrás de un pequeño librero que hace las veces de escritorio, y al llegar el final del concurso se reúnen para deliberar antes de anunciar como ganador a uno de los estudiantes de Hogwarts.

—¡Ay, no se pasen! —grita Cole—, ¡siempre ganan los de Harry Potter! ¡Han tenido como doce años para armar sus disfraces!

—Yo ya me cansé de esperar —dice Megan a Hazel, levantando los brazos de la pequeña—. ¡Doce años de espera! ¡En Azkaban!

Cole y Wallace devoran casi toda la comida sobre la mesa. Creo que eso significa que no iremos a comer sushi después de todo. Cuando dan las nueve y media, Leece y Chandra se desconectan, Cole guarda su computadora y Hazel está profundamente dormida sobre el hombro de Megan.

—Me parece que ya es hora de irnos —dice Megan—. Fue lindo volver a verlos a todos. Tenemos que reunirnos pronto. Podemos organizar una quedada de *Mar Monstruoso*.

Wallace y Megan se despiden con un extraño abrazo de lado. Cuando Megan abre las puertas de la librería para salir, deja entrar una helada ráfaga de viento típica de octubre.

—Creo que yo también me iré —dice Cole, restregándose el cabello y despeinándolo aún más.

"Creí que tenías permiso de llegar a tu casa a las once", escribe Wallace.

—Nop, mamá lo adelantó a las diez cuando llegué tarde hace dos semanas. ¿Por qué me ves así? ¡Se me olvidó lo tarde que era! ¡Ya sabes cómo se pone la cosa cuando estás en casa de una chica!

Wallace pone los ojos en blanco.

—Mira —dice Cole, apoyándose sobre el borde de la mesa para poder mirar a Wallace fijamente a los ojos—. Más vale que esa escuela sea mejor que la anterior. Tiene que serlo, ¿no? Las cosas se han calmado un poco, pero aun así estás mejor allí.

Wallace se encoge de hombros, y Cole le aprieta el

hombro. Entonces nos quedamos solos Wallace y yo en una librería que se vacía rápidamente. ¿Por qué Westcliff tiene que ser mejor que su escuela anterior? No me atrevo a preguntárselo, al menos no en este momento. Lo único que quiero hacer ahora es salir de este lugar.

"¿Quieres ir por sushi?".

—¿Todavía quieres comer sushi? —pregunto—. Acabas de comerte todas esas cosas.

Wallace sonríe. "Es obvio que no has puesto mucha atención a lo que como en el almuerzo. Si dices comida, yo como. Y podría comer una tonelada en este momento, Entonces, ¿vamos por sushi?".

—Ay sí, *por favor*, sushi.

Abrimos las puertas de un empujón, y el aire helado se cuela a través de mi disfraz. Caminamos rápidamente al auto de Wallace; me acomodo de un salto en el asiento del pasajero, mientras él lanza a la parte trasera del auto su peluca y su bufanda. Enciende el aire acondicionado y nos dirigimos al restaurante de sushi que conoce.

—¿Cómo es posible que conozcas más lugares que yo para salir? —digo—. No llevas tanto tiempo viviendo aquí.

Wallace se encoge de hombros, pero no deja de sonreír. Cuando llegamos al restaurante, el brillante letrero encima de la puerta solo dice "SUSHI".

—¿Es una cosa minimalista, o será que no se les ocurrió ningún nombre?

—Pues… no sé —admite Wallace. Es agradable volver a escuchar su voz—. La verdad es que podría ser cualquiera de las dos opciones.

Como ya es algo tarde, toda la gente que ha salido a cenar ya se está yendo, y es muy temprano para que empiecen a llegar los adictos que salen de las fiestas de Halloween. El interior de este lugar de nombre conciso está bastante limpio y elegante. La mesera nos sienta a Wallace y a mí en un gabinete, y las paredes detrás de los asientos se elevan a una altura perfecta para ocultarnos de nuestros vecinos.

—Los viernes son noches de mitad de precio —dice Wallace, leyendo ansiosamente el menú—. ¿Qué pides normalmente?

—Mmm —odio tener que decir este tipo de cosas a la gente—. Solo pido rollos California y Philadelphia.

Sé exactamente lo que la gente piensa cuando oye esto: "¿De verdad te gusta el sushi?". "Solo pides los rollos más aburridos. Ni siquiera estás comiendo lo bueno". "Guau, sí que eres aburrida". "¿Cuál es el punto de tu existencia?". "Sé más interesante".

—Ah, esa es una idea genial —dice Wallace, sin quitar la vista del menú—. Así no nos complicamos la vida. Podría comerme una mesa entera de rollos Philadelphia en este momento.

Ordenamos nuestra comida en cuanto la mesera nos entrega nuestros paños calientes. Envuelvo el mío alrededor de mis manos heladas mientras me derrito en mi asiento. Mi familia siempre dice que tengo las manos frías, pero no me doy cuenta hasta que algo me las calienta.

—¿Te gustó la fiesta? —pregunta Wallace—. Me alegro de que hayas logrado ir.

Si "lograr ir" quiere decir que "conseguí con muchos

esfuerzos vencer a la duda y acorralarla en su esquina", entonces tiene razón.

—Sí. Estuvo... estuvo divertida.

Wallace, que hasta ese momento había estado mirando sus manos, levanta la vista.

—¿En serio? Casi no hablaste.

—No suelo hablar mucho.

—En la escuela sí lo haces.

—*Escribo* mucho en la escuela —digo sonriendo—. Y antes de que tú llegarás, tampoco hacía eso.

—¿Por? —dice Wallace, vacilando un poco antes de lanzar su pregunta.

—No sé. Simplemente no me gusta.

—La escuela no es algo que te vuelva loca, ¿verdad?

—No, no realmente,

—A mí tampoco —dice, bajando de nuevo la vista hacia la mesa—. Siento que ya sé lo que quiero hacer, y la escuela solo me hace perder el tiempo. Es como si dieran por un hecho que no sabemos lo que queremos hacer con nuestras vidas, así que nos obligan a seguir haciendo todo eso. Me muero de ganas de que ya se termine.

—*¡Exacto!* —grito, y la fuerza de mi voz me sorprende incluso a mí misma. Wallace levanta la vista de nuevo.

—O sea... sí, es agotador. Eso es lo que le digo a mis papás todo el tiempo. Lo único que quiero hacer es enfocarme en el arte, y ni siquiera sé si voy a ir a la universidad, así que ¿cuál es el sentido de terminar el último año?

—Es estúpido, ¿no?

—*Muy* estúpido.

—Gracias a Dios —dice Wallace, recargando la espalda sobre su asiento—, Creí que sufría de algún síndrome de aislamiento o algo así.

—Sufres del síndrome de la preparatoria.

—Síndrome de la preparatoria: igual que *El resplandor*, pero con adolescentes.

Suelto una carcajada, y Wallace sonríe. La mesera nos trae nuestro sushi, y una sensación de felicidad me recorre desde la punta de la cabeza hasta las plantas de los pies. Una parte de mí sabe que es tonto sentirme feliz de que alguien por fin *lo entienda*. Mis padres *lo entienden*. Saben que no me gusta le escuela y que no quiero seguir en ella. Estoy segura de que la mayoría de mis profesores también lo saben. Saben que me importa mi arte más que cualquier tarea, evento deportivo o baile. Quizá hasta entiendan que es mucho más fácil estar en internet, aunque lo dudo.

Pero Wallace es la primera persona que conozco que lo comprende perfectamente.

A veces, cuando Amity despertaba de alguno de los sueños sobre su renacimiento, durante los largos minutos que pasaba viendo dormir a Faren, se imaginaba cómo serían las cosas si no hubiera aceptado la propuesta del Observador.

Faren estaría muerto.

Tal vez ella también lo estaría.

El Observador no tendría un anfitrión, y los Nocturnianos esperarían pacientemente hasta que encontrara uno.

CAPÍTULO 15

Wallace *entiende* muchas cosas.

Entiende que la pizza con la orilla rellena del almuerzo debe comerse primero hasta la orilla, luego hay que sacarle el relleno, comer la orilla, y hacer una bolita con el queso comiéndolo hasta el final como la joya suprema de la comida. Entiende que los pantalones deportivos y las sudaderas son infinitamente mejores que cualquier otro tipo de ropa. Entiende que es más fácil hablar cuando hay una pantalla o incluso un pedazo de papel entre la persona con la que hablas y tú.

La primera mitad de noviembre ha pasado sin que me diera cuenta. Todos los días me despierto y experimento esa extraña sensación de *querer* ir a la escuela. Ahora me detengo junto a mi casillero en las mañanas, pero no porque sea difícil lograr que mis pies se muevan para empezar el día, sino porque Wallace está ahí esperándome, y prefiero estar con él de pie, en el pasillo, que sentada en el salón de Tutoría. Algunas veces yo voy a su casillero, y nos quedamos allí un rato. No hablamos, porque hay mucha gente alrededor y a Wallace no le gusta escribir sobre superficies verticales.

Durante mis clases me dedico completamente a hacer bocetos de las páginas de *Mar Monstruoso*, aprovechando las horas antes y después del almuerzo, y escondiéndolas al fondo de mi mochila para que Wallace no las encuentre. No las escondo creyendo que va a revisar mis cosas. Para nada. Pero mi cuaderno de dibujos podría caer y abrirse, o un molestón como Travis Stone podría aparecer de pronto y esparcirlos para que toda la escuela los vea. Durante el almuerzo, Wallace y yo nos sentamos juntos —en el patio interior, si no hace mucho frío, pero normalmente en una de las mesas de la cafetería—. Cada vez que Wallace termina otro capítulo transcrito de *Mar Monstruoso* me lo entrega, y yo lo devoro como la bestia hambrienta que soy, y él sonríe un poco. Wallace *lo entiende*.

Wallace conoce la sensación que se produce al crear algo nuevo.

—¿No te pasa que cuando tienes una idea para una historia, un personaje, incluso un diálogo o algo así, de pronto parece como si el mundo fuera más brillante? ¿Como si todo se abriera y tuviera sentido? —dice Wallace, mirando el montón de papeles frente a él—. El último capítulo transcrito de *Mar Monstruoso,* como él lo llama.

Estamos sentados afuera de las canchas de tenis, detrás de la escuela secundaria. Las hojas bailan sobre las canchas vacías en medio del viento helado. Le dije a mamá que recogería a Sully y a Church después de la escuela para tener un pretexto y poder estar con Wallace. Estamos sentados cada uno en un extremo de la banca, girados para poder vernos.

—Creo que por eso se le llama descubrimiento. Porque te abre la mente y permite que entre la luz.

—Sí. Exacto —dice, levantando la vista y sonriendo.

Wallace tiene hoyuelos en las mejillas. ¡Ay, por Dios!, tiene hoyuelos. Quisiera meter mis dedos en ellos. Se ve muy calentito con su suéter, su abrigo y su gorro tejido con los hilos colgando a los lados de su cabeza y la pequeña bola peluda en la parte superior. Yo no tengo frío, pero podría estar más calentita.

—¿Nunca escribes tus propias cosas? —pregunto—. En vez de escribir *fanfiction*.

—A veces, pero no creo que sean tan buenas como mi *fanfiction*. Con el *fanfiction* es más fácil, porque solo te pones a jugar con los personajes, escenarios y temas que alguien más ha creado. No me preocupa que no sea bueno porque solo lo hago por diversión. Pero cuando trato de escribir algo mío, se vuelve… una preocupación constante. Nunca me parece lo suficientemente bueno —mientras habla empieza a recoger sus papeles—. ¿Dibujas otras cosas además de *fan art* de MM?

—A veces —respondo, y compartimos otra pequeña sonrisa—. En este momento solo estoy interesada en *Mar Monstruoso*.

—¿Puedo ver algunos de tus dibujos de *Mar Monstruoso*? Ese día los vi de pasada, pero no pude observarlos bien.

Yo ya leí su *fanfiction*; sería injusto no dejarle ver algunos de mis dibujos. La parte delantera de mi cuaderno de dibujos, que tengo sujeto a salvo entre mis manos y apoyado sobre mis rodillas, está repleta de hojas sueltas con dibujos de los personajes y lugares de *Mar Monstruoso*. Es arte conceptual, pero seguramente Wallace creerá que se trata de dibujos de práctica e interpretaciones. Saco algunos dibujos, asegurándome de que ninguno de ellos sea el boceto de alguna página del cómic, y se los entrego.

Wallace los observa detenidamente. Al igual que todas sus acciones, su observación es lenta y metódica. Examina el dibujo, deteniéndose en algunos puntos; desliza uno de sus dedos entre esa página y la siguiente para separarlas, y luego levanta la página superior, colocándola cuidadosamente en la parte inferior del montón de hojas, y cuando todos los papeles vuelven a estar completamente alineados, empieza a mirar el siguiente dibujo.

—Estoy pensando en publicar la transcripción en los foros —dice—. Para ver lo que piensa la gente.

—Les va a encantar.

Si lo publica en los foros, ya no sería solamente para mí, pero tal vez eso sea bueno. Quizá ayudaría a que no me sintiera tan culpable por ocultarle quién soy en realidad.

Wallace levanta la vista y dice:

—Deberías publicarlos. Tus dibujos son lo más cercano que he visto hasta ahora al estilo de LadyConstellation. Son increíbles —da vuelta a la página—. Oh, guau, éste me superencanta.

Me siento apoyándome sobre mis rodillas para poder ver por encima del borde del papel. Es un boceto de Kite Waters que hice el otro día durante una de mis clases porque no podía dejar de pensar en la fiesta de Halloween. Kite lleva puesto un uniforme desgarrado de la Alianza, ensangrentado por la batalla, y sostiene a su lado su sable en un gesto desafiante.

—Puedes quedártelo, si quieres —digo.

—¿Estás segura?

—No voy a hacer nada con ese dibujo.

—Publícalo en internet.

—No creo que sea una buena idea —digo, metiendo mis manos en las mangas de mi sudadera.

—¿Por qué no?

—No quiero hacerlo. Me pone nerviosa.

—No deberías tener ninguna razón para sentirte nerviosa. Tus dibujos son increíbles. A todos les encantarán.

Sacudo la cabeza. Wallace no sabe, por supuesto, que lo que me pone nerviosa no es que a la gente no le gusten mis dibujos, sino que alguien pueda relacionar algo de lo que publico como MirkerLurker con LadyConstellation. Además, no sé, estos dibujos son solo para mí. Son conceptos, pensamientos formados a medias. No están pulidos ni listos para salir al mundo, y no quiero que nadie los vea. Estoy casi segura de que la única razón por la que *Mar Monstruoso* ha tenido tanto éxito es porque soy una maniática en cuanto a la perfección de las páginas. La trama, los dibujos, los colores, los personajes. Mis fans merecen la mejor calidad que yo les pueda dar. Sé que ésa no es la única razón, pero al menos tiene que serlo en parte.

—Bueno —dice Wallace, entregándome los otros dibujos y quedándose con el de Kite Waters, sonriendo nuevamente al verlo—. Gracias. ¿Te importa si se lo muestro a Cole y a Megan y a los demás? No lo compartirán si les pido que no lo hagan, pero es que es *tan* genial, que tengo que enseñárselo a alguien que lo entienda.

—Sí, claro… Supongo.

Si Wallace dice que no lo compartirán, le creo. De cualquier forma, son buenas personas. Hasta yo puedo darme cuenta de eso. Los autobuses empiezan a moverse alrededor de la escuela secundaria formando una fila y alistándose para el final del día.

—Creo que será mejor que vaya a mi auto para que mis hermanos puedan verme.

—Te acompaño.

Caminamos hasta mi auto, que está estacionado al otro extremo de las canchas de tenis.

—¿No te recoge tu hermana normalmente?

—Sí, mi hermanastra —dice—. Pero tengo una hermana más pequeña que también estudia aquí, y mi hermanastra la recoge también a ella. Por eso Bren dijo que me recogerá cuando venga por Lucy.

—¿Bren y Lucy?

—Sí. ¿Los tuyos?

—Sully y Church.

—¿Son diminutivos de algún nombre?

—Sullivan y Churchill. Ed Sullivan, Winston Churchill. Nunca les he preguntado a mis papás por qué les pusieron así, y nunca voy a preguntárselos. Solo me alegro de que a mí me haya tocado un nombre normal.

—Ah.

—¿Qué?

—Nunca le pregunté a mis papás por qué me pusieron Wallace.

—¿Por qué no lo haces cuando llegues a casa?

—No puedo —dice, bajando la cabeza y rascándose la oreja.

—¿Por?

—Porque mis papás están, mmm… se han ido —su voz apenas se escucha.

¿Se han ido? ¿Significa que están muertos? ¿O ausentes? No saber lo que significa exactamente "se han ido" me provoca una extraña sensación de vacío en el estómago, porque me recuerda que no lo conozco tanto como pensaba.

—Ah —digo, sintiendo cómo se calienta poco a poco mi cara—. Oh, lo siento.

—Está bien —dice Wallace, moviendo la cabeza—. Mi familia es un poco rara. Un padrastro, una madrastra, una hermanastra y una media hermana. Pero todos son muy buenos. Supongo que ya no debería llamar "madrastra" a Vee; porque técnicamente es mi tutora legal. Pero ya tengo dieciocho años, así que creo que ya no importa…

Nunca había conocido en la vida real a alguien que tuviera padrastros. Me doy cuenta de lo que acabo de escuchar varios segundos después, e inmediatamente siento una oleada de vergüenza. Yo me quejo de mi familia todo el tiempo. En mi cabeza, con Max y Emmy, incluso algunas veces con Wallace, a través de mensajes cortos en los foros, o en frases rápidas y dichas de paso escritas en nuestra hoja de conversación cuando estamos en la escuela. Yo supuse que su familia era igual a la mía. Nunca se me había ocurrido pensar que, aunque mi familia se la pasa fastidiándome todo el tiempo, son *mi* familia, *mi* carne y *mi* sangre, que aún funciona como una unidad entera.

No digo que la suya no lo sea. Podría amar a su familia tanto como yo amo a la mía. Incluso más, porque nunca se queja de ellos.

Dios, no sé nada de nada.

Llegamos a mi auto. Las puertas de la escuela se abren de par en par y un montón de chicos de trece y catorce años salen en avalancha caminando rápidamente hasta sus autobuses. Wallace espera junto a mí a un lado del auto en un silencio medio incómodo, hasta que vemos las cabezas de cabello marrón de mis dos hermanos corriendo hacia nosotros.

—Nos vemos mañana —dice.

—Hasta mañana —respondo.

Wallace se marcha hacia la parte delantera de la escuela, donde seguramente lo espera su hermana menor. Sully y Church llegan hasta donde yo estoy, con las espaldas encorvadas por el peso de sus mochilas, y sus equipos deportivos en la mano. Mientras se suben al auto y se abrochan el cinturón de seguridad, empiezan a hablar sobre una pelea que sucedió hoy en la cafetería, sin prestarme atención. Espero al menos un minuto entero para ver si se dan cuenta de que el auto no se está moviendo, y luego me deslizo en el asiento del conductor.

—¿Por qué te tardaste tanto? —dice Sully.

Me encojo de hombros y enciendo el auto.

9:36 p. m. 17 - Nov -16

MirkerLurker: ¿Por qué Dallas es tu personaje favorito de *Mar Monstruoso*?

rainmaker: Porque nunca se rinde, a pesar de todas las cosas malas que le han pasado.

MirkerLurker: ¿No crees que está dañado? La mayoría de la gente cree que lo está.

rainmaker: Creo que es raro, pero cualquiera lo sería después de pasar años en el exilio y siendo torturado. Hace todo lo que puede. Hay gente tratando de cazarlo, literalmente, y aun así él sigue intentando ayudar a Amity y a Damien a comprender lo que son en realidad, el Espantapájaros y el Observador, cuál es su origen y por qué existen. Se convierte en el mejor amigo de Amity, a pesar de que todos creen que es incapaz de establecer una amistad. Podría decirse que es el personaje más poderoso de la serie, pero Dallas jamás usaría ese poder para vengarse o para obtener algún beneficio propio.

rainmaker: Además es gracioso. Técnicamente, es mayor que el resto de los personajes, pero en cuanto llega a Risht empieza a desmantelar árboles de metal como si fuera un niño pequeño con juguete nuevo.

MirkerLurker: Qué tierno. A mí también me gusta por eso.

rainmaker: Tu favorito es Izzy, ¿verdad?

MirkerLurker: Sí, la mayor parte del tiempo.

rainmaker: ¿La mayor parte del tiempo?

MirkerLurker: Me gustan todos los personajes, pero normalmente Izzi es el que más me gusta.

rainmaker: ¿Por?

MirkerLurker: Porque era un cobarde. O... porque el desarrollo de su personaje no implica que haya dejado de ser un cobarde, sino que ha aprendido a actuar a pesar de sus miedos. Tuvo que hacerlo. Tuvo que vencer su miedo a casarse con Ana, su miedo a ser un gobernante, su miedo a educar a sus hijos, su miedo a la Alianza, y el temor a no tener ningún poder. Nunca ha dejado de sentir miedo, pero no permite que eso le impida hacer lo que debe hacer.

rainmaker: Muy bien. Muy bien. Pero veo que se te ha olvidado mencionar una razón boba por la que te gusta.

MirkerLurker: ¡Jaja, sus lentes, obviamente! Lo irónico que es el hecho de que el rey de la ciudad de la tecnología más avanzada no se someta a un implante ocular porque le da terror poner cosas en sus ojos.

rainmaker: Superraro. No sabía que te gustaban tanto los chicos tímidos.

MirkerLurker: Realmente me vuelve loca cuando un chico se siente paralizado regularmente por el miedo.

rainmaker: Ay, qué triste.

MirkerLurker: ¿Qué cosa es triste?

rainmaker: Que nunca funcionaría una relación entre nosotros, porque yo soy demasiado valiente.

Izzy, Dallas, & Davy

CAPÍTULO
16

Si hay algo que mis papás aman más que los deportes, es la convivencia y unión familiar. Juegos de mesa, noches de películas y vacaciones. El resto del año es entrenamiento en temporada baja; las vacaciones son temporada de juego, hay entrenamientos diarios y juegos dos veces por semana.

Mis papás disfrutan tanto la convivencia familiar que el Día de Acción de Gracias es como el torneo de eliminatorias: ¿cuánta ayuda puede obtener el papá de Eliza, Church y Sully en la cocina?, ¿qué tan geniales pueden ser nuestras conversaciones durante la cena?, ¿qué tan difícil será convencer a Eliza, Church y Sully de lavar los platos después de cenar?, ¿cuántos juegos de mesa podemos jugar?, ¿cuánto tiempo podemos mantener alejada a Eliza de su teléfono y su computadora?

Normalmente, pasamos el Día de Acción de Gracias con la tía Carol y el resto de la familia extendida. Llegamos a casa de la tía Carol; el tío Frank llama "pícaros traviesos" a Sully y a Church y les despeina el cabello, aunque el año pasado ya estaban de su mismo tamaño; mamá y papá se introducen al centro de la fiesta, ayudando con los preparativos y la comida, revoloteando por todas partes para hablar por lo menos una vez con todas las tías, tíos y primos; y yo me siento en una esquina con mi teléfono en la mano, temiendo el momento en que algún familiar se acerque a mí y me pregunte que he "hecho últimamente". Porque eso significa que quieren saber sobre la escuela, y si ya me decidí a regresar nuevamente al odioso mundo de los deportes, y qué estoy haciendo para entrar a la universidad. Tengo algunas respuestas prefabricadas. "Bien". "No, nada de deportes". "Ya envié la solicitud a distintos lugares. Estoy evaluando mis opciones". Entonces, utilizando algunas frases cliché, me dicen que ya encontraré mi sitio, que la universidad es genial y que una vez que entre no querré irme jamás de allí, y que hay cientos de lugares allá afuera en busca de chicas inteligentes como yo para empezar a generar un dineral. Solo mi familia cercana sabe acerca de *Mar Monstruoso*, y creen que es un pasatiempo. La mayoría de mi familia extendida ni siquiera sabe que me gusta dibujar.

Me pregunto cómo me verán. Debo parecerles una chica sosa que se la pasa mirando todo el día la pantalla vacía de su teléfono. Todos los días, al final de la noche, termino con ganas de gritar. Quisiera aventar mi silla, derribar la mesa y arrancar el candelabro del comedor de la tía Carol. Me siento con ganas de desatar mi furia.

En cierto modo, he logrado más que cualquiera de ellos, pero no puedo decirlo. No quiero que lo sepan, porque eso sería una catástrofe, pero me gustaría tanto que lo supieran, porque quizá así dejarían de tratarme como si fuera una adolescente con la cabeza vacía condenada a cumplir su cadena perpetua. Tal vez así me dejarían en paz de una jodida vez, sentada en la esquina con mi pavo, mi puré de papa y mi teléfono.

Sin embargo, este año tía Carol tiene gripe y el resto de la familia viajará a Florida, porque supongo que ir a Florida para el Día de Acción de Gracias es algo que la gente hace. No tendré que responder a las preguntas del resto de la familia, un milagro empañado únicamente por el hecho de que mis padres han decidido, a cambio, que este año será el Día de Acción de Gracias más Mirk que jamás haya habido en la historia de los Mirk.

Solo somos nosotros cinco. Sully y Church ayudan a mamá a extender la corteza de la tarta a cambio de poder comerse las sobras, mientras yo me escondo en el otro extremo de la mesa de la cocina, en espera del próximo trabajo horrible que a papá se le ocurra. Sostengo mi teléfono debajo de la mesa para que ninguno de ellos pueda verlo, aunque, si me vieran, sabrían que estoy escribiendo un mensaje.

emmersmacks: Agh, ojalá pudiera tener tu Día de Acción de Gracias.

emmersmacks: Estoy atrapada en la escuela terminando algunos proyectos finales.

emmersmacks: No podré ir a casa hasta las vacaciones de invierno :(

MirkerLurker: Te cambio mi lugar.

Apocalypse_Cow: De cualquier forma, todas las festividades están sobrevaloradas.

MirkerLurker: ¿La Navidad también? ¿Qué hay de los regalos?

Apocalypse_Cow: A. no celebro navidad. b. estoy casi seguro de que la mayoría de los papás no les compran miles de regalos a sus hijos de veintidós años. c. sí, la navidad es la fiesta más sobrevalorada de todas.

MirkerLurker: ¿¿?? Pensé que Heather sí celebraba Navidad. ¿O está demasiado ocupada con su carrera de modelo siendo maestra de sexto grado para poder celebrar este año?

Apocalypse_Cow: Meh.

MirkerLurker: ¿Todo está bien?

Apocalypse_Cow: Nop. Heather fue a su casa para las vacaciones.

Cuando Max se pone raro es… raro. Me quedo esperando más explicaciones, pero no dice nada. Algo debe de haber pasado entre él y Heather, pero si no lo dice aquí, no lo dirá en ningún otro lado. Supongo que sería agradable si estuviera sentado frente a mí, porque entonces al menos podría ver alguna expresión facial o lenguaje corporal o algo con lo que empezar. Una vez, Max y Emmy sugirieron que hiciéramos una videoconferencia, pero yo dije que no. Por alguna razón se sentía incorrecto. Como si al mostrar nuestras caras pudiéramos arruinar nuestra relación. Ahora me parece que podría ser útil.

Recibo un mensaje de Wallace.

Un mensaje de texto enviado directamente a mi teléfono, y no a través de la aplicación del foro. Le di mi número hace un tiempo, antes de Halloween, pero no porque quisiera que me llamara ni nada por el estilo. Lo escribí en el borde de nuestra hoja de conversación durante la hora de tutoría, porque a veces veo algo y pienso: "A Wallace le parecería gracioso, debería enviarle una foto de esto", pero la aplicación de mensajería funciona terrible con las imágenes y enviar mensajes directos es mucho mejor.

Así que Wallace acaba de enviarme un mensaje, y es una foto. Una tarta de camote común y corriente. Debajo de la foto, Wallace ha escrito: "Me encanta la tarta de camote".

Yo escribo en respuesta: "Sí, a mí también".

Luego me envía una foto de su cara, con el ceño fruncido, y dice:

"No, no entiendes". Luego otra foto, más cerca, solo de sus ojos. "EN SERIO me encanta la tarta de camote".

Entonces empieza a llegar una ráfaga de fotos en intervalos de varios segundos. La primera es una rebanada triangular de tarta en la mano de Wallace. La segunda foto es de Wallace sosteniendo la rebanada muy cerca de su cara, es tan suave que empieza a deshacerse entre sus dedos. En la siguiente, Wallace le da una mordida a la tarta, y en la última ya se la ha metido toda a la boca, sus mejillas están infladas como las de una ardilla, y tiene los ojos en blanco como si fuera lo mejor que ha comido en toda su vida.

Aprieto los labios para no reírme, pero parece que mis papás están sintonizados para detectar en mí el menor indicio de diversión, así que ambos levantan la vista.

—¿De qué te ríes, Huevito? —dice papá.

—De nada —respondo.

No hay nada que mate más rápidamente una broma que alguien pidiéndote que se la expliques, especialmente si se trata de tus papás.

"Guau", le escribo a Wallace. "Sí que te gusta la tarta de camote".

Wallace envía otra foto donde está abrazando el molde de la tarta, mirándolo amorosamente.

"Vamos a casarnos en la primavera".

Se me escapa una carcajada de los labios. Realmente espero que Wallace esté pasando un mejor Día de Acción de Gracias que yo. Parece que sí. Tomo una foto de mi cara haciendo un puchero y se la envío:

"Ay, la pareja más tierna de todas las parejitas".

—Deja de tomarte *selfies* —dice Sully desde el otro lado de la habitación.

—No me estoy tomando *selfies* —respondo rápidamente.

—¿Por qué te estabas tomando *selfies*? —pregunta Church.

—¡Que no me estoy tomando selfies!

—Huevito, ¿por qué no sueltas un rato ese teléfono y me ayudas a preparar la salsa de arándanos? —dice papá, en un tono más animado.

Intento reprimir la frustración inmediata que empieza a burbujear en mi pecho, dejo mi teléfono sobre la mesa y me levanto para ayudar a papá.

La cena empieza como cada año, con una broma de mamá diciendo que mañana vamos a tener que pasar todo el día haciendo ejercicio para quemar las calorías que comamos esta noche. Para el resto de mi familia eso representa un reto: veamos cuánto podemos comer ahora para poder hacer más ejercicios divertidos mañana. Todo esto hace que a mí me den ganas de ayunar.

Luego, mis padres empiezan a preguntarnos a Sully, a Church y a mí sobre las últimas novedades de la escuela, y qué tan bien pensamos que vamos a terminar el semestre.

—Church va a invitar a salir a Macy Garrison antes de Navidad —dice Sully, mientras la cara de Church, que está a su lado, se pone completamente roja.

—¡Claro que no! —responde Church.

—Últimamente han estado hablando mucho de esa Macy Garrison —dice papá—. ¿Cuándo vamos a conocerla?

—¡Nunca la van a conocer!

Sully sonríe a través del bocado de puré de papa que tiene en la boca, lo traga y dice:

—Y Eliza se junta todos los días con su novio atrás de la preparatoria. A él tampoco lo han conocido.

—¡No es mi novio! —grito, sintiendo cómo se calienta mi cara.

Sully nos mira a Church y a mí y suelta una carcajada.

—¿Todos los días? —dice mamá, viéndome primero a mí, y luego a papá—. ¿Por eso querías recoger a Sully y a Church de la escuela, Eliza?

—Yo… ¡No! Solo pensé que tal vez no querrían irse en el autobús. De todas formas, Wallace tiene que recoger a su hermana menor de la escuela, entonces... ¡No es mi novio!

—Vaya. Alto ahí, Huevito —dice papá, levantando las manos—. Tu mamá y yo pensamos que debemos conocer a Wallace antes de que esto siga avanzando.

Me estoy quemando viva en la fosa más profunda de la humillación familiar.

—Nada va a seguir avanzando. Porque no hay *nada* que tenga que avanzar. ¿Podemos cambiar el tema?

—Cariño, tu papá no está hablando en serio —dice mamá, levantando también las manos—, pero sabes que ésta es la primera vez que sales realmente con un chico, así que deberíamos pensar en agendar algunas citas con el doctor...

—DETENTE.

Sully se tapa la boca con las manos para contener la risa. Church tiene la frente apoyada sobre la mesa junto a su plato, con las orejas y la nuca de un tono rojo brillante. Me hundo en mi silla. Tengo los pies y las manos entumecidos. Me meto un ejote en la boca, lo mastico y lo trago, casi vomitándolo, y luego me paro de la mesa.

—¿Puedo retirarme?

Me marcho de la habitación antes de escuchar una respuesta.

Nunca me había sentido tan feliz de poder pasar una hora inmersa en el mundo de *Mar Monstruoso*. Estoy en el Gran Continente, dibujando nubes en medio de un cielo azul pálido y un campo de batalla devastado rodeado por animales de carroña. Hilobos, rapaces, el ratón kiri kiri con colmillos que brota de la tierra para arrancar la carne podrida de los cadáveres y llevarla a sus nidos subterráneos para alimentar a sus crías. Los fans suelen preguntarme de dónde saco las ideas para los monstruos de Orcus. Siempre les respondo que no sé, pero es más fácil inventar monstruos cuando estás enojado o molesto.

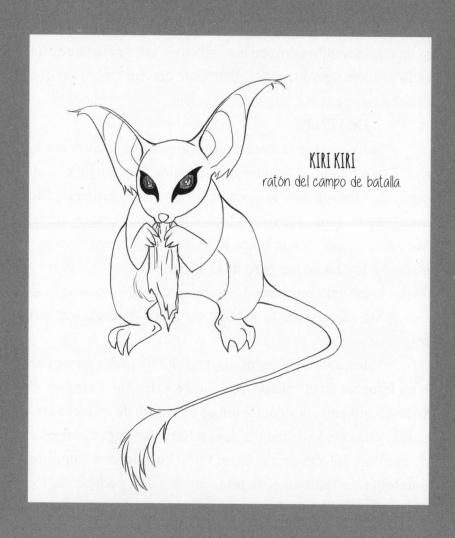

KIRI KIRI
ratón del campo de batalla.

Solo me detengo cuando escucho a Church y a Sully subiendo ruidosamente las escaleras y entrando a su habitación. Seguramente todavía no es la hora de los juegos de mesa. Reviso mi teléfono.

Hay otra foto de Wallace esperándome. Esta vez, hay un molde de tarta vacío sobre el suelo con algunas migajas y junto a él un enorme cuchillo. Wallace está arrodillado junto al molde con más migajas sobre su suéter, y una expresión de terror en su cara.

"NOOOO
QUÉ HE HECHO
NUESTRO MATRIMONIO
TODO PARA NADA".

Le escribo:

"¡¡Ay, no!! ¡No la dulce novia camote!".

Recibo otra foto: Wallace está tirado en el suelo junto al molde, cubriéndose los ojos con el brazo.

"Mi único crimen fue haberla amado demasiado".

Definitivamente Wallace está teniendo un mejor Día de Acción de Gracias que yo. ¿Será que su familia también le preguntó si tiene novia, y hasta dónde han *avanzado* las cosas? ¿Habrá respondido afirmativamente? Me pregunto hasta dónde quiere que avancen las cosas.

Podría preguntárselo directamente.

Lo más seguro es que no lo haga.

El Observador debía tener un anfitrión.

Los peregrinos que visitaron a Amity para pedirle su bendición se lo dijeron, todos y cada uno de ellos. El Observador debía tener un anfitrión, porque su contraparte ya tenía uno, y eso sacó al mundo de su equilibrio.

—¿Su contraparte?

La anciana que había ido a verla —la primera de muchos peregrinos por venir— asintió con la cabeza lentamente. Aunque los Nocturnianos desafiaban a la edad, las profundas arrugas en el rostro de la mujer reflejaban largas décadas, incluso siglos, de vida. Sobre su pómulo derecho llevaba tatuado un racimo de estrellas, probablemente la misma constelación en honor a la que fue llamada. Al igual que todos los tatuajes de nombres, era blanco y estaba casi completamente camuflado en su piel.

—Del otro lado del mar, lo llaman el Espantapájaros. Su anfitrión ha partido de la isla desde hace muchos años. Ha abandonado su custodia. Si alguna vez regresara a este lugar, tú tendrás que restablecer el orden.

—¿Hay... hay otro anfitrión?

—Su nombre es Fausto —dijo la mujer—. Y come almas.

emmersmacks: ¿¿Qué tal estuvo el pavo??

emmersmacks: Porque el único pavo que yo comí fue esa cosa caldosa que sirven en el centro estudiantil.

Apocalypse_Cow: Me hubieras podido preguntar lo mismo a mí en octubre. Cuando nosotros los canadienses celebramos nuestro día de gracias, ¿verdad? El pavo estaba muy cocido, muchas gracias.

emmersmacks: De acuerdo señor mal humor.

emmersmacks: Escuchemos a la parte menos deprimente de este trío.

MirkerLurker: Eeeh, pudo haber estado peor. Pudo haber sido una de mis tías diciéndome que debo ir con un doctor para que me revise la vagina, en vez de mamá.

Apocalypse_Cow: Mmm.

emmersmacks: Mmm x 2.

emmersmacks: ¿¿Qué fue exactamente lo que propició eso??

MirkerLurker: Eeeeeeeeeeh.

MirkerLurker: ¿Se acuerdan de Wallace? Mis papás creen que estamos haciendo cosas.

Apocalypse_Cow: Yo pensé que sí las estaban haciendo.

MirkerLurker: No, no estamos haciendo nada.

emmersmacks: Puaj.

emmersmacks: No lo digo por ti y por Wallace haciendo cosas.

emmersmacks: Sino por tu mamá diciendo cosas como...

emmersmacks: EXAMEN DE VAGINA.

MirkerLurker: Agendó una cita para el próximo miércoles. Mátenme de una vez.

Apocalypse_Cow: No puedo. Tienes que terminar Mar Monstruoso.

Apocalypse_Cow: Además probablemente tengas que seguir viva para seguir publicando comentarios sobre Dog Days. Después de Halloween estuve navegando por los foros en busca de trolls y la gente estaba preocupada porque no te conectaste.

Apocalypse_Cow: Además creo que tienes que comerte tu pie.

MirkerLurker: Ah, sí. Vi esos mensajes.

emmersmacks: Ya en serio, sí te extrañamos mucho.

emmersmacks: ¿¿Te sientes mejor ahora??

MirkerLurker: Pues la verdad es que nunca estuve enferma... Fui a una fiesta de Halloween con Wallace.

Apocalypse_Cow: Un momento. ¿Estás diciendo que... Eliza Mirk, la ermitaña... fue a una FIESTA... con un CHICO?

Apocalypse_Cow: ¿Y quieres que te crea que ustedes dos no están haciendo cosas?

MirkerLurker: ¡No estamos haciendo nada! Fui a la fiesta porque pensé que así mis papás dejarían de molestarme.

MirkerLurker: Además, en la fiesta había muchos disfraces superincreíbles de Mar Monstruoso.

Apocalypse_Cow: ¿Hay algo más que no nos hayas dicho? ¿Algún fugitivo al que estés ocultando? ¿Un culto o algún cthulhu en tu sótano? ¿Un amor secreto por el yogurt griego?

emmersmacks: Déjala en paz, Max.

emmersmacks: E, si quieres ir a fiestas VE A FIESTAS.

emmersmacks: Ve en nombre de todas las personas como yo, que estamos rodeadas de fiestas pero no podemos asistir a ellas debido a nuestra desafortunada edad tan corta.

emmersmacks: ...

emmersmacks: Además definitivamente deberías salir con Wallace, porque yo estoy rodeada de chicos guapos más grandes que yo y NO PUEDO SALIR CON ELLOS.

MirkerLurker: No sé.

Apocalypse_Cow: ¿Qué es lo que no sabes? ¿Si es guapo o si quieres salir con él? Deberías mandarnos una foto para que te demos nuestra opinión.

emmersmacks: Sí, mándanos una foto. Yo definitivamente te diré la verdad.

MirkerLurker: Jaja, no necesito que me digan si es guapo o no. Ya sé que sí lo es.

emmersmacks: Entonces cuál es el problema.

MirkerLurker: ¡No sé!

Apocalypse_Cow: Mira, E. Déjame darte un consejo.

emmersmacks: Sí.

emmersmacks: Consejos del chico que sigue diciendo que su novia es modelo.

Apocalypse_Cow: Si te gusta, lo mejor es que se lo digas.

Apocalypse_Cow: Si tú no le gustas a él, entonces ya puedes dejar de preocuparte por eso.

Apocalypse_Cow: Y si tú le gustas también, pues ya ganaste.

Apocalypse_Cow: De cualquier forma, te ahorrarás mucho tiempo y sufrimientos.

CAPÍTULO 17

Max y yo no siempre estamos de acuerdo en todo, pero en este asunto en particular sí coincidimos. No pensé que fuera posible, pero admitir frente a Wallace —o incluso frente a su nombre de usuario en una pantalla— que me gusta, suena tan mala idea como decirle que soy LadyConstellation. Cualquier información de este tipo podría alejarlo.

Tiene un capítulo nuevo listo para mí que me entregará el lunes. Ha empezado a publicarlos en línea —con gran aceptación de los fans— pero sigo siendo yo la que lee primero los capítulos en cuanto los termina de escribir. Amity se está preparando para abandonar Isla Nocturna por primera vez en su vida, para cazar a Damien Fausto para la Alianza; no quiere dejar a Faren, porque no estará allí para protegerlo. Es una escena que todos los fans conocen a la perfección, un pilar de la serie.

Y Wallace le ha dado justo en el clavo.

La calma matutina mientras Amity traza los tatuajes con el nombre de la constelación en la espalda de Faren. El melancólico desayuno donde ninguno de los dos admite que Amity está a punto de partir en una misión de la que muy probablemente no saldrá viva. Y finalmente, antes de partir, el regalo que le hace Faren: el descubrimiento de que Amity fue nombrada así por sus padres biológicos en honor a una constelación, aunque Faren no sabe cómo se llama esta. Si Amity logra descifrar el nombre de la constelación y a qué cultura corresponde, podría averiguar su origen, y a dónde pertenece.

Él la encontró en una constelación.

En el cómic, Amity se repetía esto a menudo: "Él me encontró en una constelación". La red de fans modificó ligeramente la frase, convirtiéndola en: "Tú me encontraste en una constelación", y la imprimieron en posters, camisetas, fundas de teléfono, pulseras, tatuajes reales. Incluso hubo una pareja que la dijo en sus votos matrimoniales. Esa no fue la razón por la que decidí llamarme LadyConstellation, aunque la mayoría de las personas cree que así fue.

No comprendía su significado cuando la escribí, cuando dibujé a Amity diciendo aquellas palabras. Entendía lo que quería que significara. Entendía el significado literal de las palabras. Pero no captaba la verdad que se ocultaba detrás de ellas.

Supongo que sigo sin comprenderlo. Pero al menos ahora estoy consciente de ello.

CAPÍTULO 18

Resulta que es bastante difícil mantener un número elevado de páginas cuando pasas todo tu tiempo libre después de la escuela enviándote mensajes con el chico que te gusta.

Todos los días a las 5:00 p. m., me obligo a apagar mi celular, me desconecto de internet y empiezo a dibujar. Debo tener lista al menos una página por semana, y entre Acción de Gracias y las vacaciones de invierno, apenas he logrado hacer dos. Es culpa de la calidad. Podría tener listos capítulos enteros si no me importara la calidad, pero ella es la reina de todo. La calidad hace que esta historia se vea por fuera como yo la siento en mi interior. Es grande, colorida y hermosa. Los personajes están vivos. Cuando una página no se ve tan bien como debería, la vergüenza empieza a corroerme hasta la médula de los huesos, porque siento que he defraudado a mi historia.

Los fines de semana descanso. Primero, para no agotarme, y segundo, para poder hacer dibujos para Wallace. Todavía no he publicado nada en línea, como Wallace me sugirió, y como también me lo sugirieron Cole, Megan, Leece y Chandra, después de que Wallace les mostró el dibujo de Kite Waters. Pero me gusta hacer dibujos para Wallace porque a él le gusta mirarlos. Hago dibujos de Dallas: Dallas jugando con un bicho marino, Dallas mirando las pozas de marea bioluminiscentes en su cueva, Dallas caminando a lo largo de la costa bajo las estrellas. Me esfuerzo para que no se parezcan tanto a los recuadros reales del cómic, pero cada vez que le doy un dibujo Wallace sonríe y me dice que es idéntico a los dibujos de LadyConstellation.

Sé que debo parar. Sé que ya no debería darle más evidencias.

A veces me gustaría que supiera la verdad.

No le conté lo que mi familia dijo el día de Acción de Gracias, ni que mamá me llevó con el doctor. Pensar en los anticonceptivos me quita la respiración y me hace sudar como un puerco. Empecé a sudar en el consultorio de la doctora, y cuando se enteró de que es algo que me sucede regularmente, hasta ella pensó que había algo raro, y que tal vez los anticonceptivos ayudarían a regularlo. Los anticonceptivos no lo están regulando, lo único que hacen es darme náuseas de solo pensar en ellos. Es una sensación muy extraña el hecho de que te guste tanto una persona, pero al mismo tiempo sentirte aterrorizada de tenerla tan cerca, tocándote. No significa que no me guste cuando nos tocamos, cuando rozamos nuestros brazos, cuando Wallace me toca el hombro o cuando le quito alguna pelusa de su camisa. Me gusta muchísimo. Mi cuerpo se excita sin mi permiso, y eso no está bien. Está fuera de control. No me gustan las cosas fuera de control, pero sí me gusta Wallace. Así que no sé si sea buena o mala suerte que Wallace y yo estemos limitados a vernos durante la hora de Tutoría, el almuerzo y media hora en las gradas detrás de la escuela secundaria todos los días entre semana. También compartimos una clase de Inglés, pero Wallace se sienta en el lado opuesto del salón. Los sábados por la tarde nos subimos a su auto y vamos a Murphy, donde nos reunimos con Cole. Megan se une a nosotros si no tiene que trabajar y si Hazel se está portando bien. Cole lleva su computadora portátil y se conecta en videoconferencia con Leece y Chandra, pero solo si Leece tiene descanso de su entrenamiento de gimnasia y si Chandra está despierta, pues hay una diferencia de diez horas.

—¿No les parece raro que nos reunamos todas las semanas en una librería y nunca compremos un solo libro? —pregunta Cole, haciendo otra pausa en su tarea de Geometría sin terminar. A este paso, la terminará el próximo julio.

—No hables por todos —dice Wallace.

La única razón por la que está hablando en voz alta es porque la librería está vacía, excepto por nosotros y la única empleada, que está acomodando libros al otro lado del lugar. Wallace se desploma en el asiento a mi lado, dejándome encerrada, mientras el lomo de un libro se balancea sobre la mesa y sus ojos se mueven lentamente a través de las palabras. Es como si tuviera que absorberlo todo, saber todo acerca de un libro, debido a la lentitud con la que lee. Cuando a mí me gusta un libro, lo devoro en una sola sentada, y luego olvido casi todo lo que leí. Está bien, porque yo suelo leer los libros una y otra vez. Sin embargo, Wallace se tarda semanas enteras en leer un libro —días, si de verdad le gusta— pero se acuerda de todo lo que leyó, y no necesita volver a leerlo. Al menos, según me dijo, no durante mucho tiempo.

—¿Alguna vez han leído *Los Hijos de Hipnos*? —pregunto.

Al escuchar mi pregunta, Cole, Wallace y Chandra levantan la vista. No hablo mucho cuando estoy con ellos —prefiero escucharlos— pero de todas formas me caen bien. Me gusta que no esperen que yo hable, y no les importa que no lo haga.

—He oído hablar de esos libros —dice Wallace—, pero nunca los he leído.

—¿No son esos los fans que empezaron a atacarse unos a otros después de que la autora se volvió loca? —dice Chandra.

—No se volvió loca —dice Cole—. Huyó a las montañas y se atrincheró en una cueva.

—¿No entra eso en la categoría de locura? —pregunta Chandra—. Aleja a la gente de su propiedad con una escopeta, gritando miles de locuras. He oído decir que tiene trampas explosivas colocadas en distintas partes.

—No se volvió loca —digo—. Simplemente... no pudo terminar la historia.

La verdad es que nadie sabe por qué Olivia Kane dejó de escribir. No vive en las montañas, ni tampoco saca a la gente de su propiedad con una escopeta. Hasta donde yo sé, simplemente se convirtió en una ermitaña. Desapareció un día en los campos de Carolina del Norte y nunca regresó. Cuando lo hizo, los reporteros no lograron que les dijera nada. Pero, por lo menos, muchas personas han oído hablar de los fans, que se despedazaron entre sí a través de discusiones y especulaciones de un final que jamás llegaría.

—Son mis libros favoritos —digo—. Deberían leerlos.

—¿Libros escritos por una ermitaña que vive en las montañas? —interviene Cole rápidamente—. Veamos si tienen algún ejemplar aquí. ¡Oye, Abigail!...

Cole se levanta y camina rápidamente hacia la chica que está almacenando los libros —la chica sushi de la fiesta de Halloween— y empieza a hablar con ella. Abigail asiente con la cabeza al escuchar lo que Cole le dice, y lo lleva hasta una esquina de la tienda. Cole regresa cargando los cuatro libros de *Los Hijos de Hipnos*, todos con sus tapas duras originales, aunque un poco desgastadas por el uso del dueño anterior.

—Miren —dice Cole—. Tienen dos estantes llenos de estos libros allá atrás.

Wallace toma el primer libro y lee la solapa interior.

—Cazadores de pesadillas, ¿eh? —dice, cerrando el libro nuevamente para mirar la carátula. Un dibujo decorativo de un martillo de guerra grabado con el símbolo de Hipnos, un ojo cerrado.

Yo tomo el segundo libro. En la portada hay una enorme espada.

—¡Sí! La base del libro es que los sueños intensos y las pesadillas pueden cruzar al mundo real, y necesitamos a estas personas, los cazadores de pesadillas, para enviarlos de vuelta al mundo de los sueños. Es una Tierra de universo alterno en el que todo este sistema de cazadores de pesadillas está incorporado en la sociedad; hay un gobierno de Hipnos, y los cazadores son como agentes especiales. Son más fuertes y rápidos que la gente normal pero no viven tanto como ellos, y raramente duermen. También tienen unas armas supergeniales, como las que aparecen en las portadas. Las producen en el mundo de los sueños, y coinciden con sus personalidades. Ah, y mi personaje favorito (bueno, tengo muchos personajes favoritos, pero el que más me gusta de ellos) nunca duerme, su mundo ideal es un laboratorio tipo Frankestein, y sus pesadillas son gigantescas monstruosidades venenosas.

Wallace abre el primer libro y empieza a leer. Cole y Chandra me miran fijamente.

—Es la primera vez que te escucho hablar tanto —dice Chandra.

Me deslizo ligeramente en mi asiento, jalando la parte frontal de mi sudadera para tomar aire. Siempre había hablado de *Los Hijos de Hipnos* con otros fans en internet. Nunca con alguien en la vida real. No sabía que todo eso saldría de mi boca.

—Voy a comprarlos —dice Wallace, llevando la pila de libros hasta la caja registradora junto con su cartera.

Mientras Wallace está pagando, Cole le pregunta a Chandra en qué está trabajando, y ella le muestra un dibujo de Damien y Rory de *Mar Monstruoso* besándose vigorosamente. Cole frunce el ceño.

—¿Por qué tienes que poner a mi personaje favorito en escenarios gay? —pregunta.

Chandra pone los ojos en blanco y empieza a enumerar todas las veces en que ha habido connotaciones muy obvias en el cómic para legitimar la relación homosexual creada por los fans.

—Damien ya es bisexual. Mi barco Damien-Amity se hundió en agosto cuando LadyConstellation dijo que esa relación jamás sucedería, y Damien coquetea con Rory TODO EL TIEMPO. Y aunque *no hubiera* razones legítimas —continúa Chandra—, el hecho de ser homosexuales no los hace personas diferentes. Siguen siendo los mismos personajes. Deja de quejarte.

Me encanta cuando empiezan una discusión de este tipo. *Canon* contra *fanon*[8] cuando hablan sobre la forma en que les gustaría que la historia se desarrollara, cómo les gustaría que fuera el final, qué personajes son los mejores, en qué lugares les gustaría vivir. Es como leer los comentarios sin tener que lidiar con los trolls, algo así como mensajes instantáneos de los lectores a los que realmente les gusta el cómic y participan activamente en su red de fans.

Wallace regresa con los libros y vuelve a acorralarme en el asiento. Recargo la espalda en la pared y me hundo, subiendo los pies a mi silla. Los dedos de mi pie rozan el muslo de Wallace. Comienzo a mover mi pie hacia atrás, pero entonces Wallace baja la mano y la coloca sobre mis agujetas. El calor de su palma sube disparado hacia mi tobillo y mi pierna, convirtiendo mi estómago en puro líquido. Ni siquiera mira mi pie mientras lo toca, así como tampoco me miró cuando tomó mi mano en la fiesta de Halloween.

Cuando suelta mi pie, unos segundos después, es como si haberlo tocado no hubiera sido la gran cosa. Sigue leyendo su libro de *Los Hijos de Hipnos* como si nada. Cole

---

8. El *fanon* es la interpretación e imagen general que los fans se han formado de un trabajo en específico, dando paso a relaciones entre diversos trabajos sin conexión en absoluto.

y Chandra no se dan cuenta de lo que acaba de suceder. Nadie más lo hace. Hasta Wallace actúa como si no se hubiera dado cuenta.

Solo soy yo. Esta sensación de presión en el pecho solo la siento yo.

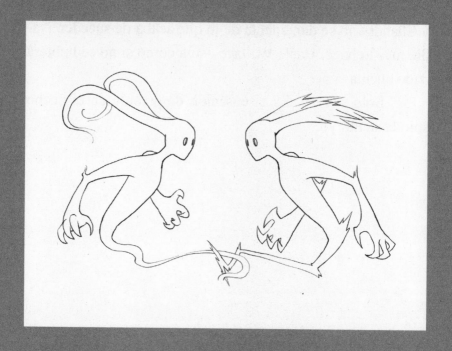

Sato estaba de pie detrás de ella. Extendió su mano, como siempre, y Amity no le dio la suya, como siempre. Los Nocturnianos no se daban la mano; ver a la persona a los ojos era considerado un saludo más que adecuado. Sato ya lo sabía, por supuesto, así que sonrió y bajó su mano.

—¿Hay alguien igual a mí allá afuera? —preguntó.

Sato estaba sentado frente a ella, con la espalda erguida y las manos apoyadas sobre sus piernas. Llevaba puesto el uniforme blanco con verde de la Alianza, con la espada de oro del coronel sujeta en cada hombro.

—Estoy realmente sorprendido de que te hayas tardado tanto en preguntar.

—¿Son reales las historias? ¿De verdad anda por allí asesinando y esclavizando a las personas con el poder del Espantapájaros? ¿Y yo soy la única que puede detenerlo?

Sato se tomó otro segundo para recobrar la compostura, y luego dijo:

—Hasta donde sabemos, no hay otras criaturas como el Espantapájaros y el Observador en Orcus. Fausto y tú son iguales. Ya has visto las capacidades sanadoras del Observador. Es algo inconsciente, como la respiración, y en los años que llevamos estudiando a Fausto, no hemos encontrado un límite para ello. Nuestra mejor hipótesis, obtenida de las historias de los Nocturnianos y de uno de nuestros informantes, es que solo los anfitriones pueden herirse mortalmente uno al otro.

10:11 p. m. 9 - Dec - 16

rainmaker: No sabía que estos libros hablaban acerca de la depresión.

MirkerLurker: ¿¿??

rainmaker: Los Hijos de Hipnos. Acabo de empezar el segundo libro.

MirkerLurker: ¿Hablan acerca de la depresión? Supongo que ha pasado más tiempo del que pensaba desde la última vez que los leí.

rainmaker: Toda la historia se trata de Emery y su lucha contra la depresión. Todos los cazadores de sueños están deprimidos, viven vidas cortas, no duermen y pasan todo su tiempo matando las pesadillas de otras personas porque lo único que tienen en la vida es la devoción a su trabajo. Klaus es tu personaje favorito, ¿cierto? Él es el más deprimido de todos.

MirkerLurker: Ah. Sí, guau, no lo había notado. ¿Es algo malo? Lo siento. No era mi intención recomendarte un montón de libros que hablan sobre la depresión.

rainmaker: De hecho, me gustan bastante. Todos los otros libros que he leído sobre la depresión tienen lugar en la época actual, y terminan con el personaje principal metido en una encrucijada sobre si debe suicidarse o no. Estos libros me gustan. Es parecido a lo que pasa con Mar Monstruoso. Sentir que estás en el lugar equivocado, luchando contra fuerzas que no puedes detener, y hay monstruos en el mundo, pero normalmente los peores monstruos viven dentro de nosotros. Me gustan este tipo de historias porque no son tan obvias. Hay más elementos en ellas para disfrutar que lo que te pueden enseñar. ¿Me explico?

rainmaker: Perdón. No quería ponerme tan profundo.

MirkerLurker: ¡No, está bien! Analizas las historias mucho más exhaustivamente que yo.

rainmaker: ¿Por qué las lees?

MirkerLurker: Por los personajes, supongo. Pensé que todos leían Mar Monstruoso por los personajes.

rainmaker: ¿Te refieres a las relaciones ficticias entre los personajes?

MirkerLurker: No, eso está bien, de hecho, es genial, yo lo hago todo el tiempo. Me refiero... a los personajes en sí mismos. Las batallas que tienen que superar, y cuando realmente amas a un personaje, lo mucho que te afecta todo lo que le sucede. Cuando un personaje es bueno, hace que te importe todo lo demás. Por eso los dibujo. Probablemente suene tonto, pero son como personas reales para mí. Y tal vez lo que voy a decir suene aún peor, pero algunas veces me gustan más que las personas reales. Puedo identificarme con los personajes. Y eso es mucho más difícil con las personas reales.

rainmaker: Las personas reales no tienen un desarrollo conciso en su personalidad.

MirkerLurker: Sí, exactamente.

rainmaker: Me gustan los personajes, pero también me gusta el significado de la historia. Me gusta cómo todo va cobrando sentido. Los personajes y el significado.

MirkerLurker: Entonces, seguramente eres un gran fanático de los finales. Cuando todo adquiere sentido.

rainmaker: Jaja, de los buenos finales, claro que sí. Dime, por favor, que Los Hijos de Hipnos tiene un buen final.

MirkerLurker: Mmm.

CAPÍTULO 19

Wallace termina de leer la serie de *Los Hijos de Hipnos* en el segundo día de las vacaciones de invierno. Lo sé, porque recibo este mensaje:

"NECESITO HABLAR CONTIGO INMEDIATAMENTE ¿ESTÁS OCUPADA?".

Estoy acostada en mi cama abrazando a Davy como una almohada de cuerpo entero y viendo repeticiones de *Dog Days*. Así que le respondo que no, que en este momento no estoy haciendo nada, pero, rayos, hace demasiado frío afuera y mi habitación está muy cálida. Wallace dice que está bien, que vendrá a verme.

Eso quiere decir que vendrá a mi casa.

Vendrá a mi casa en este preciso momento.

Me caigo de la cama, y Davy se asusta tanto que él también se cae. Lo primero que hago es quitar mi selección de plumas de mi computadora. Es demasiado cara para una estudiante de preparatoria común y corriente, y un artefacto tecnológico demasiado avanzado para alguien que supuestamente solo dibuja fan art que jamás publica en internet. Desafortunadamente, también es demasiado grande para esconderla en un cajón, y debajo de mi cama parece una zona de guerra ocupada con todos mis juguetes de la infancia. La coloco con mucho cuidado en un rincón de mi clóset y pongo algunas sudaderas viejas encima de ella.

Luego, reviso cuidadosamente mi escritorio para asegurarme de que no haya páginas de *Mar Monstruoso* a la vista. Cierro sesión en los foros con mi cuenta de LadyConstellation e ingreso a mi cuenta de Mirker Lurker. Despego todas las notas adhesivas que hay en mi monitor con anotaciones de las páginas que necesito hacer y los aspectos de la trama que debo introducir en la historia, y las guardo en mi clóset junto con la selección de plumas. Davy se sube nuevamente a la cama y se me queda viendo como si se preguntara cuándo voy a volver a abrazarlo como si fuera mi muñeco de peluche. Abro la puerta y bajo corriendo las escaleras.

—¿Mamá?

—Dime, cariño —responde mamá, que está en la sala, haciendo puentes abdominales mientras mira un catálogo de muestras de alfombra. A este ejercicio lo llama "calistenia de decoración del hogar", y es una experta. En una ocasión, remodeló toda la cocina mientras hacía flexiones en la barra que atraviesa la puerta del pasillo principal.

—No tenemos planes para hoy, ¿verdad?

—Sully y Church tienen entrenamiento más tarde. ¿Sí vas a poder llevarlos?

Lo dice como si tuviera otra opción.

—Mmm... pues..., ¿a qué hora es eso?

—A las cuatro. ¿Por qué? —pregunta mamá, levantando por fin la vista—. ¿Tienes otros planes para hoy?

—Mmm. ¿Puede venir Wallace esta tarde?

Mamá se levanta y corre a la puerta en menos de un segundo. Sus ojos brillan por la emoción, aunque también podría deberse a la alegría de haber hecho ejercicio.

—Por supuesto. ¿Quiere quedarse a almorzar? Puedo preparar algo. ¿Van a estar todo el tiempo en tu habitación?

—Pues… no sé.

—¿Va a venir ahora? ¿Lo vas a recibir con esa ropa?

Bajo la vista. Llevo puesta una camiseta de los equipos internos de beisbol de papá, lo cual quiere decir que es como cinco tallas más grandes que la mía; unos de pantalones deportivos viejos de los Harlem Globetrotters, enrollados justo arriba de mis rodillas; y mis calcetines más gruesos y cálidos, hechos de pelo tipo wookiee o algo así.

—Tal vez deberías meterte a bañar, ¿no crees? —dice mamá—. Tu cabello está un poco grasoso.

Me gustaría que no fuera tan directa, pero tiene razón. Subo las escaleras a toda prisa, me encierro en el baño y entro de un salto a la regadera. No sé dónde vive Wallace, pero normalmente le toma quince minutos llegar hasta aquí. Ya pasaron diez de esos quince minutos, y normalmente yo tardo cinco en bañarme, así que mientras me enredo el cabello en una toalla y me pongo un pantalón deportivo que me queda un poco mejor, una camiseta y mis calcetines de wookiee, suena el timbre.

—¡Eliza! ¡Ya llegó Wallace!

Me pongo a toda prisa mis calcetines de Wookiee, y cuando llego a la parte superior de las escaleras, mamá está recibiendo a Wallace por la puerta principal.

—Hola —dice mamá con su voz normal, extendiendo la mano para saludar a Wallace—. ¡Me alegro mucho de conocerte al fin! Soy la mamá de Eliza.

Wallace responde algo, pero en un tono tan bajo que no alcanzo a escucharlo. Me sorprende que le haya respondido. Creo que mamá está satisfecha con Wallace, porque cuando se da la vuelta me sonríe levantando las cejas.

—¡Diviértanse! Voy a preparar algo para el almuerzo —dice mamá, desapareciendo detrás de la puerta de la cocina.

Wallace levanta la vista. Lleva puestos unos pantalones de mezclilla, un suéter y una gruesa chamarra de pana color marrón. Debajo de uno de sus robustos brazos tiene los cuatro libros de *Los Hijos de Hipnos*.

—Puedes subir a mi habitación, si quieres —digo, señalando con mi pulgar hacia atrás por encima de mi hombro.

Wallace sube las escaleras. Entonces recuerdo que todavía tengo la toalla enredada en mi cabello, así que me la arranco y la lanzo dentro del baño. Más vale que haga las paces con mi apariencia de rata ahogada, porque es lo que tenemos el día de hoy. Al menos voy a oler bien.

Wallace se detiene al pasar junto a mí, sosteniendo el cuarto libro de *Los Hijos de Hipnos* —el que tiene un hacha de batalla en la portada— y dice suavemente:

—Dime que es una broma.

—Ya sé —digo—. Estaba un poco preocupada por esto. Bueno, vamos...

Lo invito a pasar a mi habitación. Dentro, Davy está sentado sobre la cama, meneando tanto la cola que golpea contra la pared.

—¿Tienes un perro?

Wallace se olvida de los libros y se para junto a la cama para que Davy pueda olfatearlo. Medio segundo después, ambos están acurrucados en la cama, y Davy intenta por todos los medios subirse a las piernas de Wallace.

Echo un vistazo rápido alrededor para asegurarme de que no olvidé nada. Tengo un montón de cosas de *Mar Monstruoso* por todas partes, pero podrían haber sido compradas por una fan cualquiera. Bajo el volumen de la televisión, pero no la apago completamente, no puedo enfrentar el hecho de que Wallace esté en mi habitación sin tener el respaldo de *Dog Days*.

—Se llama Davy —digo—. Si se pone muy pesado, empújalo al suelo.

—¿Davy? —dice Wallace, mientras Davy le lame la cara—. ¿Como el monstruo marino de Dallas?

"¡Mierda!".

—Ja, ja, sí, igual que él. Yo le puse el nombre.

Mentira. Llamé al monstruo marino Davy por mi perro Davy, y no al revés. El perro Davy es grande, blanco y feliz. El monstruo marino Davy podría destruir casi todas las ciudades, suelta bolas de pelo que se confunden con *icebergs* y tiene un largo cuello, una cabeza diminuta con dos ojitos redondos y una sonrisa siempre vacía. El monstruo marino Davy cobró vida cuando yo era muy pequeña, y el perro Davy era mucho más grande que yo.

Wallace mira alrededor de la habitación y se detiene en los adornos que hay en mis paredes.

—¿Qué es eso? —pregunta, señalando hacia el Sr. Grancuerpo, que ha ido viajando alrededor de las paredes de mi habitación y ahora está sentado sobre mi computadora. Se le ha caído uno de sus ojos de papel, perdiéndose para siempre en los respiraderos del suelo.

—Es algo que una de mis amigas de internet hizo para mí. Es un intento de broma.

—Bien, no haré más preguntas.

—*Los Hijos de Hipnos*, ¿eh? Supongo que esto quiere decir que has terminado de leer los libros.

Wallace me lanza una mirada que nunca había visto en mi vida. Excepto en el espejo, cada maldita vez que leo *Los Hijos de Hipnos*. Tengo frente a mí a un tipo grandulón con cuerpo de jugador de futbol americano, sentado sobre mi cama con un enorme y feliz perro retorciéndose en sus piernas, sintiéndose enojado por una serie de novelas.

—¿Cómo es posible que no haya un quinto libro? —pregunta—. ¿Cómo puede terminar así? ¿Por qué nadie sabe la verdadera razón por la que la autora dejó de escribir?

—Bienvenido al mundo del dolor de los fans de *Los Hijos de Hipnos* —digo, acomodándome en la silla de mi escritorio.

—Pero ¿qué pasa con todos ellos? ¿Emery? ¿Wes? ¿Klaus y Marcia volverán a estar juntos? ¿Trevor van der Gelt se pierde en su *doppelgänger*? ¿Ridley va a regresar? ¿Encontrarán a Hipnos alguna vez?

Me encojo de hombros.

—¿Y la autora? —abre uno de los libros en la contraportada, mostrando la foto de Olivia Kane—. ¿No sabe ella las respuestas? Aunque nunca haya escrito el final, ¿no podría decirle a los fans lo que sucedió? Debe haber dicho *algo*.

—Me encantan estos libros desde que tengo doce años. He investigado por todas partes, créeme. Olivia Kane se convirtió cien por ciento en una ermitaña, y no habla con nadie. No ha hecho una aparición pública desde hace cuatro años.

—Pero…

—Escuchaste lo que Cole y Chandra dijeron. La mayoría de la gente cree que es una lunática. Y por lo que se sabe, bien podría serlo. El estrés afecta de maneras extrañas a la gente.

Wallace se desploma contra la pared aceptando su derrota.

—Ésta es la mayor decepción que he sufrido como fan en toda mi vida. Tal vez podríamos, no sé… escribirle una carta, o algo.

—Estás verdaderamente obsesionado con esto, ¿verdad?

Wallace acaricia el pelo de Davy con ambas manos. Una arruga muy profunda aparece entre sus cejas.

—No sé, es que… ¿Cómo puede dejar las cosas así? Se supone que el quinto libro explicaría muchísimo. ¿Todos murieron? ¿Hipnos despierta y reinicia el mundo? Emery estaba lidiando con la culpa y la depresión, ¿qué le pasó?

Subo mis rodillas llevándolas a mi pecho, y lo observo. Está acariciando a Davy, mientras éste se gira felizmente sobre su lomo. Wallace mira la pila de libros, y luego mira el suelo alrededor de mis pies.

—Hay un montón de *fanfiction* sobre *Los Hijos de Hipnos* —digo—. O al menos había, antes de que los fans se dispersaran como el viento. La gente ha escrito sus propias interpretaciones del último libro. Algunas son muy buenas.

—No será lo mismo —dice Wallace, moviendo la cabeza—. ¿Por qué dejo de escribir?

—Nadie sabe. Creo que se sentía muy presionada.

—Entonces, supongo que no puedo enojarme.

—¿Por qué?

—¿Cómo puedes enojarte de algo que no sucedió porque hubiera lastimado a otra persona? —dice Wallace, encogiéndose de hombros—. Si tuvo que dejar de escribir por su salud, entonces me alegro de que lo haya hecho. Tu arte no debería quitarte la vida. No importa cuántos fans tengas.

En ese momento siento un deseo superintenso de abrazarlo. Y posiblemente de besarlo. Aunque no estoy muy segura acerca del beso.

—No sé si haya muchas personas que estén de acuerdo contigo en ese punto.

—Por desgracia —dice. Luego dirige la vista a mi cabecera llena de repisas, repleta con todas las distintas copias de los libros *Los Hijos de Hipnos*, y sonríe—. Me gusta tu casa. Es más grande y tranquila que la mía.

—No es tranquila cuando Church y Sully están aquí, créeme. Hablando de ellos, ¿tienes que regresar a tu casa a una hora exacta? Porque debo llevarlos a su entrenamiento a las cuatro, por si quieres acompañarme y pasar el rato.

—Sí, claro.

Ahora ambos estamos sonriendo.

Mamá nos llama para que bajemos a almorzar. Creí que tendría que quitar a Davy de las piernas de Wallace, pero él lo levanta y lo pone sobre el suelo. Davy no deja de menear la cola ni un segundo. Mientras tanto, yo observo la escena.

—¿Qué pasa? —dice Wallace.

—¿Juegas futbol americano? Porque parece que deberías jugar.

—Me gusta ver los juegos. ¿Eso cuenta?

—Acabas de levantar un gigante de los Pirineos de casi setenta kilos como si estuviera relleno de hule espuma.

—¿Quieres que lo intente contigo? —dice, extendiendo los brazos.

—Mmm. Paso.

Con todo y que peso casi quince kilos menos que Davy, no he dejado que nadie me cargue desde que unos chicos en la escuela se burlaron de mí en la clase de Educación Física mientras fingían que no podían levantarme del suelo. Eso sucedió en primer año, cuando era simplemente "Eliza, la rara flacucha", en vez de "Eliza, la rara a quien no hay que tocar porque te contagiará la rabia".

Pero es lindo que Wallace se haya ofrecido a cargarme.

Mamá nos prepara sándwiches de crema de cacahuate con mermelada y rebanadas de manzana, también conocido como el almuerzo que preparas a tu hijo de siete años para la escuela. Miro la escena horrorizada hasta que Wallace empieza a comer y dice que es "el mejor condenado sándwich de crema de cacahuate y mermelada" que ha probado, lo cual hace sonreír a mamá como si acabara de ganarse un premio. A estas alturas, creo que Wallace es la persona menos exigente del mundo cuando se trata de comida, o, como siempre, tiene tanta hambre que todo le sabe delicioso.

Cuando regresamos a mi habitación, Wallace vuelve a acomodarse en el mismo lugar sobre mi cama. Hay un espacio bastante amplio entre él y la cabecera. Además, ésta no sería la primera vez que nos sentamos tan juntos, uno del otro. Lo hacemos todo el tiempo en Murphy, y en la banca detrás de la escuela. Claro, esos lugares son públicos y esto no lo es en absoluto, especialmente ahora que mi puerta está cerrada, pero es lo mismo, ¿no? Hago todo lo posible para tranquilizar mi frenético corazón, y me acomodo cuidadosamente en el espacio vacío junto a él. Wallace no dice nada, pero me observa hasta que estoy instalada.

—Conque viendo repeticiones de *Dog Days*, ¿eh? —dice.

—Síp. ¿Qué te parece?

—No hay una telenovela para adolescentes que la supere.

—Buena respuesta.

Y así empieza nuestro maratón de episodios antiguos de *Dog Days*. Lo mejor de *Dog Days* es que te exige muy poca energía. No tienes que pensar, solo tienes que mirar a los personajes tomando decisiones terribles en pleno verano. Me sorprende un poco que a Wallace también le guste, tomando en cuenta lo mucho que valora los significados profundos de las historias, pero supongo que todos necesitamos algo que nos permita adormecernos un poco.

Me concentro en relajarme, mientras estiro las piernas,

para que no parezca como si temiera ser estrangulada en cualquier momento. Mi cabello por fin está empezando a secarse —espero que no se me erice— y hasta ahora ni mis pantalones deportivos ni mis calcetines de wookiee han sido tema de conversación. En general, creo que vamos bien.

En cierto momento, Wallace se levanta para alisar las piernas de sus pantalones, y cuando vuelve a sentarse está tan cerca de mí que puedo sentir el calor de su cuerpo. Estamos sentados hombro con hombro. Puedo ver sus pestañas rozando sus mejillas cada vez que parpadea. Visto desde lejos, su cabello siempre parece negro, pero de cerca es más bien café oscuro. Lo ha dejado crecer un poco. Siento un impulso muy extraño de trazar la curva de su oreja con mi dedo.

Después del cuarto episodio, Wallace dice:

—¿Tienes un pedazo de papel para escribir algo?

—Claro —digo, levantándome demasiado rápido—. ¿Solo uno? ¿Necesitas…? Pues claro que necesitas algo para escribir. Disculpa. Toma.

Tomo un papel de mi escritorio y uno de mis cientos de lápices, y Wallace utiliza el primer libro de *Los Hijos de Hipnos* como superficie para apoyarse mientras escribe. Cuando descubro que está escribiendo algo para que yo lea en este momento, digo:

—Pensé que solo escribías cuando había más gente alrededor.

Wallace escribe cuidadosamente una línea después de la otra. Frunce la frente y mueve la cabeza.

—A veces… es difícil decir las cosas en voz alta. Algunas cosas.

Su voz es apenas un susurro. Me siento nuevamente junto a él, pero su enorme mano me impide ver las palabras. Entonces, se detiene, deja allí el papel, y lo mira fijamente.

Luego me lo entrega, y mira hacia otra dirección.

"¿Puedo besarte?".

—Mmm.

"Mmm" es una expresión deliciosamente compleja. Significa "Quiero decir algo, pero no sé qué decir", y también "Me tomaste desprevenida", y "¿Estoy soñando? Por favor que alguien me dé una bofetada".

Entonces digo "mmm". La cabeza y el cuello de Wallace están completamente rojos, pero mi "mmm" hace que el tono se oscurezca todavía más. Maldita sea, ya estaba nervioso cuando me lo preguntó, y yo he empeorado las cosas. ¿Por qué decir "mmm", cuando lo que quiero decir es "SÍ POR FAVOR AHORA"? Solo que ni de broma voy a decir "SÍ POR FAVOR AHORA", porque siento como si mi cuerpo fuera una enorme bomba de tiempo formada por órganos, y si Wallace me llegara a rozar la mano, voy a levantarme de un brinco y saldré corriendo de la casa y gritando.

Me va a gustar mucho. Algo fuera de control. Eso no es bueno.

—¿Me prestas el lápiz? —digo.

Wallace me entrega el lápiz, otra vez sin mirarme.

"Sí, pero no en este momento. Sé que suena raro. Lo siento. Creo que no saldrá muy bien si sé que va a suceder. Definitivamente voy a enloquecer y tal vez te golpee en la cara o empiece a gritar como una loca, o algo parecido. Creo que funcionaría mejor si me sorprendes. Te doy mi permiso para que me sorprendas con un beso. Ésta es una invitación formal para un beso sorpresa".

No me gusta escribir la palabra "beso". Me pone la piel de gallina.

"Lo siento. Es raro. Soy rara. Perdón. Espero que esto no haga que te arrepientas de haberme preguntado".

Le entrego el papel y el lápiz. Wallace lo lee, y luego escribe:

"No me arrepiento. Soy bueno para las sorpresas".

Eso es todo. ¿Eso es todo?

Mierda.

Ahora tratará de sorprenderme con un beso. En algún momento. ¿Más tarde hoy? ¿Mañana? ¿La próxima semana? ¿Y si nunca lo hace y yo paso el resto del tiempo preguntándome cuándo lo hará? ¿Qué acabo de hacer? Esto fue una idea terrible.

Voy a vomitar.

—Vuelvo en seguida —digo.

Voy corriendo al baño y me acurruco en el suelo. Durante cinco minutos solamente. Luego regreso a mi habitación y me siento junto a Wallace. Mientras me acomodo, Wallace pone su mano sobre la mía, y extrañamente yo no salto de la cama. Mis nervios se alocan un instante, pero entonces me dejo llevar y todo se tranquiliza. Giro mi mano, y Wallace flexiona sus dedos para que yo pueda acomodar los míos en los espacios intermedios. Y nos sentamos allí, hombro con hombro, con las manos descansando en medio de nuestros cuerpos.

No está nada mal.

CAPÍTULO 20

Al cuarto para las cuatro, estoy sosteniendo la mano de Wallace sobre mis piernas sin sentir ninguna culpa y pensando que definitivamente debí haber permitido que me besara. El primer obstáculo siempre es el más problemático —hablar, tomarnos de las manos, lo que sea— pero en cuanto me acostumbro a eso, en cuanto sé que no pasará nada malo, necesito más. La lógica me dice que tendré que soltar la mano de Wallace en algún momento cuando salgamos de mi habitación, si no para poder manejar, al menos para ocultárselo a mamá. Pero la lógica no está presente en estos momentos, y no me importa.

Presiono la mano de Wallace sobre mi estómago y pongo mi otra mano sobre su muñeca, para mantenerla en su sitio. Ahora estamos completamente apoyados uno en el otro. Golpeo su pie con mi calcetín de Wookiee, y Wallace corresponde. Está sucediendo algo. Estamos teniendo uno de esos momentos. No tengo que preguntarme si está bien porque está completamente bien. Wallace me está siguiendo el juego. Respiro profundamente y apoyo mi cabeza sobre su hombro. Él frota su mejilla contra mi cabello. Suelto una risita y él vuelve a frotar su mejilla, pero con más fuerza.

Nunca había estado tan consciente de mi cuerpo; de la forma en que se mueve; del espacio que ocupa. No está bien ni mal, simplemente es diferente. He tenido que salir de mi mente para explorar el extraño y misterioso mundo físico. Sus dedos bailan entre los míos, contra mi estómago, desatando otra ronda involuntaria de risitas. Menos mal que tengo su mano asegurada con la mía, porque no puedo confiar en las reacciones de mi cuerpo ni predecir lo que hará si me tocara en cualquier otro lado.

—Ay, rayos —digo, cuando por fin miro el reloj—. Son casi las cuatro. Tienen que estar allá a las cuatro y media.

Me incorporo en la cama para ponerme de pie, esperando que él se mueva junto conmigo, o por lo menos que suelte mi mano. Pero no hace ninguna de las dos cosas. Como no me suelta, regreso a la cama por el tirón. Wallace se acurruca contra la pared, dibujando esa pequeña sonrisa y negándose a soltar mi mano.

—Vamos —digo, riendo y tratando de levantarlo—. Tenemos que irnos.

Wallace se queda allí mientras yo utilizo todo el peso de mi cuerpo para incorporarlo, pero termino casi sentada en el suelo, y él no se ha movido ni un centímetro. Wallace flexiona el brazo, dándome un tirón que me hace regresar a la cama, y empieza a reírse.

—¡Ya, estoy hablando en serio!

—De acuerdo, de acuerdo —dice, soltando mi mano.

—Necesito cambiarme de ropa.

—Esperaré afuera.

Sale de la habitación, mientras me pongo mis mejores pantalones de mezclilla y una blusa real sin logotipos, con una sudadera encima, por supuesto. Sully y Church están esperando en la puerta principal con sus maletas al hombro. Wallace ya ha bajado las escaleras, y están hablando de algo. Cuando llego, Sully levanta los brazos mientras me lanza una mirada fulminante:

—¡Date prisa, Huevos Benedictinos! ¡No tenemos todo el día!

—Cállate.

Sully y Church meten sus larguiruchos cuerpos a la parte trasera de mi auto para que Wallace pueda ocupar el asiento del pasajero.

—Nada de travesuras allá adelante —dice Sully.

—Sí —añade Church—. Si veo una mano cruzando esos asientos, va a recibir un manotazo.

—¿Un manotazo? —dice Sully—. Si veo una mano cruzando esos asientos, la cortaré y la quemaré.

—Silencio los dos.

Espero con todas mis fuerzas que mi cabello cubra lo rojas que están mis mejillas. No voy a empezar una discusión con mis hermanos por sus comentarios inapropiados y estúpidos mientras Wallace está en mi auto. Enciendo el radio para poner esa basura de rock alternativo que tanto les gusta, e inmediatamente se olvidan de nosotros.

Wallace y yo caminamos alrededor del centro deportivo durante las dos horas que dura el entrenamiento de Sully y Church. Está lo suficientemente vacío como para que Wallace pueda hablar sin problemas, aunque su tono de voz es más bajo. No nos tomamos de las manos, pero sus nudillos golpean el dorso de la mía, como si estuviera tratando de enviarme un mensaje en código morse.

—Mi hermana también viene aquí —dice—. A jugar tenis.

—¿Tu hermana menor o mayor?

—Ah, la menor, definitivamente. El único ejercicio que Bren hace es mientras juega con los perros en sus clases de adiestramiento. Pero a Lucy le encantan el tenis y el basquetbol. Bueno, casi todos los deportes.

—Tu familia parece agradable.

—Me caen bien. Quieren conocerte.

—¿Eso es lo que haremos ahora? ¿Conocer a nuestras familias?

—Solo si quieres —dice, encogiéndose de hombros.

—No sé. Supongo que sería justo. Ya has sido víctima de mi familia.

—¿No te agrada tu familia?

Ahora soy yo la que se encoge de hombros.

—Es raro. O sea, sé que me aman, y también sé que no tengo ninguna razón para quejarme, pero siempre quieren que haga cosas que yo no quiero hacer. Cada vez que venimos a este lugar, mamá y papá tratan de convencerme para inscribirme en algún nuevo club deportivo interno. Si tengo mi teléfono fuera y estoy hablando contigo o con alguno de mis amigos de internet, piensan que los estoy ignorando, o faltándoles al respeto, o cualquier cosa por el estilo. Pero no, lo que sucede es que estoy en medio de una conversación.

Si vieras a dos personas hablando frente a frente, no las interrumpirías y las llamarías irrespetuosas, ¿verdad?

—No, por supuesto que no.

—No. Entiendo que es una "cosa de adolescentes" decir que tus papás no te entienden, pero ellos realmente *no lo entienden*. No es su culpa que hayan nacido dos décadas y media antes que yo, pero ¿se morirían si me preguntarán lo que estoy haciendo en mi teléfono antes de dar por un hecho que es alguna cosa sin sentido?

—Tal vez les preocupa que te enfades con ellos si te preguntan lo que estás haciendo —dice Wallace.

Abro la boca para defenderme, pero entonces recuerdo que sí me he enfadado con mis papás por esa razón.

—¿Tus papás también te hacen eso? —pregunto.

—A veces, pero no tanto como solían hacerlo. Ya hemos pasado esa etapa… Ahora estamos en otras cosas.

Antes de que pueda preguntarle a qué cosas se refiere, Wallace dice:

—¿Por qué tu hermano te llamó Huevos Benedictinos?

—Porque siempre como huevos cocidos en el desayuno. Papá me llama Huevito, y Sully y Church simplemente utilizan cualquier tipo de huevo que se les ocurra ese día.

—Suena tierno.

—Creo que mis hermanos me odian.

Supongo que mis palabras deben haber sonado muy reales, porque Wallace parece preocupado.

—¿Por qué?

Fijo la mirada en mis pies, mientras los desgastados tenis Nike de mamá rozan el suelo.

—No sé. Porque no trato de pasar más tiempo con ellos, o interesarme en lo que hacen. Según papá, son muy buenos en el soccer, pero no puedo asegurarlo porque nunca pongo atención cuando vamos a sus partidos.

—Entonces pasa más tiempo con ellos.

—Pero no me gustan las cosas que hacen, porque solo se la pasan jugando futbol o videojuegos. No me gustan los deportes. Y, de todas formas, siempre se burlan de mí porque no soy buena en ellos, entonces ¿qué caso tiene?

—Es obvio que van a burlarse de ti. Son chicos de secundaria educados en un ambiente altamente competitivo lleno de testosterona. Así es como se motivan entre ellos.

—¿Y tú cómo sabes eso?

—Porque veo los deportes en la televisión. Además, cuando era más chico, jugaba futbol americano.

—¡Entonces *sí* jugabas futbol americano!

—Sí, cuando tenía tres cuartas partes menos del tamaño que tengo ahora —dice riendo—. Jugaba en la posición de corredor.

—No sé qué significa eso.

—Significa que corría muy rápido.

—¿Tú? ¿Moviéndote rápido?

—Ya sé. Uno de los grandes misterios de la vida.

Sus nudillos rozan el dorso de mi mano, y mi resistencia llega a su límite. Tomo sus dedos, sosteniéndolos entre los míos. Wallace sonríe y dice:

—No creo que tus hermanos te odien. Solo que no les gustan las mismas cosas. Eso no es algo malo. Simplemente así es. Ellos practican deportes y tú haces arte.

Yo hago *Mar Monstruoso*. Eso es lo que hago, y lo único que necesito es que Sully y Church no digan nada sobre eso a sus amigos de la escuela. No tenemos que llevarnos bien. Solo tienen que mantener la boca cerrada. Hasta ahora lo han hecho; creo que deben imaginarse *un poco* lo importante que es para mí. Tal vez Wallace tenga razón. Quizá no me odian.

—Bueno, ¿y dónde vives? —pregunto, mientras columpiamos las manos entre nuestros cuerpos—. Necesito poder acosarte en Google Maps como toda una desquiciada antes de aceptar conocer a tu familia.

Wallace se ríe de nuevo.

La caminata de regreso a casa, que Amity normalmente aprovechaba para meditar, ahora estaba ocupada por pensamientos implacables. El sentimiento de culpa. Si ella era la única que podía detener a Fausto, ¿no significaba que tenía que hacerlo, aunque representara un peligro para ella? Era fácil pensar en él como algo abstracto que aterrorizaba lugares lejanos, pero ¿y si llegaba a Isla Nocturna?

¿Qué pasaría si en lugar de atacar a gente desconocida, atacara a Faren?

PERFIL DE USUARIO
rainmaker*
Moderador de Fanfiction

EDAD: No te la voy a decir
UBICACIÓN: NO
INTERESES: MM. Escribir cosas. Fogatas. Suéteres. Dormir. Perros. LOS HIJOS DE HIPNOS, CARAJO

Seguidores 1 402 834 | Siguiendo 51 | Publicaciones 9 512
[Obras Únicas – 144]

ACTUALIZACIONES
Ver actualizaciones anteriores

Nov 24 2016
| DÍA DE LA TARTA DE CAMOTE.

Nov 28 2016
| Acabo de empezar a leer Los Hijos de Hipnos, obra maestra del ingenio humano. ¿Por qué nadie me había dicho lo increíble que es esta serie? Los hago responsables a todos ustedes.

Dic 02 2016

¡Qué bueno que a todos les esté gustando la transcripción! Hay más capítulos en camino. Mientras tanto, voy a tratar de escribir un poco más para Azul Cobrizo, pero no les prometo nada. Por cierto DEJEN DE HACER PREGUNTAS SOBRE LA CHICA BONITA DE MI ESCUELA. Cielos.

Dic 13 2016

Guardaré silencio por un tiempo. Tengo que estudiar para los parciales. Pero seguiré rondando por los foros. #MuerteALasMatemáticas

Dic 19 2016

Como recompensa por haber sobrevivido a los exámenes parciales, el cuarto libro de HdH. No, no me importa que la autora esté loca. Más vale que esta historia tenga un buen final.

Dic 19 2016

Sí, fue la Chica Bonita de mi escuela la que me introdujo al mundo de HdH. NO FUE GRACIAS A NINGUNO DE USTEDES.

Dic 21 2016

Soy un absoluto desastre de ser humano, y en este momento no tengo el menor problema con eso.

CAPÍTULO 21

Acepto conocer a la familia de Wallace el viernes antes de Navidad. A la hora de la cena.

Lavo mis mejores pantalones de mezclilla otra vez para que recuperen su forma ajustada y se vayan holgando con el paso de la noche, y robo del clóset de mamá una de sus blusas de encaje. Ni siquiera finjo que me importa lo que la gente piense de mi ropa en la escuela, pero si Wallace se arregló para venir a mi casa, entonces yo me arreglaré para ir a la suya.

Antes de irme, mamá me entrega un montón de folletos de su grupo de ejercicio ("si alguno de sus familiares está en busca de un nuevo tipo de entrenamiento, estaré encantada de trabajar con ellos. ¡No te olvides de decirles! ¡O si trabajan en algún lugar que tenga un tablón de anuncios, pídeles que los pongan allí!") y papá me recuerda con una sonrisa que lo que coma esta noche será mi comida chatarra de la semana. Mis papás siempre suponen que cualquiera que no sea de nuestra familia se alimenta únicamente de comida terrible y poco saludable. También se olvidan de que voy a una escuela pública y, por lo tanto, como papas a la francesa cinco veces a la semana.

Gracias a Dios, Church y Sully están en la sala, intentando vencerse mutuamente en un videojuego de tiradores de primera persona, por lo que no se dan cuenta cuando me marcho.

Wallace vive al otro lado de la ciudad, en una casa tipo rancho de un piso con un Santa encendido en el jardín y una cochera que es más lodo que grava. Hay dos carros estacionados en fila, de los cuales probablemente ninguno haya sido fabricado antes del 2007. El de atrás es el de Wallace, o al menos es el auto en el que conduce a todas partes, el mismo que su hermana utiliza para recogerlo de la escuela. Me estaciono detrás de él. Una cálida luz atraviesa las cortinas detrás de la ventana en la puerta principal.

Saco mi teléfono.

MirkerLurker: Pues ya llegué.

MirkerLurker: A su casa.

MirkerLurker: Estoy a punto de entrar.

MirkerLurker: Quiero vomitar.

Ni Emmy ni Max me responden. Emmy fue a su casa para las fiestas y Max no está trabajando, así que estamos en esa pausa relajada en la que pasan muy poco tiempo en línea. De hecho, no he hablado con ellos en los últimos días, pero al menos recordé enviarles sus paquetes. Tal vez vean mis mensajes mientras estoy en casa de Wallace.

Apoyo la cabeza sobre el volante, fingiendo que estoy haciendo algo. En caso de que alguien esté observándome desde la ventana, cuento hasta veinte, y entonces me obligo a salir del auto dejando los folletos de mamá en el asiento del pasajero y camino hacia la puerta principal.

Wallace responde al primer toquido. Lleva puestos unos pantalones deportivos y uno de sus suéteres.

—No es justo —digo.

—Sabía que dirías eso —contesta sonriendo.

El interior de su casa parece sacado directamente de los años setenta. Paredes con paneles de madera y alfombra amarilla. Pero es cálida y acogedora a morir, y un olor a grasa burbujeante sale de la cocina a nuestra derecha. Del lado izquierdo hay una pared que divide la entrada de una sala con una televisión encendida, y un pasillo trasero que debe conducir a las habitaciones.

—Así que ésta es la Casa Warland, ¿eh? —digo.

—Más bien es la Casa Keeler —responde.

El volumen de su voz es tan fuerte como nunca antes lo había oído, casi tanto como el de Sully y Church, que todavía no saben lo que significa el término "voz interior". Wallace toma mi abrigo y lo cuelga en el perchero junto a la puerta. Me paro torpemente junto a la entrada de la sala hasta que escucho que alguien detrás de mí dice:

—¡Ah, tú debes ser Eliza!

Doy un salto. Una mujer de color y de mediana edad atraviesa rápidamente la sala hasta donde yo estoy, con los brazos extendidos. Es de baja estatura, regordeta y tiene una sonrisa con la que podría conmover al mismo demonio. Se acerca a mí y me da un abrazo. Yo miro a Wallace.

—Eliza, ella es Vee, mi mamá.

—Ay, cariño, en realidad soy su madrastra. No quiero confundirte.

Vee me suelta, pero ahora me toma de la mano y me conduce a la cocina. El movimiento en la sala se vuelve una imagen borrosa a nuestro paso, y entonces aparece una niña de la edad de Sully y Church que camina detrás de Wallace, con un tono de piel un poco más claro que el de Vee y con un millón de delgadas trencitas recogidas en una gruesa cola de caballo que cuelga por debajo de sus hombros.

—Soy Lucy —dice la niña—. Eres más baja de lo que pensé.

Vee me sienta en una pequeña mesa de cocina rectangular. Wallace se acomoda a mi lado, y Lucy frente a mí. Sus piernas son tan largas que tiene que mover los pies hacia atrás cuando chocan accidentalmente con los míos. La mesa está puesta para seis personas. Del otro lado de la cocina algo que huele y suena sospechosamente como a tocino está cocinándose en una pequeña sartén sobre la estufa.

—Espero que te guste la cena-desayuno, Eliza —dice Vee—, ¡porque hoy es viernes por la noche, y ya saben lo que eso significa!

Yo no sé, pero Lucy grita:

—¡Huevos con tocino! —y lo repite un par de veces para que no haya duda.

—No entiendo cómo se supone que alguien pueda tener un sueño reparador en esta casa —dice otra mujer que acaba de entrar en la cocina, con las manos apoyadas sobre su cadera.

Debe de tener veintitantos años. Una diadema gruesa mantiene su espectacular cabellera alejada de su rostro anguloso. Creo que podría quemarme viva si sus ojos aterrizan sobre mí, pero al cabo de un instante, sus facciones se suavizan y señala a Wallace.

—¿Eres la novia de Wally?

La cara de Wallace se enrojece completamente. Me mira de reojo, pero no corrige a su hermana.

¡No la corrige!

—Mmm —digo—. Soy Eliza.

La chica extiende su mano, y estrecha la mía con la fuerza de un titán.

—Soy Bren —dice—. Tengo la impresión de que te he visto antes por aquí. ¿Tienes un perro?

—Sí. Davy. Es un gigante de los Pirineos.

Asiente convencida con la cabeza, y dice:

—Yo trabajo en la guardería canina Amigos Felices. De vez en cuando nos llevan a Davy.

—¡Estuvo allí en octubre para el campamento de manadas de una semana!

—¡Sí, estuvo con nosotros! —dice.

Bren empieza a moverse alrededor de la mesa para sentarse junto a Lucy, que inmediatamente trata de meterle en la oreja uno de sus dedos, pero ella aleja su mano sin poner atención.

—Me encantan esos perros. A Wally también; le pagamos por limpiar las jaulas y se pone a jugar con ellos al final del día —dice, resoplando—. Cuando sea la jefa de ese lugar, voy a alimentar a los perros en la mañana y en la tarde, porque una sola vez no es suficiente, ¿sabes? Especialmente porque se la pasan corriendo y jugando. Ojalá pudiéramos tener un perro aquí, pero Lucy es alérgica.

Bren jala las trenzas de Lucy.

—¿Cómo prefieres tus huevos, Eliza? —pregunta Vee.

—Eeeh… como sea. Estrellados está bien.

—Preparando huevos estrellados —dice Vee, que ya ha terminado de freír el tocino y empieza a romper los huevos en la sartén.

Bren y Lucy —pero más bien Lucy— empiezan a hacerme todas las preguntas imaginables. De dónde soy, cuántos años tengo, cómo nos conocimos Wallace y yo. Wallace interviene para responder esa pregunta, hablando tan fuerte que parece otra persona.

—Tenía unos dibujos de *Mar Monstruoso*. Les conté sobre eso, ¿recuerdan?

Menos mal que no menciona a Travis Stone ni a Deshawn Johnson. No quiero tener que explicarle a sus hermanas cómo fracasé maravillosamente al tratar de defenderlo, y me da la impresión de que él no quiere contarles cómo se quedó sentado sin hacer nada hasta que yo aparecí. Pero lo más probable es que ya sepan que no le gusta confrontar a las personas.

—Sí, claro —dice Bren agitando una mano en el aire—. Entonces a ti también te gusta, ¿eh? ¿*Mar Monstruoso*?

—Sí —digo, encogiéndome de hombros.

—¿También escribes *fanfiction*?

—Ah… no.

—Hace *fan art* —dice Wallace—. No me canso de decirle que debería publicar sus dibujos en línea.

—¿Por qué no lo haces? —pregunta Lucy.

—Porque nunca me siento cómoda, creo —digo, encogiéndome de hombros nuevamente.

—Son muy buenos —dice Wallace, mientras recorre con uno de los dedos el borde exterior de su plato, sonriendo un poco, y con una voz que vuelve a ser suave—. Deberías publicar algunos. Uno o dos.

Cada vez que habla así, con esa voz suave y la mirada hacia abajo, mientras sonríe, me dan ganas de hacerlo; de ir a mi computadora en este mismo instante y publicar algunos dibujos, solo para ver su reacción. Sé que quiere que yo también participe, como lo hacen todos los demás. Que sea una colaboradora. Sé que quiere presumir mi arte, porque me lo dijo el otro día mientras estábamos detrás de la escuela secundaria, y cada vez que pienso en eso el estómago me da vueltas, el corazón se me sube hasta la garganta y me dan ganas de besar toda su linda cara con hoyuelos. Cada vez que habla así, mi firme propósito se debilita un poco más.

Nadie podrá adivinar que soy LadyConstellation solo por algunos dibujos.

—Estoy… estoy pensando en hacerlo —digo finalmente, y al oír esto Wallace me mira a los ojos.

—¿En serio?

—Sí. Tal vez después.

—*¿En serio?*

—Sí —digo, riéndome—. ¿Qué pasa contigo? ¿Te sientes bien?

Wallace se sienta derecho en su silla como una pelota de cien kilos de energía. Antes de que pueda decir algo, la puerta frontal se abre otra vez.

—¡Ya llegó Tim! —grita Lucy.

Se escucha una risa desde la entrada, y unos segundos después un hombre alto y calvo entra en la cocina.

—¡Desayuno-cena, mi favorito!

Tim pasa junto a la estufa y le planta un beso a Vee en la cabeza, y luego se mueve alrededor de la mesa para besar también a Lucy y a Bren. Acto seguido, se sienta en la silla al final de la mesa, a la derecha de Wallace, y me sonríe amablemente.

—Y tú eres Eliza —dice, estirándose por encima de la mesa para darme la mano, con la misma fuerza de Bren—. Estamos muy contentos de que nos acompañes a cenar, Eliza.

—Gracias.

Su voz es superfuerte y llena de seguridad, y me encojo en la silla cada vez que se fija en mí.

—Lucy, cariño —dice Vee—, ven a ayudarme con la comida.

Lucy se levanta para llevar a la mesa el tocino, las salchichas y el pan tostado. Vee lleva los huevos —todos estrellados— y empieza a deslizarlos sobre nuestros platos. El estómago me gruñe. Wallace me golpea con uno de sus codos, y no sé si lo hace a propósito o si sus hombros son tan anchos que ocupan todo mi espacio en la mesa.

—Bien, Keelers y Warlands —dice Tim, después de que Vee se sienta al otro lado de la mesa—. ¿Qué logramos el día de hoy?

Vee cuenta una historia sobre una vieja amiga de la preparatoria a la que se encontró en el supermercado mientras buscaba los ingredientes para una nueva receta que quiere probar. Lucy nos habla sobre su búsqueda de raquetas de tenis, y pasa cinco minutos tratando de convencer a Tim de dejarla comprar una máquina para reajustar raquetas, pero él se niega. Bren se queja de una pareja joven que abandonó un cachorrito en la guardería porque lo recibieron como regalo de Navidad pero no quisieron quedárselo. El resto de nosotros come mientras los otros hablan. Entonces Tim voltea a verme.

—Eliza, ¿te gustaría compartir algo?

—Ah. Mmm.

¿Qué hice hoy? Estuve acostada en mi cama viendo Netflix. Abrí el *Westcliff Star* de ayer y leí unas doce veces la última historia sobre las muertes de la Curva de Wellhouse. Luego, programé la única página de *Mar Monstruoso* que publicaré esta noche. La única que pude terminar, tomando en cuenta el daño que Wallace ha causado a mi productividad. Después de eso, pasé algunas horas sudando. Luego, me di un baño, y ahora estoy aquí.

—¿Por qué mejor no empiezo yo? —dice Wallace—. Ya terminé de comer.

Más bien inhaló su comida. Tim voltea hacia Wallace.

—Ayudé a Bren a darle un baño a ese retriever que tiene problemas de confianza —dice Wallace, y entonces las comisuras de sus labios se levantan un poco—. Y, mmm... vendí otras dos historias por encargo.

—¿Dos historias? —grita Vee alegremente—. ¡Wally, eso es genial!

—¡No me habías contado eso! —dice Bren.

Lucy le lanza su servilleta y dice:

—¿Vas a dejar que las lea?

—Es genial, Wallace —dice Tim, sonriendo—. ¿Son tus historias de *fanfiction*?

—Sí. Pero no son de *Mar Monstruoso*, sino de otra cosa.

—¿Has intentado vender alguna de tus propias historias?

Wallace se rasca la nuca.

—La cosa no funciona así. La gente pide esas historias porque ya conocen a los personajes, y saben lo que quieren —responde Wallace.

—Hmm —Tim sigue comiendo sus huevos—. Entonces ¿esto es lo que harás en la universidad el próximo año? ¿Escribir *fanfiction*?

Toda la diversión se ha ido de la cara de Wallace.

—No, no manejan *fanfiction* en ninguna especialidad de escritura creativa.

—Entonces vas a escribir tus propias cosas.

—Sí.

—¿De qué te va a servir eso, si no puedes generar dinero con tu propio trabajo?

—Timothy —dice Vee, en un tono de advertencia—. No hablemos de esto frente a los invitados.

Trato de esconderme lo mejor que puedo junto a Wallace, pero la mirada de láser de Tim me encuentra de todas formas.

—Eliza —dice—, tú tienes planeado entrar a la universidad el próximo año, ¿verdad? ¿Qué especialidad vas a elegir?

Arte sería la respuesta más obvia, pero todavía no me he decidido porque no hay ninguna especialidad para dibujar *Mar Monstruoso*. Pero no creo que responder "arte" me gane muchos puntos con Tim.

—Diseño gráfico —contesto—. Para mercadotecnia y cosas de ese tipo.

"Bien jugado ese balón, Mirk".

—Diseño gráfico —repite Tim—. ¿Ves, Wallace?, incluso esa especialidad es atractiva comercialmente. Los diseñadores gráficos pueden ganar mucho dinero. No estoy diciendo que no puedas ganar dinero escribiendo, pero deberías escribir algo sobre lo que puedas construir una carrera. La escritura creativa no te llevará a ningún lado.

Wallace aprieta firmemente los labios y mira su plato. Lucy se mete un pedazo de tocino en la boca, y Bren se cubre la cara con una mano, mientras sacude la cabeza lentamente.

—Esta cosa del *fanfiction* es solo un entretenimiento. Tu mamá y yo no vamos a pagar una universidad para apoyar un pasatiempo. Queremos que hagas algo con sentido.

Tim sigue hablando. Wallace aprieta el puño contra su muslo. Yo lo rozo con uno de mis dedos, y él toma mi mano, apretándola con fuerza, como si le doliera algo. Yo aprieto su mano también.

—Sé que no te gusta escuchar esto —dice Tim—, pero así es como funciona el mundo.

Cuando Tim empieza a comer sus huevos nueva-mente, un silencio mortal se apodera de la mesa. Entonces Wallace dice:

—¿Puedo retirarme?

Tim está a punto de decir "no", pero tiene la boca lle-na de comida. Vee le lanza una mirada fulminante desde el otro lado de la mesa y dice:

—Sí, cariño, Eliza y tú pueden retirarse. Yo recojo sus platos.

Wallace se levanta y me saca de la cocina.

CAPÍTULO
22

Bajando por el pasillo trasero hay unas escaleras que conducen a un sótano. Éste tiene paredes de ladrillo, está alfombrado y parece más frío que el resto de la casa. Wallace aprieta un interruptor de luz al final de las escaleras que enciende unos candelabros de pared con luz suave. El cuarto está dividido por la mitad con un muro que tiene una gran abertura. De este lado hay un sofá roído por las polillas y una televisión grande y antigua. Wallace me conduce al otro lado del cuarto, a través de la abertura. Es el lado más oscuro. Hay un colchón en el suelo cubierto con sábanas arrugadas, una lámpara conectada a un enchufe, y varios libros y papeles apilados alrededor, entre los que se encuentra la serie de *Los Hijos de Hipnos* y algunos capítulos de la transcripción de *Mar Monstruoso* hecha por Wallace. Hay una mesa de billar que ocupa mucho espacio. Del lado izquierdo de la lámpara en el suelo hay un viejo sillón reclinable, y detrás de él un enorme poster de Dallas Rainer parado en una playa mirando hacia el océano, y las palabras HAY MONSTRUOS EN EL MAR dibujadas en la sombra que proyecta en la arena. Junto al poster hay una vieja camiseta de futbol americano clavada a la pared que dice WARLAND y tiene el número 73.

Wallace empuja una pesada puerta deslizante de madera desde la abertura en el muro y bloquea con ella el otro lado del marco de la puerta, eliminando todo el ruido que se alcanza a escuchar del piso superior, e incluso del resto del sótano. Apoya la cabeza contra la puerta y cierra los ojos.

—Lo siento mucho —dice—. No creí que fuera a hacer eso.

—¿Lo hace normalmente? —digo, desplazando el peso de mi cuerpo de un pie al otro. El cuarto está muy frío y mi chamarra se quedó arriba.

—Algunas veces. Es un tipo estupendo, y es buena persona, pero odio cuando empieza a decir que las cosas no tienen sentido —al decir esto, retira la cabeza de la puerta y empieza a caminar alrededor del cuarto—. Perdón. Perdón. No es mi intención asustarte. No creí que fuera a comportarse así estando tú aquí.

—Está bien. Lo entiendo.

Solo sé que me alegro de poder respirar otra vez.

Wallace aprieta los puños a los costados. Nunca lo había visto tan enojado. No como está ahora. Parece como si estuviera a punto de romper algo. Tal vez la mesa de billar.

—¿Qué sentido tiene estar vivo si no puedes hacer lo que te produce felicidad? ¿De qué te sirve una carrera con la que ganas mucho dinero si todos los días te vas a odiar por ejercerla? No tengo que mantener a una familia, no tengo que pagar ninguna factura, al menos no ahora. Seguramente tendré que pagar algunos préstamos estudiantiles, pero, de cualquier forma, solo tenemos dinero suficiente para pagar una universidad comunitaria, así que pagaré el préstamo con cualquier trabajo que consiga después. No necesito ser un doctor o un abogado, o cualquier otro trabajo "importante" que quiera que haga. Solo quiero escribir.

Lo observo mientras da vueltas por el cuarto, y siento como si estuviera plantada al suelo, con los pies enraizados en ese lugar, mientras la incertidumbre va penetrando por mis venas. Nunca lo había visto así. No sé qué hacer, así que me quedo allí parada, mirándolo, hasta que finalmente levanta la vista y dice nuevamente:

—Lo siento mucho.

—¿Quieres algo para poder gritar? —pregunto.

—Sí, eso estaría bien —dice, considerando mi oferta.

Tomo la almohada que está sobre el colchón y se la lanzo. Wallace presiona su cara contra ella y lanza un grito ahogado. Probablemente es el sonido más fuerte que ha salido de él en mi presencia, y a pesar de la almohada mantiene el mismo volumen que su voz habitual.

Lanza el objeto a la cama y luego se tira sobre ella. Es mucho menos intimidante cuando está tendido sobre su espalda. Me siento en el borde del colchón girándome hacia él.

—Siento mucho que tenga que ser así —digo.

Wallace se cubre los ojos con las manos. Qué fácil sería inclinarme y besarlo ahora, pero no creo que sea el momento correcto. Tal vez nunca lo sea. Nunca será el momento indicado porque soy Eliza Mirk, la que siempre evita enfrentarse a la vida y a sus consecuencias. ¿Cómo puede ser que tenga tantas ganas de hacer algo, pero me paralice completamente cada vez que pienso siquiera en ello?

—Ya desperdicié doce años en la escuela haciendo lo

que los demás me han dicho que debo hacer —dice—. Y sé muy bien lo que pasa cuando las personas son obligadas a hacer cosas que odian. ¿Es mucho pedir que me den algunos años para hacer lo que yo quiero? ¿Tus padres te hacen lo mismo? ¿De verdad te vas a especializar en diseño gráfico?

—No, para nada. Dije eso para que Tim no me corriera de la casa.

Wallace se ríe.

—No sé en qué quiero especializarme. Pero no quiero estar… aquí. Mis papás no dejan de recordarme que necesito terminar la preparatoria para saber si puedo ir a la universidad, y creen que una vez que esté allí me convertiré en una especie de ermitaña que nunca sale de su dormitorio y que se le pasa todo el día pegada a la pantalla de su computadora. Pero no, no me dicen lo que debería hacer. Al menos no todo el tiempo. Y supongo que eso es mejor.

Pero la única razón por la que han dejado de fustigarme para mantenerme a raya es que me he resistido a ellos con tanta furia que terminé por agotarlos. Todavía hablan de ello algunas veces, durante los pequeños sermones de mamá sobre un mejor rendimiento escolar, y papá suele hablar de becas, pero no es lo mismo. Mamá y papá no saben cuánto dinero gano, y por lo menos yo tengo esa tranquilidad. Wallace solo tiene el *fanfiction*, y eso no es mucha ayuda.

—Lo siento —digo otra vez.

Wallace baja las manos, mira fijamente al techo y se encoge de hombros. Luego voltea a verme.

—¿Tienes frío?

Tengo las manos alrededor de mis antebrazos, y el

torso encorvado sobre las piernas para mantener el calor.

—Mmm.

—Toma —Wallace se incorpora y saca una gruesa manta tejida debajo de las otras sábanas que hay en su cama—. Es una capa de aislamiento. Espero que no huela mal.

Me envuelve con la manta, que ya está caliente. Probablemente sea por el calor de *su* cuerpo, tomando en cuenta que *duerme sin tocarla todas las malditas noches*.

—Huele a jabón Irish Spring y a champú con aroma penetrante para chicos —digo.

—¿Eso es bueno o malo?

—Es genial.

Nunca había estado tan cerca de algo que huele a jabón Irish Spring y a champú con aroma penetrante para chicos, a menos que tome en cuenta cualquier cosa que mi papá usa, y yo no. No estoy segura de si mis hermanos se bañan. Me acurruco debajo de su manta, pero sigo dándole la espalda.

—No corregiste a Bren cuando dijo que yo era tu novia.

—Ah, sí. —dice Wallace, moviéndose detrás de mí—. Bueno, es que pensé, ya sabes, que provocaría más preguntas en vez de responderlas… y Bren es un poco persistente… y no quería que la situación se pusiera incómoda…

—Ah.

—Mmm.

Alguien tira de la cadena del inodoro en el piso superior; el agua corre a través de las tuberías del sótano. Hundo mi cara en la manta de Wallace, y siento cómo su cuerpo se mueve otra vez detrás de mí.

—A menos que quieras serlo —dice.

Lo miro por encima de mi hombro.

—¿Qué dijiste?

Wallace se sienta apoyando la espalda en la pared, con los brazos alrededor de sus rodillas, y los ojos muy abiertos. Cuando lo miro, él baja la vista hacia sus pies. Su voz se vuelve un susurro, y habla en pequeños grupos concisos de palabras.

—No sabía si… si querías ser mi novia, y no quería hacer un escándalo sobre eso durante la cena.

—¿Quieres que sea tu novia? —las palabras casi me ahogan cuando salen de mi boca.

—Pues, sí —dice, mirando hacia arriba.

"La pelota está en tu cancha, Mirk", pienso.

—Sí —digo.

—¿Sí? —dice Wallace, frunciendo el ceño.

Aaagh. Elegí la palabra equivocada.

—O sea, que está bien.

—¿En serio? —esa pequeña sonrisa aparece en su cara.

—Sí.

Ahora se ha convertido en una gran sonrisa. Baja la cabeza y se pasa ambas manos por el cabello. Levanto los brazos por encima de mi cabeza y me escondo debajo de su manta. Es demasiado, demasiado. La cosa está fuera de control. Unos segundos después, apoya su pecho contra mi espalda y me rodea con los brazos, colocando sus piernas a ambos lados de mi cuerpo. El peso de su cabeza descansa sobre mi hombro.

Pasa un momento de silencio. El mundo no se ha caído a pedazos. Bajo la manta y me giro entre sus brazos, y él me deja hacerlo. Ahora estamos frente a frente.

No quiero ser esa chica que se paraliza cuando tiene que enfrentarse a nuevos amigos, al mundo exterior o a la más mínima situación de intimidad. No quiero estar sola en un cuarto todo el tiempo. No quiero *sentirme* sola en un cuarto todo el tiempo, incluso cuando hay más gente alrededor.

Levanto la manta para que Wallace pueda cubrirse también, y cuando vuelve a abrazarme, pongo mis brazos encima de sus hombros y quedamos atrapados en la calidez de la manta. Wallace deja escapar un suspiro contenido.

Estoy plenamente consciente de mis extremidades, de lo rápida que es mi respiración, y de cada movimiento de mis labios y dedos. Eso me ayuda a dejar de pensar en lo que estoy haciendo mal. No es demasiado. No estoy fuera de control.

Estoy aquí. Wallace está aquí.

CAPÍTULO 23

Antes de marcharme, me despido de los Keeler y de Lucy que, técnicamente, es una Warland. Todos están reunidos en la sala; Lucy está sentada en el sofá bajo el brazo de Tim y junto a Bren, Vee tiene puestas sus gafas de lectura en la punta de la nariz, mientras entrecierra los ojos tratando de buscar un canal en la televisión que todos puedan ver. Wallace me acompaña hasta mi auto. Pensé que ese sería el momento en que me besaría por sorpresa, pero no.

—Me alegra que vinieras —dice, apretando mi mano. Luego, me jala hacia él para darme un abrazo.

—Me alegra que me hayas invitado —contesto, mientras lo abrazo. Los músculos alrededor de sus costillas se expanden y se contraen al ritmo de su respiración. Cuando mi nariz roza su cuello, Wallace se estremece—. Debo irme.

—De acuerdo.

Me subo a mi auto. Mientras retrocedo por la cochera, Wallace se recarga sobre la defensa trasera de su auto esperando a que me marche, con las manos en los bolsillos y su respiración hecha niebla al salir de su cuerpo.

Cuando llego a casa esa noche, intento cruzar rápidamente la sala sin ser vista. Mamá y papá están allí acurrucados viendo *El milagro*, su película favorita de todos los tiempos. Es la película que ven todas las noches de cita, cumpleaños, días feriados y aniversarios. Si no hubiera sido hecha seis años después de que yo nací, creería que la estaban viendo durante mi concepción. Sin embargo, su devoción por esta gran joya del cine deportivo no afecta en lo más mínimo sus sentidos paternales. En el instante en que cruzo el marco de la puerta, Mamá voltea rápidamente.

—¿Cómo te fue?

—Bien —respondo inmediatamente—. Bueno, voy arriba.

—¿Por qué no entras y nos cuentas qué tal estuvo? Nos gustaría conocer más sobre su familia. ¡Y, además, puedes ver *El milagro*!

—No, gracias —digo, subiendo las escaleras.

—¡Ay, Eliza, no te vayas a tu computadora, por favor! Quédate aquí abajo y platica con nosotros.

—Tengo que trabajar.

Llego a la parte superior de las escaleras y entro rápidamente a mi habitación antes de que mis papás puedan perforar la burbuja feliz en la que me encuentro. No quiero ver *El milagro* por milésima vez —alerta de *spoiler*, les ganamos a los rusos— y no quiero hablar con ellos sobre Wallace. Ya es bastante horrible que mamá me haya obligado a ir con esa doctora; quién sabe lo que haría si le dijera que ya somos novios.

Me encierro en mi habitación, ignorando la música a todo volumen de Church y Sully, y reviso mi teléfono. Ni Emmy ni Max han respondido a mis mensajes, pero está bien. Es viernes por la noche, ya los verán mañana temprano.

Saco mi cuaderno de dibujos y echo un vistazo rápido a los bocetos de *Mar Monstruoso*. Escaneo tres de ellos en mi computadora. En el primero hay un generador de ocaso brotando de un oscuro océano, con el agua salpicando en círculos de sus afiladas espinas; en el segundo está Damien mirando hacia el cielo con las estrellas reflejadas en sus ojos; y en el último, Amity se balancea sobre un puntiagudo pilar de cristal, enmarcada por el sol. Me conecto a los foros con mi cuenta de MirkerLurker, busco los subforos de *fan art*, e inicio una nueva conversación.

Publico los tres dibujos. Cierro el navegador antes de que puedan responderme, y me acuesto sin quitarme la ropa.

CAPÍTULO
24

A la mañana siguiente, cuando despierto, veo que tengo veintidós mensajes de Emmy y Max. En conversaciones separadas. Y ninguno de sus mensajes tiene que ver con mis nervios por ir a cenar a la casa de Wallace.

> **emmersmacks:** ¿Te sientes bien?
>
> **emmersmacks:** No publicaste ninguna página.
>
> **emmersmacks:** ¿¿¿E???
>
> **emmersmacks:** ¿¿Se te olvidó o...??

> **Apocalypse_Cow:** Oye, sé que te las estás pasando súper con don Mejillitas con Hoyuelos, pero la gente está empezando a impacientarse.
>
> **Apocalypse_Cow:** No hay ninguna página.
>
> **Apocalypse_Cow:** ¿Te sientes bien?

El resto de los mensajes son parecidos. Salgo de la cama a toda velocidad y me siento ante la computadora. Escribo mal mi contraseña dos veces, y me equivoco una vez más con la contraseña del foro.

LadyConstellation tiene treinta nuevos mensajes privados de distintos administradores de foros preguntando dónde están las páginas nuevas. Y en los foros la cosa está igual. El primer mensaje en casi todos los subforos es de alguien preguntando si hay problemas con el sitio web, si le pasó algo a LadyConstellation, o si las páginas se publicarán con retraso.

Voy directamente al sitio web donde subo las páginas. La publicación más reciente sigue siendo la última página que subí la semana pasada.

Pero sí lo programé. Sé que lo hice. Reviso la configuración y allí está, en la sección de borradores. Sin publicar. Hago clic en el botón de publicar con tanta fuerza que el ratón de mi computadora sale volando debajo de mi mano y golpea contra la pared.

En tres años, nunca había publicado una página con retraso. La regularidad es una de las cosas que vendo a mis fans, y ellos la compran alegremente.

Abro una nueva publicación en el foro.

LadyConstellation:

> Hola a todos, perdón por no haber publicado nada anoche. Hubo una falla y no se programó. ¡Ya está listo!

Hay un diluvio de respuestas.

> ¡Genial!
> ¿Solo una página?
> ¡¡Bien!! ¡¡Por fin!!
> ¿Qué tan difícil puede ser programar una publicación?

Me alegra que no estés muerta.

Ya te habías tardado, carajo. Vaya, mucho ruido para publicar una sola página, ¿no?

Cierro el navegador y retrocedo en mi silla giratoria, acurrucándome en ella con la cabeza entre las manos. No pasa nada. Solo fueron unas horas. Mientras publique las páginas a tiempo a partir de ahora, todo estará bien.

"No leas los comentarios. Nunca leas los comentarios".

—¿Te sientes bien, Huevito?

—Sí, papá, estoy bien.

—No has salido de tu habitación en toda la mañana. Tu mamá y yo estamos empezando a preocuparnos.

—Estaba dormida.

—Bueno. Oye, Wallace está aquí. Dice que quedaste de ir a Murphy.

—Ah. Mmm.

—¿Estás en esos días del mes? ¿Quieres que le diga que no podrás ir?

—¡No, por Dios! Bajo en un segundo. Cielos.

Wallace está sentado en la sala jugando videojuegos con mis hermanos. Está apretujado en medio de ellos, en silencio y concentrado en la televisión, mientras Sully y Church se gritan mutuamente por encima de su cabeza. Algo pasa en el juego que los hace gruñir a ambos, y Wallace sonríe.

—¿Cuánto tiempo llevas aquí? —pregunto.

Wallace gira la cabeza, dándose cuenta en ese momento de mi presencia y suelta el control.

—Unos minutos —dice, caminando hacia mí.

—¡Juega otra ronda! —dice Sully, señalando hacia la televisión y haciendo grandes arcos con su brazo, como si con eso pudiera hacer regresar a Wallace.

—Tenemos que irnos —digo.

Sully me lanza una mirada fulminante. Saco a Wallace de la casa y caminamos hasta su auto.

—¿Estás bien? —pregunta.

—Sí. Estoy estresada.

—¿Por?

—Cosas —digo, encogiéndome de hombros.

Subimos al auto sin decir nada. Wallace frunce el ceño mientras retrocede por la cochera, y empieza a conducir hacia Murphy. Cuando cruzamos el Puente de Wellhouse, se detiene casi por completo para avanzar por la Curva de Wellhouse. Lento y seguro, como siempre. Demasiado lento. Demasiado seguro. Es la persona más temerosa de caerse por el borde que he conocido. Miro hacia un lado, como siempre lo hago, y observo la pendiente.

Allá abajo todo está en calma. Aun si la muerte no fuera inmediata, apuesto a que valdría la pena la caída solo por la paz y la tranquilidad.

Cuando llegamos a Murphy, Cole y Megan ya están allí, hablando sobre las páginas no publicadas. Las páginas no publicadas —mejor dicho, *página*, porque solo había *una*— que subí esta mañana, pero que la gente está llamando Páginas No Publicadas porque es un jodido desastre.

—Es la primera vez que pasa algo así desde que inició el cómic —dice Cole, desplazándose a través de los foros en busca de más comentarios al respecto—. Todo el mundo está hablando de eso. Es un *acontecimiento*. Mira, incluso hay *fanfiction* sobre los personajes entrando temporalmente en un vacío sin escape entre el momento en que las páginas debieron ser publicadas y cuando por fin aparecieron. Es megagracioso.

Cole nos muestra la pantalla. El *fanfiction*, los foros y todo lo demás. Aparto la mirada. Wallace le echa un vistazo rápido, y luego se encoge de hombros.

—Sí, es gracioso, pero me parece una tontería hacer tanto drama por solo un día de retraso en las páginas.

—Página —dice Megan, corrigiéndolo, mientras le da a la pequeña Hazel un nuevo libro de dibujos para que lo hojee—. Solo una página. Por lo menos tenía un poco de acción, pero esas páginas individuales son difíciles de ignorar. No pasó nada. Me encanta este cómic tanto como a los demás, pero trabajo quince horas al día y me hago cargo de este monstruo —toma la parte superior de la cabeza de Hazel— y cuando llego al final de la semana, lo único que quiero es sentarme con una taza de té y algunas páginas de *Mar Monstruoso*. De preferencia, un capítulo entero.

"Sí, Megan, déjame dibujar unas doce páginas para ti. No es como si LadyConstellation tuviera otras cosas que hacer", pienso. No leo los comentarios, pero sé que muchos de los fans son iguales. No los culpo. Yo también hice lo mismo con *Los Hijos de Hipnos*. Estaba tan enojada con Olivia Kane como todos los demás.

No los culpo, pero eso no lo hace menos agotador.

Siguen hablando de lo mismo y, finalmente, se conectan con Leece y Chandra en la computadora de Cole, lo cual desata una nueva ronda de discusiones sobre las páginas. Mientras tanto, apoyo la cabeza sobre la mesa, fingiendo que estoy dormida. Nadie me dice nada.

Wallace roza mi rodilla con sus dedos algunas veces. Dejo que lo haga, pero no me muevo.

Saco mi teléfono para enviar un mensaje a Emmy y a Max, pero descubro que no tengo la fuerza suficiente para hacerlo, así que lo guardo de nuevo.

Cuando Leece y Chandra se despiden, Megan sugiere un cambio de aires. Tiene tres juegos gratis en el boliche de Blue Lane, gracias a su segundo empleo ahí. Cole dice que sí inmediatamente, pero antes de aceptar Wallace me pregunta si quiero ir.

Estoy a punto de negarme, pero me detengo. Tengo que esforzarme. Tengo que esforzarme, porque estoy haciendo lo mismo otra vez, estoy alejando a todos porque me siento frustrada y cansada. El mundo real es difícil y preferiría vivir en un mundo de mi propia creación. Pero no puedo. Estoy aquí, y tengo que esforzarme.

Media hora después, estoy de pie sobre una pista de boliche, intentando alinearme con los bolos. Wallace está en la cafetería. Megan está sentada en la mesa detrás de mí, columpiando a Hazel sobre sus piernas, y Cole está a mi lado, con los brazos cruzados sobre el pecho, y una expresión en su cara demasiado intensa para un boliche.

—El boliche es como cualquier otro deporte —dice, y creo que más bien está hablando consigo mismo—. Los profesionales lo hacen ver fácil, y por eso todo el mundo cree que puede hacerlo. Pero no es fácil. Si piensas demasiado, de repente la bola sale disparada del canal y vuela tres carriles fuera del tuyo. Y luego te expulsan del lugar por imprudente.

Aprieto los labios para no reírme.

—No soy muy buena para el boliche, pero creo que nunca he lanzado una bola tan fuerte como para que salte tres carriles.

—Pues ha pasado —dice Cole, mirando estoicamente hacia el carril.

—¿Te ha pasado a ti?

—No te preocupes.

Lanzo la bola. Se desplaza directamente hacia el canal derecho, pero a medio carril tuerce el camino y derriba el primer pino. Empiezan a caerse todos los demás, hasta que solo quedan dos pinos de pie.

—¡Funcionó! —digo, estirando el cuello hacia atrás para ver el pequeño número ocho que aparece junto a mi nombre en la pantalla que hay sobre el carril.

—No lo digas tan sorprendida —dice Cole.

—¡Nunca había tirado tantos pinos de una sola vez! Al menos no con un lanzamiento real.

Dejé de ir al boliche con mi familia cuando Sully y Church se hicieron lo suficientemente mayores como para burlarse de mis tiros de abuelita. Tal vez ahora pueda competir con ellos.

Lanzo mi segunda bola. Pasa rozando uno de los pinos, pero ambos permanecen de pie.

—Cuidado —dice Cole, cogiendo la bola y adelantándose—. Es hora de sacar del agua a algunos pececillos.

Regreso a la mesa con Megan y Hazel. Wallace vuelve de la cafetería con tres órdenes de nachos, dos hot dogs, un pretzel y dos refrescos grandes. Me da uno de los refrescos, pone una de las charolas con nachos entre Megan y yo, uno de los hot dogs frente al asiento vacío de Cole, y acomoda todo lo demás en su lugar. Luego, junta las manos, contemplando el banquete, como si no supiera por dónde empezar.

—Más vale que regreses de nuevo al futbol —dice Megan—, o un día te despertarás pesando trescientos kilos.

Wallace sonríe a través de un enorme bocado de pretzel.

Llevamos media hora en este lugar, y ya no recuerdo por qué quería negarme a venir. Desde que salimos de Murphy, nadie ha vuelto a hablar sobre las páginas no publicadas, y yo me siento ligera, como si mis extremidades estuvieran llenas de burbujas.

Esto es mucho mejor que estar sentada sola en mi casa, sumida en un ataque de ansiedad.

CAPÍTULO 25

—Eliza, tienes que dejar de pasar tanto tiempo frente a la computadora. Vas a dañar tus ojos.

Mamá tiene medio cuerpo asomado por la puerta. Debí haberla cerrado con llave antes de empezar a dibujar. Me enderezo y aparto la vista de la pantalla. El dolor en la espalda baja me está matando, y los ojos me lloran.

—Estoy bien —digo.

Tengo que terminar otras cuatro páginas de *Mar Monstruoso* para que este capítulo quede listo. Lo tengo todo planeado; si hago al menos cuatro páginas por semana, podré terminar antes de la graduación. Esto me ayudará a mantener la cordura durante el último maldito semestre de preparatoria, y mantendrá felices a los fans luego del desastre de las Páginas No Publicadas. No he hecho más que dibujar durante los últimos tres días.

—¿Puedes cerrar la puerta, por favor?

—No. Tienes que apagar esa computadora en este momento —dice, usando su voz de mamá. Esa voz que me provoca agruras instantáneas.

—Estoy trabajando —digo, sin voltear a verla.

—Los buenos trabajadores también necesitan tomar un descanso de vez en cuando.

—No puedo descansar. Tengo que terminar esto.

—Eliza.

—¿Qué supones que estoy haciendo, mamá? —digo, volteando para verla—. ¿Te parece que estoy dando un alegre paseo por el parque? ¿Que me estoy divirtiendo? Porque no es así. Tengo que terminar esto. Hay gente que está esperándolo. La misma gente que compra mis productos. Ellos son los que van a pagar mi universidad.

—¡Eliza Mary Mirk!

—¿Qué quieres que haga cuando apague la computadora? ¿Ir a practicar algún deporte con Sully y Church, aunque ellos odian que lo haga porque tengo cero coordinación? ¿Ver televisión, para que la mente se me entumezca todavía más? ¿Jugar juegos de mesa con papá y contigo? ¡Ya sabes *lo que pasa*!

Siempre termino enojada. Y si empiezo a jugar enojada, como lo estoy ahora, la cosa solo irá en picada.

Mamá no es de esas que retroceden ante los desafíos, así que se mantiene firme en su decisión.

—¡Quiero que salgas a algún lado! ¡Que hables con tus amigos! ¡Haz algo! ¡Métete en problemas, por amor de Dios!

—¡Mis amigos están *aquí*! —digo, sosteniendo en alto mi teléfono, donde Max y Emmy no han dicho nada durante días—. Hablo con ellos todo el tiempo, ¡y tú siempre me dices que deje de hacerlo!

—¿Y Wallace? ¿Qué está haciendo?

—¡Está trabajando! Y adivina qué hará más tarde: estará en su computadora, escribiendo algo. Probablemente su transcripción de *Mar Monstruoso*, que muchas personas están esperando, igual que esperan *esto*. Y hablaremos *a través de la computadora*. No entiendo por qué es un concepto tan difícil de entender.

—¡No puedo creer tu actitud, Eliza! —dice, meneando la cabeza, con las manos sobre la cadera. Todavía lleva puestos sus pantalones de yoga y la chamarra que utiliza para salir a correr por el vecindario—. ¿A qué viene todo esto? ¿Te sientes bien? ¿Está pasando algo en la escuela?

—No.

—Entonces, ¿qué sucede?

—Son solo cosas de *Mar Monstruoso*. No tienes nada de qué preocuparte —digo, dándole la espalda y quitándome el guante de la mano derecha para limpiarme el sudor.

Mamá guarda silencio. Vuelvo a ponerme el guante y empiezo a trabajar en el siguiente recuadro. Los vellos de la nuca se me erizan.

—Tu papá y yo estamos muy orgullosos de ti por eso, ¿sabes? —dice—. Sé que no lo entendemos realmente, pero estamos orgullosos de ti. Y nos alegra mucho que disfrutes tanto hacerlo. Si te molestamos es porque estamos preocupados por ti.

—Está bien —digo.

—¿Puedes bajar a abrir tus regalos, al menos?

Giro en mi silla otra vez para verla.

—¿Regalos?

—Sí, Eliza. Es Navidad.

La miro fijamente, segura de que está bromeando. Pero volteo para ver la pantalla de mi computadora, descubro que no es broma. Hoy es veinticinco de diciembre.

Casi salgo disparada de mi silla cuando caigo en la cuenta de lo que está pasando.

—¿Hoy es Navidad? —mi voz resuena en mis oídos como el balido de una cabra agonizante. Pensé que faltaban dos días para Navidad. O que había sido hace dos días. Cualquiera de las dos.

Mamá asiente con la cabeza.

—Nos adelantamos y dejamos que tus hermanos abrieran sus regalos, porque no sabíamos si ibas a bajar. O cuándo lo harías.

—Ah.

—¿Y bien?

—Yo… sí, bajaré en un minuto. Lo siento.

—No te preocupes. Hay algunos huevos cocidos en el refrigerador para cuando quieras comerlos —dice, marchándose de mi habitación.

Miro fijamente el reloj de mi computadora.

12:25.

Reviso los mensajes en mi teléfono, y descubro que Emmy y Max *sí* han estado hablando conmigo. Ambos me desearon feliz Navidad, y me preguntaron qué estaba sucediendo, y han estado hablando entre ellos sobre sus vacaciones. Les envío algunos mensajes rápidos, guardo mi teléfono y bajo las escaleras a toda prisa. Mamá y papá están esperándome en la sala, donde está colocado el árbol de Navidad. Papá tiene en su mano la videocámara.

—Lo siento —digo otra vez.

—No te preocupes, Huevi —dice papá—. ¿Por qué no abres los regalos que te trajo Santa, y luego podemos decirles a tus hermanos que bajen para una partida de juegos de mesa? Hago caso a papá, y abro los regalos de Santa. Sé que son de él porque todas las etiquetas tienen escrita la palabra *SANTA* con la letra ondulada de mamá. Es, más que nada, ropa nueva. Ropa que sí es de mi talla.

—El mes pasado te quejaste de que no tenías nada que ponerte —dice mamá—, así que pensé en comprarte algunas cosas nuevas. Podemos comprar más en la primavera, y así tendrás un guardarropa completamente nuevo para la universidad. Pero no te preocupes, porque guardé todos los recibos, en caso de que no te guste y quieras regresarla.

—Gracias —digo, en voz baja, para que no puedan escuchar mi voz a punto de quebrarse.

Es la primera vez que realmente estoy feliz por recibir ropa en Navidad. No pedí nada en específico, porque todo lo que necesito puedo comprarlo yo misma, excepto ropa. Comprar ropa no es lo mío. Mamá y yo doblamos todas las prendas colocándolas nuevamente en sus cajas, y yo las llevo a mi habitación, donde tomo el único regalo de Navidad que se me ocurrió comprar para mi familia: Monopoly. Toma tanto tiempo jugarlo que la unión familiar puede durar una eternidad. Papá llama a Church y a Sully y los obliga a jugar. Al principio se quejan, pero luego descubren que pueden llevarse a la bancarrota mutuamente. Mamá gana el juego, porque es la única en la familia con sentido común para el dinero. Jugamos durante cuatro horas, y luego cenamos. Más tarde, papá hace galletas, y nos sentamos todos juntos a ver *El milagro*.

Ni siquiera sabía que hoy era Navidad.

Faren da la vuelta al libro en sus manos. *Cuentos terráneos de hadas.* El primer libro que Amity liberó de una tienda, el que utilizó para aprender a leer. Faren suelta el libro, que cae abierto sobre su pliegue más resistente y allí, en medio de la página derecha, está el nombre de ella.

"Amity y el Monstruo Marino".

A veces —dice Amity, trazando las letras con uno de sus dedos—, creo que los terráneos mintieron sobre este libro. Me parece que estas historias no provienen de la Tierra.

Al final de la historia, la Amity del cuento de hadas mata al monstruo marino siendo más astuta que él y aplastándolo con una enorme roca.

El segundo nacimiento de Amity en la playa, hace años, había terminado de manera similar, solo que en su caso fue un generador de ocaso en vez de un monstruo marino, cinco veces más grande y cinco veces más sediento de sangre; su primer objetivo era Faren, no ella, porque él estaba más cerca del borde del acantilado; y mientras Amity estaba allí parada, aterrorizada, viendo cómo la bestia se lo tragaba, el Observador la encontró y le hizo su propuesta.

Ella aceptó, y aniquiló al monstruo con la ayuda del Observador. Después, rescató a Faren, que estaba inconsciente, cortando la enorme garganta de la bestia.

Mientras están sentados leyendo el libro, Faren la besa y le dice:

—Si sientes la necesidad de hacer esto, hazlo. Sé que eres muy fuerte. Si alguien puede detenerlo, esa eres tú.

Luego, se marcha, dejándola con su libro y con la sensación de que no es una cuestión de necesidad en lo más mínimo.

No sentía la *necesidad* de hacerlo.

Tenía que hacerlo.

CAPÍTULO 26

Antes de irme a la cama esa noche, recibo un correo electrónico de Wallace. No un mensaje de texto ni un comentario en el foro. Un mail real. Wallace nunca reenvía nada. Jamás sigue las cadenas. Si quiere decirme algo, me lo envía en tiempo real o me lo dice en persona.

Pero ahora veo su nombre en mi pantalla, y pulso sobre él sin dudarlo ni un segundo.

12/25/14, 11:21 p. m.

Para: Eliza Mirk <mirkerlurker@gmail.com>
De: Wallace Warland wallacewarland@gmail.com
Asunto: Tú me encontraste en una constelación

Sé que es raro enviarte un correo electrónico. Sé que ambos estamos sentados frente a nuestras computadoras: tú estás leyendo esto, y yo estoy sumergido en el mar de mi propia mortificación, deseando que se pudieran eliminar los correos después de haberlos enviado. No pude dártelo en persona, porque existía la posibilidad de que lo leyeras frente a mí. No pude escribirlo a mano, porque cuando terminara tendríamos cincuenta años, y ya no tendría ningún sentido.

Normalmente, siempre que escribo algo sé por dónde empezar. Pero no sé cómo empezar esto. Hay tantas cosas que quisiera decir, pero no quiero asustarte. No puedo explicar con palabras cuánto deseo no asustarte, y el miedo que tengo de hacerlo.

Bueno, empecemos con esto: nunca he vivido en Illinois. Siempre he vivido aquí, en Westcliff. Iba a una escuela al otro lado de la ciudad, con Cole. Siento no haberte dicho la verdad. No es que no quisiera decírtela, pero me preocupaba que, si te decía de dónde era, pudieras descifrar el resto de lo que voy a contarte, y no sabía si quería que supieras todo esto.

Hace un tiempo, me dijiste que parecía jugador de futbol americano. Yo te respondí que solía jugar cuando era niño. Eso fue una verdad a medias; sí jugaba cuando era niño, pero dejé de hacerlo hasta la mitad del segundo año de preparatoria. Y además era bastante bueno. Logré entrar al equipo universitario. Todavía conservo esa carta. Mis compañeros de equipo me llamaban Warfield Wallace porque era experto haciendo mierda a los contrincantes.

No, perdón, eso también es mentira. Me llamaban Warfield Wallace porque era una aliteración, un juego de palabras con mi apellido, y mucho más intimidante que solo Wallace.

Perdón. No estoy en mi mejor momento hoy.

Me encantaba jugar futbol americano. Golpear a la gente, trabajar en equipo y estar con mis amigos. Me encantaba ganar, y lo orgulloso que esto hacía sentir a papá. No a Tim, sino a mi verdadero papá, mi papá biológico. Él amaba el futbol. Era un tipo corpulento, al que le gustaba hacer carnes asadas al aire libre, los juegos pirotécnicos del Cuatro de Julio y lanzar a sus hijos a las albercas. Su risa era tan fuerte que se escuchaba a más de un kilómetro de distancia. En pocas palabras, era un estadounidense típico. No era una persona religiosa, pero leía el *Westcliff Star* todas las mañanas durante el desayuno como si se fuera a ir al infierno si no lo hacía.

Te doy un poco de contexto sobre papá: nunca terminó la universidad. Su familia no tenía el dinero suficiente para pagarla. Consiguió un empleo en el cubículo de una oficina, donde trataba de vender cosas a la gente por teléfono. Muchas horas de trabajo y poca paga. Ya estaba casado con mamá —que no es Vee— y ella estaba embarazada de mí. No sé si se casaron porque mamá se embarazó, o si lo hizo después de haberse casado. Supongo que no es importante. A papá no le gustaba hablar sobre esa época, por eso no sé mucho al respecto. Mamá lo abandonó antes de que yo cumpliera un año. No la recuerdo, así que nunca me afectó, pero algunas veces papá se ponía mal.

Uno o dos años después, papá conoció a Vee y tuvieron a Lucy. Las cosas empezaron a marchar bien. Papá es la razón de que a Lucy le gusten tanto los deportes. Siempre quería que nos pusiéramos nuevos retos. Si algo nos parecía muy difícil, significaba que había más razones para intentarlo. Lucy se saltó un grado en la escuela por eso. Papá también se retaba a sí mismo. Cuando llegaba a casa del trabajo, se transformaba en una persona más alegre, colorida y llena de energía. Nos ayudaba con los proyectos escolares y con los entrenamientos. Siempre estaba involucrado en todo.

También había partes oscuras. Nunca dejaba que las viéramos, pero algunas veces lo encontré en la cocina durante la madrugada encorvado sobre la mesa, con la cabeza entre las manos. Cuando creía que no había nadie más en la casa durante el día, miraba fijamente hacia la puerta de entrada, como si la calle fuera una Tierra Prometida inalcanzable. Siempre que hacía carnes asadas, preparaba comida extra para todos y él no comía nada. Si estábamos a solas él y yo, se quejaba de su trabajo y me prohibía dedicarme a cualquier cosa que me hiciera infeliz, incluso si eso significaba no tener comida, ropa o un techo.

¿Alguna vez has visto así a tus papás? ¿En ese momento en que se convierten en personas? Me imagino que sí. Te toma por sorpresa, ¿no? Un día son tus papás, y al otro dicen algún comentario racista, se hacen una herida que tarda mucho en sanar, o cometen un error sin importancia mientras manejan, y entonces la fachada desaparece y se convierten en simples mortales como el resto de nosotros. Una vez que la fachada desaparece, nunca más regresa.

Esa oscuridad lo convirtió en un ser mortal. La vi en él un día antes de su muerte, pero me negué a aceptarlo. No debí haberlo hecho. Debí decírselo a Vee, a un doctor, o a cualquier persona. Durante las vacaciones de invierno de mi segundo año de preparatoria, estábamos conduciendo a casa de regreso de un viaje a Tennessee con la familia de Vee. Solo íbamos él y yo; Vee y Lucy regresarían al día siguiente. Papá estaba quejándose conmigo como solía hacerlo. Había conseguido algunos días de descanso del trabajo, pero no muchos, y me hizo jurar que nunca acabaría en un trabajo como el suyo. Nunca lo había visto tan alterado. Le dije que sería más inteligente conseguir un trabajo que pagara bien, al menos al principio. No sería tan terrible, siempre y cuando no lo convirtiera en mi vida.

Eso solo lo hizo enojar más. Ahora sé que no estaba en sus cabales. En ese momento, empezó a gritar incoherencias. Cuando detuvo el auto y me ordenó que bajara de él, pensé que estaba bromeando. Era casi enero, hacía muchísimo frío y faltaban varios kilómetros para llegar a casa. Me sacó del auto justo antes de llegar al Puente de Wellhouse y siguió manejando.

En el instante en que pisó el acelerador, el estómago me dio un vuelco. Un vuelco real. Como si papá ya no estuviera allí. A veces la premonición de algo que va a suceder es peor que el acontecimiento real, porque sabes lo que va a pasar y no puedes hacer nada para detenerlo. Iba demasiado rápido tratándose de la Curva de Wellhouse, incluso aunque el camino no hubiera estado cubierto de hielo.

El *Westcliff Star* suele contar a papá entre los otros accidentes que han sucedido en ese lugar. El autobús de la banda escolar. Los adolescentes ebrios. La mujer con los niños. Creen que fue el hielo lo que lo sacó de la carretera, pero yo estaba ahí parado observando, y sé que el auto avanzó en línea recta como una flecha hasta el momento en que desapareció por la colina. Crucé el puente a toda velocidad detrás de él, pero me resbalé sobre una capa de hielo, golpeándome la cara contra el suelo y rompiéndome la nariz. Me levanté y seguí corriendo. Una caída desde la pendiente de la Curva de Wellhouse nunca es ligera, y no recuerdo cómo pasó, pero sé que también me rompí la pierna antes de llegar al fondo. Fue una de esas fracturas de hueso que no sientes en el momento debido a la adrenalina, la conmoción y el miedo. El auto estaba al fondo, sobre las cuatro llantas. Pero cuando llegué al otro lado, vi que la parte delantera estaba destrozada y el cuerpo de papá colgaba del parabrisas.

Papá murió en cuanto el auto chocó contra el suelo. Si avanzas directo por la Curva de Wellhouse a esa velocidad, lo más probable es que te mueras. No recuerdo haber llamado una ambulancia, pero sí que mi teléfono estaba manchado de sangre cuando lo alejé de mi cara. No recuerdo haber intentado sacar el resto del cuerpo de papá a través del parabrisas, pero sí estar sentado en la nieve frente al auto, mirando sus ojos vacíos mientras papá estaba tendido sobre los pliegues tipo acordeón del toldo. No recuerdo cuando llegaron los paramédicos y empezaron a preguntarme si yo iba en el auto con él, pero debo haber respondido que sí, porque así fue publicada la historia.

Eso es lo que ponen en el *Star*, ¿no? Dicen "un hombre y su hijo" cuando mencionan a todas las personas que se han salido por esa curva. Solo he leído una vez más el *Star* desde entonces, dos días después, y nunca más he vuelto a hacerlo.

Papá no se resbaló por el hielo. No estaba borracho, ni se quedó dormido mientras manejaba. Cuando me preguntaron cómo había sucedido, dije que no podía recordarlo. Todavía sigo diciendo lo mismo. Ni siquiera se lo he dicho a Vee, pero creo que ella lo adivinó. Papá ya no quería estar aquí. Estaba fastidiado de su trabajo, de nunca tener dinero suficiente, de recibir gritos de gente extraña. Era infeliz. Cruelmente infeliz.

No dejé de hablar a propósito. Fue algo que simplemente sucedió. Hace un año, no podía hablar con nadie por ningún motivo. Me gustaría decir que lo intenté y que no salían las palabras, pero no fue así. El simple hecho de intentarlo era aterrador.

Sin embargo, todavía podía escribir. Me gustaba *Mar Monstruoso* desde antes del incidente de la Curva de Wellhouse, pero no se lo conté a nadie, porque mis amigos no lo hubieran entendido. Después de lo que pasó, no podía hacer nada porque tenía la pierna rota, así que dediqué todo mi tiempo a escribir *fanfiction*. Me encanta jugar futbol americano, pero escribir me proporciona una felicidad que los deportes no pueden darme. Ya hemos hablado antes de esto. Cuando haces ese descubrimiento que permite que entre toda la luz.

Pasé otro año y medio en mi antigua escuela siendo "el Chico que sobrevivió a la Curva de Wellhouse y no volvió a hablar". Cuando mi pierna se recuperó no volví a jugar futbol, así que la mayoría de mis amigos desaparecieron. Pensé en regresar a la Curva de Wellhouse, porque tal vez me ayudaría, pero nunca logré detener el auto cuando pasaba junto a ella. Así que no lo hice.

Las cosas empezaron a mejorar. Vee se casó con Tim. Yo empecé a trabajar con Bren y sus perros. Me introduje al mundo virtual y empecé a escribir. Me obligué a hablar cuando estaba en casa. También con Cole, Megan y los otros cuando empezamos a reunirnos en Murphy, pero todavía no puedo hacerlo cuando hay grandes grupos de gente alrededor. Empecé el último año de la preparatoria en mi antigua escuela, pero para entonces ya me había convertido en el fenómeno local, por lo que Vee y Tim aceptaron que me transfiriera a Westcliff, donde solo los jugadores de futbol americano podrían reconocer mi nombre.

La única otra persona que conocí en la escuela a la que le gustaba *Mar Monstruoso* era Cole, y él es el típico idiota que solo se junta contigo en público si es una situación social ideal, así que solo hablábamos cuando estábamos en Murphy. Y luego te conocí a ti. Tenías todo un cuaderno de dibujos lleno de *fan art* de *Mar Monstruoso*, y además me defendiste. La mayoría de las personas nunca hacen eso; ¿qué clase de chico de cien kilos necesita que alguien lo defienda? La verdad es que al principio creí que me odiabas. O por lo menos que pensabas que yo era un estúpido. Casi toda la gente cree que lo soy porque no hablo y porque escribo lentamente.

Pero tú respondiste mi mensaje. Y te encanta crear cosas. Y me entiendes cuando digo que no quiero pasar el resto de mi vida haciendo algo que odio. Si ya sabes lo que quieres hacer, si sabes lo que amas, ¿por qué no hacerlo? Encuentra una manera de hacerlo. De ganar dinero con eso. Papá odiaba lo que hacía, y creo que esa fue la causa de que se terminara odiando a sí mismo. No quiero odiarme. No quiero que tú te odies.

Sé que ninguno de los dos somos las personas más sociables del mundo. Te escribo todo esto en un correo electrónico porque sé que si trato de decírtelo en tiempo real terminaré desmayándome por el estrés, incluso si hubiera una pantalla entre nosotros. En este momento estoy a punto del desmayo, y eso que estamos en distintos lugares y que no tengo que enviártelo si no quiero. Creo que será mejor que termine de escribir antes de que algo malo suceda.

Me gusta estar contigo. Me gusta sentir que no hay nada mal conmigo. Me gusta poder pensar en otra cosa por la noche que no sea la Curva de Wellhouse. Sé que debería buscar ayuda para volver a hablar, pero por el momento estoy bien así. Estoy feliz.

Espero que tú también estés feliz.

Wallace

CAPÍTULO 27

Cuando recorro la pantalla hasta el principio del correo, siento la cabeza vacía y un zumbido en los oídos. Mis dedos parecen hechos de gelatina. Nadie me había dicho nunca algo tan importante. Es como si Wallace se hubiera quitado una máscara, dejando al descubierto su misma cara, solo que ahora puedo ver cómo cambia la expresión.

Todo este tiempo he sido una quejumbrosa y una mocosa malcriada.

Y entonces veo el asunto del correo.

12:05 a. m. (MirkerLurker se ha unido a la conversación)

MirkerLurker: Chicos, ¿alguno de ustedes está por aquí?

MirkerLurker: Tengo una pregunta.

MirkerLurker: No tengo idea de qué hacer...

12:25 a. m. (emmersmacks se ha unido a la conversación)

emmersmacks: Perdón.

emmersmacks: Últimamente me he ido a la cama demasiado temprano.

emmersmacks: O sea, qué onda con eso, ¿no? Tengo catorce años.

emmersmacks: Debería poder "taclear un Monty D" y seguir despierta.

emmersmacks: Bueno, como sea.

emmersmacks: Qué ocurre.

MirkerLurker: No sé qué significa "taclear un Monty D", pero me gustaría escuchar sobre tus problemas mucho más de lo que quisiera hablar sobre los míos.

emmersmacks: En la universidad hay unas cosas que se llaman proyectos y si quieres sacar una buena calificación debes trabajar muy duro en ellos hasta la madrugada durante muchas semanas.

MirkerLurker: También tenemos esos en la preparatoria.

emmersmacks: Jaja, no, créeme que no.

emmersmacks: Ven a estudiar ingeniería mecánica y luego hablamos sobre tus proyectos.

emmersmacks: Si de verdad quieres saber más sobre el tema puedo seguir...

MirkerLurker: No, no, por favor.

MirkerLurker: Tengo problemas del tipo Wallace.

emmersmacks: Ay no.

emmersmacks: ¿¿Algo grave??

MirkerLurker: No. Más bien del tipo "utilizó la frase Me Encontraste en una Constelación" después de decirme algunas cosas superimportantes y ahora no sé qué decirle.

emmersmacks: O.O

emmersmacks: ¿Te dijo la frase de la constelación?

emmersmacks: Guau debes gustarle muchísimo.

emmersmacks: ¿¿¿Él no te gusta a ti???

MirkerLurker: ¡Claro que sí!

MirkerLurker: Pero ¿qué se supone que debes responder cuando alguien te dice eso?

MirkerLurker: Y ni siquiera es ese el problema, dijo la frase, pero también dijo todas esas otras cosas. Cosas que nunca le había dicho a nadie.

emmersmacks: Dile que lo amas.

MirkerLurker: Gaaah. No es ese tipo de conversación. Las cosas que me dijo son... confidenciales.

emmersmacks: Sí lo amas, ¿¿verdad??

MirkerLurker: ¡No sé! ¿Cómo puedes amar a alguien que ni siquiera sabe quién eres en realidad? Le estoy mintiendo todo el tiempo, y él me dijo cosas personales. Cosas serias. Cosas que importan.

emmersmacks: Suena intimidante.

MirkerLurker: No, la verdad es que no lo fue. No en la forma en que lo hizo.

MirkerLurker: ¿Dónde está Max cuando lo necesitas? Él podría explicarme lo que le gustaría escuchar a un chico en una situación así.

emmersmacks: Lo más probable es que Max no aparezca por aquí en un rato.

MirkerLurker: ¿Qué? ¿Por qué?

emmersmacks: Su novia terminó con él hace un par de días.

emmersmacks: Le dijo que pasaba mucho tiempo en línea.

emmersmacks: Así que ahora va a reconsiderar su vida o algo así.

MirkerLurker: ¿Por qué no me lo dijo?

emmersmacks: Sí lo hizo.

emmersmacks: Hace unos días en una cadena de mensajes.

MirkerLurker: Ah.

emmersmacks: Pero de todas formas no creo que realmente necesites la perspectiva de un chico.

emmersmacks: A ver.

emmersmacks: ¿Qué te gustaría escuchar si le contaras esas cosas a alguien?

CAPÍTULO 28

No puedo ni pensar en el mensaje de Wallace, así que espero hasta regresar a clases. ¿Qué debería decir? ¿Qué puedes decir a una cosa así en un correo electrónico sin que suene falso?

Wallace entra lentamente al salón para la hora de Tutoría y se sienta junto a mí, como siempre. Saca un papel y un lápiz, y empieza a escribir cuidadosamente un mensaje, como siempre. Lo desliza sobre mi escritorio, como siempre.

"Los aretes de la profesora Grier parecen dos vibradores".

El sonido de mi risa hace que volteen hacia mí algunas cabezas, incluyendo la de la profesora Grier. Sus aretes —que probablemente son berenjenas, pero parecen vibradores— se sacuden, y eso me hace reír con más fuerza. Luego de un largo segundo logro recobrar la compostura suficiente para escribirle en respuesta.

"Quisiera pensar que ya lo sabe y que los usa de todas formas para fastidiar a la dirección escolar".

Wallace suelta una carcajada ahogada, y luego se queda en silencio. Es un silencio denso e incómodo, como el que se produce cuando dos personas saben que están gritando interiormente y preguntándose por qué la otra parte no puede leer sus pensamientos.

Yo estoy pensando: "¡Tú eres el chico sobre el que leí ese artículo en el *Westcliff Star*!".

Y también: "Tu papá se suicidó y yo sigo sin poder asimilar la noticia, así que no puedo ni imaginarme cómo debes sentirte tú".

Y por último: "Me alegra muchísimo que me lo hayas contado, pero soy tan mala para hablar que no sé cómo decírtelo".

Wallace permanece sentado en silencio con una expresión en su cara que indica que debe estar gritando mucho más fuerte que yo. Mantiene el papel doblado bajo sus manos por un minuto, mira alrededor del salón y finalmente escribe:

"¿El correo?".

¿Qué me gustaría que alguien me dijera después de decir algo así? ¿Si perdiera a uno de mis papás de ese modo? ¿Si tuviera miedo de actuar igual? ¿Si me hubieran alejado de las cosas que amaba y de los amigos que tenía? ¿Si estuviera feliz y quisiera decírselo a alguien?

Escribo:

"¿Estás bien?".

Wallace escribe:

"Creo que sí".

Estoy increíblemente fuera de mi elemento en esta situación, pero, maldita sea, puedo aprender a mantener la cabeza fuera del agua si me esfuerzo lo suficiente. Sé que en este momento Wallace necesita que lo haga.

Él me contó su verdad, y yo no pude contarle la mía; al menos puedo hacer esto por él. Escribo diálogos así todo el tiempo. Dibujo conversaciones importantes que transforman a los personajes. Tal vez no pueda decir estas cosas en voz alta, pero sí sé cómo plasmarlas en un papel.

Escribo:

"Esto no cambia las cosas entre nosotros".

Wallace toma el papel, lo lee y luego apoya la frente sobre sus manos. La hoja me impide ver su cara. Aspira por la nariz algunas veces suavemente y sin hacer ruido, lo cual podría no significar nada. Nadie a nuestro alrededor presta atención a lo que sucede entre nosotros. Cuando baja las manos para volver a escribir, se ve normal excepto por un ligero enrojecimiento debajo de sus ojos.

Su lápiz flota sobre el papel. Wallace garabatea —realmente es un garabato escrito a toda velocidad— la palabra *Genial*, y me regresa el papel.

Espero algunos minutos antes de escribir:

"El asunto del correo fue tremendo".

No puedo dejar de mencionarlo, y mientras más rápido mejor. Las orejas de Wallace se ponen rojas.

"Superñoño, ¿verdad?".

"Un poco".

"Fue lo único que se me ocurrió".

Es extraño que alguien me escriba la segunda frase más famosa de mi propia obra, y que la diga en serio. Es mucho más extraño ahora que sé por qué su nariz está torcida y por qué no habla en voz alta en público. Pero él no sabe quién soy. No la dijo para halagarme ni para burlarse de mí.

Tengo que decirle que soy LadyConstellation. Todo está fuera de balance ahora, aunque él no lo sepa. Pero tengo que hacerlo de la manera correcta, y en el momento indicado.

Así que escribo:

"Son como muchas cosas para procesar. Pero no en un mal sentido".

Wallace asiente con la cabeza.

La primera mitad del semestre se convierte rápidamente en un proceso de investigación para descifrar cómo decirle a Wallace que yo soy la creadora de *Mar Monstruoso*. No puedo ni imaginar lo que hará, o cómo tomará la noticia.

Especialmente después de ese correo, que leo por lo menos una vez al día.

Sé que debería mirarlo directamente a los ojos y decírselo, pero cada vez que intento hacerlo, mi cuerpo se rebela violentamente. Durante la hora de Tutoría, en el almuerzo, sobre las gradas detrás de la escuela secundaria —que ahora más bien es "dentro mi auto detrás de la escuela secundaria", porque enero en Indiana es como los juegos de entrenamiento del frío para el mes de febrero— en mi casa, en su casa, en Murphy y en todas partes.

Cuando miro a Wallace, no veo la Curva de Wellhouse, como pensé que sucedería. Solo lo veo a él. Le creo cuando me dice que está feliz. La primera vez que cruzamos la Curva de Wellhouse, de camino a Murphy, lo miro de reojo y Wallace sacude la cabeza, sonriendo un poco.

—No me veas —dice.

Cuando cruzamos la Curva de Wellhouse, lo único que veo es la pendiente y el asombro.

Hablamos sobre el correo lo menos posible. Cuando estamos juntos, hacemos la tarea para tratar de mejorar nuestras calificaciones. Wallace se encarga de revisar la tarea de Historia, Inglés (obviamente), y casi el noventa por ciento de los cursos optativos; yo estoy a cargo de la tarea de Matemáticas, los cursos de Ciencia, y el diez por ciento restante de las materias optativas, es decir, la clase de Arte. La única razón por la que Wallace toma ese curso es porque odia las indicaciones en la clase de Escritura Creativa; yo no tomo la clase de Arte porque todo el mundo sabe que el profesor es un fisgón, y seguramente encontraría los recuadros de *Mar Monstruoso* en mi cuaderno de dibujo.

Gracias a esos días antes de Navidad y a la semana de Año Nuevo, en que no nos vimos en persona, tuve tiempo para ponerme al corriente con *Mar Monstruoso*, y ahora tengo algunas páginas de sobra y el impulso para seguir adelante. El número de lectores no deja de aumentar. Publico algunos dibujos más como MirkerLurker, y Wallace me dice lo mucho que le gustan a la gente. Me niego a leer los comentarios. Recopilo la siguiente novela gráfica para la tienda, y casi me ahogo cuando me entero de la enorme cantidad de personas que la compraron durante las siguientes tres horas después de su publicación. Supongo que no debería sorprenderme, tomando en cuenta las vistas que las páginas registran en línea, y la meteórica popularidad de los capítulos transcritos por Wallace —que casi han igualado las vistas de las páginas del cómic— pero, aun así, no deja de asombrarme. Igual que mi reloj despertador todas las mañanas.

De vez en cuando veo a Max rondando por los foros, bloqueando a alguien o cerrando secciones antiguas con su cuenta de Forges_of_Risht, y Emmy aparece durante las transmisiones de *Dog Days*, pero nuestros mensajes son pocos y espaciados. Normalmente hablamos siempre que Emmy tiene tiempo entre alguna de sus clases, y cuando Max decide conectarse. A veces siento que veo más a Cole, Megan, Leece y Chandra que lo que hablo con Max y Emmy. Los amigos de Wallace me caen bien, pero no dejo de sentir que son *sus* amigos. Quiero recuperar a *mis* amigos.

Cuando llega febrero —con un encantador clima de temperaturas bajo cero, lo suficientemente frías para congelarte el cerebro si respiras por la boca— siento como si conociera a Wallace desde hace cinco años en vez de solo cinco meses. Ninguno de los dos vuelve a hablar sobre su correo, y espero que a Wallace le parezca bien, porque a veces tratar de descifrarlo es como querer leer un muro de ladrillos. Su expresión natural es completamente neutra; cuando cambia lo hace rápidamente, y nunca dura demasiado.

Wallace dijo que no necesitábamos hablar sobre su correo, acerca de las cosas que dijo y de su papá. Sí lo hicimos, más o menos, aunque no en voz alta. Y ahora siento que deberíamos hacerlo. Ambos somos expertos en internet, en moldear nuestros mensajes para darles el significado que queremos y el que creemos que deben tener. En Internet puedo mentir, porque la gente no puede escuchar mi voz.

Pero cuando estoy a solas con él, no puedo mentir, no soy tan buena actriz. Espero que él lo sepa.

—Tu correo —digo una tarde, mientras estamos acostados en el colchón del cuarto de Wallace en el sótano.

Estoy recostada sobre la curva de su brazo. Wallace tiene su mejilla apoyada contra mi cabello. Ambos llevamos puestos nuestros pantalones deportivos. Los libros escolares están esparcidos alrededor de nuestras piernas, y Wallace tiene en una de sus manos mi último ensayo de Inglés, y en la otra una pluma roja. Ahora estoy segura de que esa vieja camiseta de futbol americano clavada en su pared, la que tiene escrita la palabra WARLAND y el número 73, alguna vez perteneció a su papá.

No digo nada más, y al cabo de un momento Wallace gira la cabeza. El ensayo y la pluma están apoyados ahora sobre mi pierna.

—Mi correo —repite.

—Nunca hablamos realmente de ese tema.

—No sabía si querías hacerlo —el volumen de su voz disminuye lentamente. Puede hablar perfectamente sobre errores gramaticales, pero no sobre esto.

—Quería decirte… Siento mucho lo que pasó con tu papá. Todo lo que pasó. Pero me alegra que estés feliz. Y me da gusto —en verdad me da muchísimo gusto— que hayas sentido que podías contarme todo eso. Mejor dicho, estoy feliz por eso.

Su brazo me estrecha con más fuerza.

—Pensé que tal vez había sido… demasiado.

—No lo fue. Lo que dije… lo que escribí… en clase

fue verdad. O sea que sigo… —doy unos golpecitos con mi dedo sobre sus costillas sin fijarme realmente en el lugar que estoy tocando—. Sigo aquí.

Primero desaparece el ensayo, y luego el grueso brazo que hacía las veces de mi almohada. Wallace me empuja sobre mi espalda y hunde su cabeza en el espacio de mi cuello. Suelto una risita porque no puedo evitarlo. Mis manos encuentran sus hombros. Wallace hace esto a veces: un beso lento y suave en mi clavícula; otro en mi cuello. El beso del cuello es demasiado, como si fuera una bola instantánea de nervios. Estoy segura de que no sabe lo que ese beso me provoca, porque de lo contrario no se detendría. Wallace se incorpora para poder verme a los ojos. Nuestras narices casi se tocan. Baja la vista y yo cierro la boca de golpe. Sus dedos recorren mis costados y yo no puedo respirar. No puedo respirar nada.

—Genial —dice.

Rodeo su cuello con mis brazos y lo jalo hacia mí. El peso de su torso descansa sobre el mío y su frente está apoyada sobre la almohada. Su respiración es entrecortada. Antes de poder evitarlo, recorro su cabello con mi mano; los pequeños y puntiagudos vellos a lo largo de su nuca y la parte trasera de su cuello, y también los mechones más largos y suaves en la parte superior de su cabeza. Wallace gira su cara hacia mí, y yo sigo con mi dedo la línea del mechón de cabello que ha caído sobre su frente.

El agua recorre las tuberías del piso superior. Se escucha un reloj marcando las horas en la oscuridad. Uno de los ojos de Wallace cambia de color a un tono ámbar bajo la luz amarilla de su lámpara. El deseo se despierta en mi interior, rápido y con fuerza, y en ese instante sé que ya no podré contenerme. No quiero seguir siendo esa chica congelada, pero ya no puedo esperar a que llegue alguien a descongelarme.

Inclino la cabeza hacia adelante, y él hace lo mismo. El calor se precipita hasta mi cara y Wallace debe sentirlo en mis labios. Seguramente puede darse cuenta de que nunca he besado a nadie. Aparto mi cara, bajando la barbilla. Wallace busca mi cara con la suya.

—Se supone que tenía que sorprenderte —dice.

—Te tardaste demasiado —respondo.

Giro mi cara hacia la almohada y mi cabello cae sobre ella formando una especie de cortina. Wallace la retira y besa mi ceja, mi mejilla y mi nariz. Luego se inclina sobre mí y acaricia mi oreja. Un cálido escalofrío me recorre toda la espalda.

No tiene ninguna lógica ni sentido que otra persona pueda provocar todo esto. Porque ni siquiera está hablando, solo son caricias. Solo miradas. Cuando Wallace me mira siento como si fuera yo misma y al mismo tiempo otra persona. Como si estuviera aquí pero sin estarlo, como todo y nada.

—¿En qué piensas? —pregunto.

Wallace está acostado sobre su costado, con su cuerpo parcialmente apoyado sobre el mío, y dice:

—¿Te acuerdas de esa escena en *Mar Monstruoso* donde Dallas le pide a Amity que lo bese al menos una vez antes de partir, porque tiene miedo de no volver a verla?

—Sí.

—¿Y te acuerdas de lo que dice Dallas cuando Amity lo besa?

Por supuesto que me acuerdo. Yo lo escribí.

—"Justo como lo imaginé" —digo.

Wallace asiente con la cabeza.

Sé que la mayoría de las personas pensarían que es ridículo o estúpido explicar las cosas de este modo, en escenas y diálogos, pero ambos dominamos a la perfección el idioma de *Mar Monstruoso*. Así es como puedo entenderlo mejor.

—Soy pésima para esto —digo.

—No, no lo eres —responde.

—Nunca había besado a nadie —digo, con la cara todavía caliente.

—Sí lo habías hecho —dice, con esa pequeña sonrisa.

Lo empujo, pero no se mueve ni un centímetro.

—Cállate. Tú te la pasas escribiendo *fanfiction* obsceno todo el día.

—Discúlpame, pero yo no escribo obscenidades. Si decido incluir una escena sexual, siempre es de buen gusto y elegante —dice, inclinándose sobre mí, para que no pueda moverme ni mirar hacia otro lado—. Además, no necesitas tener experiencia real para escribir cosas obscenas. Ni siquiera tienes que haber besado a alguien.

—No quieras hacerme creer que éste es tu primer beso.

—De acuerdo, no lo haré.

Lo empujo de nuevo, pero esta vez atrapa mis muñecas y sostiene mis manos contra su pecho.

Está tan cerca de mí que lo único que tengo que hacer

es estirar mi barbilla. Wallace vuelve a acercarse. Este beso es más profundo y largo que el anterior. Mi cara está ardiendo, pero no me muevo de donde estoy. Ya me he escondido muchas veces en mi vida. Me escondo de mis compañeros de clase todos los días. Me escondo de mis papás, de mis hermanos y hasta de mis amigos.

Tal vez esté ocultando a LadyConstellation de Wallace bajo la apariencia de Eliza Mirk, pero en este momento no está besando a LadyConstellation.

Está besando a Eliza. Soy yo.

Ya no quiero seguir escondiendo esta parte de mí.

La primera vez que Amity vio a Kite, estaba parada en medio del cuadrilátero, con los brazos cruzados sobre el pecho. Su piel era de un tono marrón más oscuro que el suyo.

—¿De dónde eres? —balbuceó Amity en el instante en que Kite había terminado su escueta presentación. La mujer de edad avanzada alzó la nariz y con una apariencia ligeramente real dijo:

—De las Islas de la Luz. Y eso es todo lo que necesitas saber. Sato me ha dicho que no tienes ninguna experiencia formal de combate.

—No. Pero soy veloz, y aprendo rápido.

Mientras Kate la inspeccionaba, Amity tenía la sensación de que no le agradaba, lo cual no era ninguna sorpresa. Amity no solía caerle bien a las personas durante el primer encuentro, pues se sentían intimidadas por sus ojos anaranjados, su cabello blanco y el hecho de saber que el Observador vivía dentro de ella —pero esto no facilitaba la idea de tener que pasar los siguientes meses entrenando con Kite.

—¿Estás lista? —preguntó Kite.

Amity no supo si Kite se refería al cuadrilátero, o si hablaba de cazar a Faust. Aunque solo había una respuesta posible.

—Sí.

CAPÍTULO 29

Cuando llegan las vacaciones de primavera, a principios de marzo, mis papás deciden que ya he pasado demasiado tiempo en mi habitación y se niegan a aceptar mi petición de no ir al campamento familiar de este año. Esto les pareció superdivertido a Sully y a Church. Eliza, la floja ermitaña, haciendo senderismo a través de la naturaleza con un paquete de provisiones y apestando a repelente para insectos.

No es que odie estar al aire libre, pero no entiendo para qué salir cuando hay tantas cosas que podría estar haciendo adentro.

Mis papás también me prohíben llevar mi cuaderno de dibujo en esta aventura, algo que me hubiera hecho explotar en un ataque de rabia desenfrenada si tuviera menos autocontrol. Nunca antes me habían quitado mi cuaderno de dibujo, y no creo que papá se haya dado cuenta de la onda expansiva de sorpresa y enojo que se generó cuando me dijo que regresara a mi habitación y dejara allí esa cosa.

Por lo menos, mamá y papá no dijeron nada sobre mi teléfono. Tal vez creen que no tendré señal, o quizá no se dieron cuenta de que lo llevo conmigo. En cualquier caso, lo mantengo bien guardado en mi bolsillo.

Durante todo el camino de ida a la guardería canina Amigos Felices, siento que las manos se me queman por sacarlo, y lo mismo sucede mientras conducimos por el largo camino de tierra entre dos espesas franjas de bosque. El equipo para acampar se sacude en la parte trasera de la camioneta. Sully y Church, que van sentados a mis costados, cantan al ritmo de la música pop que vibra en la radio. Mamá y papá los ignoran educadamente. Sully grita las letras de las canciones correctamente, pero un poco fuera de tono. Church lo hace bastante bien.

—Deberías hacer una audición para unirte al coro —digo, cuando termina la canción.

El cuello y la cabeza de Church se ponen completamente rojos.

—No —responde enojado—. El coro es estúpido.

Cierro la boca. Hasta aquí llegaron mis intentos por convivir.

—Ay, qué tierno, el pequeño Churchy en el coro —dice Sully, riendo—. Si fueras corista podrías pasar todo el día con Macy Garrison.

—Creí que ibas a invitar a Macy Garrison a salir antes de Navidad —dice papá, mirándonos por el espejo retrovisor con un destello en sus ojos —. ¿Qué pasó?

—Nunca dije que lo haría —refunfuña Church, lanzándome una mirada asesina—. Muchas gracias. ¿Por qué no te quedaste en casa con tu novio?

—Mamá y papá no la dejaron —dice Sully, todavía riendo—. Creen que va a invitarlo a casa para tener sexo.

Siento un volcán en mi interior.

—Ay, Eliza, no lo hicimos por eso —dice mamá, desviando la mirada del camino por un segundo para voltear a verme —. Si tú y Wallace deciden que quieren dar ese paso, la decisión depende completamente de ustedes. Por eso fuimos a ver a la doctora.

—Mama, *detente* —mi voz apenas se escucha.

—Es completamente saludable que los chicos de su edad empiecen a… ya sabes, a conocerse.

—De hecho, me sorprende que no lo hayan hecho todavía —añade papá—. En segundo año de preparatoria fue la primera vez que tu mamá y yo…

—*¡DETENTE!* —gritamos Sully, Church y yo al mismo tiempo, cubriéndonos los oídos con las manos. Mamá y papá se sorprenden tanto que dejan de hablar.

Quedamos en silencio como por tres minutos, y entonces mamá vuelve a la carga.

—Pues así es como los hicimos a ustedes tres.

—¡Cielos! —gruñe Sully.

Nos estacionamos en los sitios designados para acampar y recorremos como tres kilómetros colina arriba para llegar al lugar donde pondremos las tiendas. Desde antes de venir aquí sabía que esto no sería miel sobre hojuelas. Mis papás y mis hermanos preparan todo su equipo y empiezan la marcha dando un pequeño salto en cada paso. Yo voy cargando mis propias cosas —cambios de ropa para dos días, bocadillos, repelente contra insectos y bloqueador solar— y llevo puesta mi vieja ropa holgada y los zapatos de senderismo que mamá me compró porque no quería que me torciera un tobillo.

Casi tan pronto como comenzamos a escalar, el sudor empieza a gotear entre mis hombros. El sol pega con fuerza a través de los árboles. Estamos a finales del helado mes de marzo, y aun así es terrible. Empiezo a retrasarme casi instantáneamente. Camino jadeando, resoplando y limpiándome el sudor de los ojos. El dolor de espalda ya me está matando. Mis papás no disminuyen el ritmo, y Sully y Church, cuyas voces espantan a las aves de los árboles, les siguen el paso. Ni siquiera giran para ver en dónde estoy. No importa, porque vamos siguiendo un camino de tierra trazado entre los árboles que conduce hasta un sitio despejado para acampar en el bosque. Solía venir aquí cuando era pequeña, pero en los últimos años había logrado zafarme fingiendo estar enferma. Intenté hacer lo mismo esta mañana, pero papá dijo que me sentiría mejor cuando estuviera al aire libre. Sé exactamente hacia dónde se dirigen y cómo llegar allí, así que me detengo para sentarme en un tronco caído junto al camino y saco mi teléfono. La señal no es de lo mejor aquí afuera, pero al menos tengo un poco. Reviso mis mensajes. No hay nada de Wallace. Le dije que estaría en medio del bosque por dos días, así que lo más seguro es que no me envíe nada hasta que se asegure de que pueda leerlo. Pero sí tengo algunos mensajes nuevos de Emmy y Max. Abro la ventana del chat.

Apocalypse_Cow: Deberías decirle a ese profesor que se meta la cabeza por el culo.

Apocalypse_Cow: Pero utilizando mejores palabras. Obviamente. Una chica de doce años no debería decir esas cosas.

emmersmacks: Tengo catorce.

emmersmacks: Podría decir eso si me diera la gana.

emmersmacks: Pero no lo haré porque necesito sacar una buena calificación en ese examen.

Apocalypse_Cow: ¿Va a ser tu profesor el próximo semestre?

emmersmacks: No. Ésta es la última clase con él.

emmersmacks: Pero él es el único que la da así que si no paso tendré que tomarla de nuevo.

Apocalypse_Cow: Qué estupidez. Deberías hablar con el jefe de departamento y decirle que ese profesor te está discriminando por tu edad.

4:31 p. m. (MirkerLurker se ha unido a la conversación)
MirkerLurker: ¿Qué pasa?

Apocalypse_Cow: El jodido profesor de cálculo de Em no deja de discriminarla y burlarse de ella durante las clases por lo joven que es.

emmersmacks: No se burla de mí.

emmersmacks: Me dice bebé cada vez que señalo algún error en sus ecuaciones.

emmersmacks: Como si el error fuera mío y me enojara por eso o algo así.

Esa es una de las cosas que me encantan de Max y Emmy. Han pasado semanas desde la última vez que hablamos, y me permiten entrar de nuevo al grupo como si nada hubiera cambiado.

MirkerLurker: Pues eso suena a que sí se está burlando de ti.

MirkerLurker: De hecho, suena a que es un imbécil. Los profesores que llaman "bebés" a sus estudiantes son imbéciles, sin importar la edad de las partes involucradas. Deberías hablar con el jefe de departamento.

emmersmacks: Sí.

emmersmacks: Tal vez.

emmersmacks: Como les dije, solo tengo que terminar el resto del semestre y aprobarlo para no tener que volver a verlo.

Apocalypse_Cow: Estamos hablando en serio, Em. Eso no está bien. No debería hacer esas cosas.

Emmersmacks: ¿Podemos cambiar el tema?

—¿Descansando un poco, Huevito?

Doy un salto y levanto la vista. Papá viene caminando de regreso por el sendero, sonriendo, hasta que ve mi teléfono entre mis manos. Trato de guardarlo rápidamente en mi bolsillo, pero es demasiado tarde.

—Te dije que no me sentía bien —digo, levantándome y sacudiéndome los pantalones.

—Creí que habíamos quedado en no traer los teléfonos.

—Supongo que solo se lo dijiste a Church y a Sully, porque yo no escuché nada.

—Huevito…

—Estaba hablando con mis amigos —digo, mientras camino colina arriba rebasándolo.

—Pero ahora estás con tu familia. Estoy seguro de que tus amigos lo entenderán cuando regresemos en un par de días.

Se pone a mi lado, como si hubiera estado caminando junto a mí todo el tiempo, y estira la mano.

—Era un asunto importante —respondo, sin entregarle el celular.

—No lo dudo —dice, con una voz suave y tranquilizadora que me eriza la piel.

Su mano extendida me toma por el brazo.

—Eliza.

Me giro para verlo. Nunca me llama por mi nombre real.

—¡Es solo un teléfono! ¡De todas formas lo más seguro es que la señal sea un asco allá arriba! ¿Por qué siempre tienen que quitarme todo?

—Creo que puedes sobrevivir dos días sin tu teléfono —dice, usando su voz oficial de papá—. Y tu mamá estará de acuerdo conmigo. Así que entrégamelo.

Saco mi teléfono del bolsillo, se lo entrego furiosamente, y empiezo a subir el sendero siguiendo el eco de las voces de mis hermanos.

Papá camina detrás de mí, probablemente para asegurarse de que no vuelva a detenerme.

No planeo hacerlo. Estoy tan enojada que podría caminar días enteros sin parar.

Mamá, Church y Sully ya están en el campamento.

Church y Sully comienzan a pelear por nuestra tienda de campaña. Mamá ya ha montado la otra tienda.

—Ay, pobrecilla, pensé que te habías muerto allá abajo —dice Sully, mirando a Church—. Supongo que tendremos que compartir la tienda.

—Cállate, Sully —digo, lanzando mi mochila a la tierra.

Papá le dice algo a mamá en voz baja, mientras le muestra mi teléfono. Mamá frunce el ceño, toma mi teléfono y lo guarda en su bolsillo.

Me froto la cara con las manos. Mi cabello se adhiere a mis pegajosas mejillas y empiezo a sentir comezón en todo el cuerpo. El salpullido amenaza con aparecer. Antes de salir de casa tomé mi medicamento para la alergia. Además, tengo una inyección de epinefrina en mi mochila y mamá tiene otra, aunque sería un gran alivio si sufriera una reacción alérgica en este lugar y tuvieran que llevarme de emergencia al hospital.

Pero eso no va a pasar, porque no he tenido una reacción alérgica desde que tenía diez años.

Desafortunadamente.

Cuando las tiendas de campaña por fin están listas, el sol ya está debajo de los árboles y papá empieza a encender una fogata. Lanzo mis cosas dentro de la tienda más pequeña y entro en ella.

—Gracias por ayudarnos a montar la tienda, Huevo Podrido —dice Sully desde la fogata, mostrándome su dedo medio.

—¡Sullivan! —dice mamá, bajando su mano de un golpe.

Sully me enseña la lengua, pero lo ignoro. Bajo la puerta de la tienda de campaña y extiendo mi bolsa de dormir en medio del lugar. El poliéster es pésimo para ahogar los sonidos del bosque, y no tengo la menor intención de dormir junto a una de las delgadas paredes porque algo podría atacarnos en cualquier momento. Lo más probable es que no habrá ningún ataque, pero no pienso arriesgarme.

Mientras me meto al saco de dormir, mamá asoma la cabeza dentro de la tienda.

—¿No saldrás a comer *s'mores*[9]?

—No —respondo.

—¿Te sientes bien?

—Ajá.

Mamá hace una pausa.

—¿Estás así por tu teléfono?

—Estoy cansada.

—Queremos que pases más tiempo *aquí*, en el mundo real. Tu papá no quería hacerte enfadar, pero...

Su voz se desvanece cuando le doy la espalda y jalo la bolsa de dormir cubriéndome la cabeza. Mamá suspira.

—Sabemos que no quieres estar aquí. Y quizá... quizá no lo entendamos completamente. Me refiero a toda la situación. Los amigos virtuales, el webcómic e incluso la cuestión de los dibujos. Hemos tratado de entenderlo. Queremos hacerlo para poder comprender por qué es tan importante para ti. Nos asusta cuando vemos lo intensa que te pones y lo poco que sabemos al respecto. No hemos logrado que nos

---

9. Postre tradicional de Estados Unidos, que consiste en un malvavisco tostado y una capa de chocolate entre dos trozos de galleta.

lo expliques, así que estamos navegando a oscuras —Se queda en silencio un momento mientras espera a que voltee para verla. Pero no lo hago. Mamá suspira otra vez y se levanta. Sus botas crujen al caminar sobre la tierra y las ramas cuando regresa a la fogata.

Los cuatro hablan y ríen durante una o dos horas. El estómago me gruñe. No solo comieron *s'mores*, también cenaron. Finalmente, mamá los manda a todos a dormir. Finjo estar dormida cuando Church y Sully entran a la tienda y se acuestan cada uno a un lado de mí.

—¿Cómo es posible que ya esté dormida? —susurra Sully—. En casa se queda despierta como hasta las dos a. m.

—A lo mejor estaba cansada —responde Church con otro susurro.

—¿Cansada de qué? ¿De subir una colina?

Church no dice nada. Se meten a sus bolsas de dormir y susurran durante media hora sobre la temporada de soccer al aire libre que está a punto de comenzar. Ni siquiera sabía que ya había terminado la temporada bajo techo, mamá y papá solo me avisaban cuando tenía que llevarlos a entrenamiento o recogerlos. No supe cómo les fue. ¿Hubo algún torneo? ¿Trofeos?

—Oye, ¿en serio audicionaste para el musical de primavera? —dice Sully, después de un largo rato de silencio.

Church tarda un segundo en responder.

—Sí. ¿Por?

—Solo por curiosidad. ¿Por qué no me dijiste?

—Porque hubieras dicho que solo lo hacía por Macy Garrison.

—¿Y… no es así?

—No.

—Ah. Pero no vas a audicionar para el coro, ¿verdad?

—Tal vez.

—¿Por qué? —dice Sully, con un ligerísimo tono de burla en su voz.

—Porque *me gusta* —responde Church, enfadado—. No tenemos que hacer las mismas cosas. Tú deberías participar en las mateolimpiadas. Te gustan las matemáticas. Creo que serías bueno en eso.

—Las mateolimpiadas son para los cerebritos.

—Sull, tengo que decirte algo.

—No te atrevas a decirlo.

—Tú *eres* un cerebrito.

—No es cierto. Eliza es la cerebrito aquí.

—De hecho, creo que Eliza es una *friki*. He visto sus calificaciones. Comparada con nosotros, es pésima para la escuela.

—Eres un cerebrito por saber la diferencia.

—No me importa.

Sully no dice nada, pero puedo sentir a través de la oscuridad que está bufando del coraje. No sabía que Church podía hacerlo enojar con tanta facilidad. No sabía que a Sully le gustaban las matemáticas. No sabía que fueran tan buenos para la escuela. No sabía que Church es consciente de que canta bien… o que está interesado en el teatro musical.

He vivido con ellos toda su vida, pero hasta este momento siempre los había considerado como dos extraños.

Abro los ojos por un segundo. Estoy acostada frente a

Church, que me devuelve la mirada. Vuelvo a cerrar los ojos, haciendo de cuenta que no vi nada y que sigo dormida.

Sully empieza a hablar otra vez sobre futbol, en un intento por revivir la conversación, pero Church ya no responde. Entonces Sully también deja de hablar, y voltea soltando un gruñido. La tienda se queda en completo silencio. Ojalá tuviera un tazón lleno de huevos cocidos. Mis dedos sienten la necesidad de tocar mi teléfono, mi computadora, mi pluma, cualquier cosa. Hay tanta nada aquí afuera que ni siquiera puedo imaginarla. Estoy rodeada de tierra, olor a fogata y *s'mores* hechos con galletas rancias. Solo están mis hermanos, que de pronto han dejado de parecerme gemelos.

Esa noche no logro dormir casi nada.

Lo más probable es que mi teléfono se hubiera muerto antes de que el campamento terminara. Pero eso no facilita en lo más mínimo la caminata por el bosque. El primer día escalamos unas colinas impresionantes, porque Indiana no tenía suficiente con todas esas montañas. Casi me ahogo con mis propios pulmones espasmódicos. Church y Sully se burlan de mí. En la mañana del segundo día visitamos algunas cuevas, y por lo menos mamá y papá no me obligan a entrar, ni de broma me van a meter en un lugar tan estrecho, oscuro y encerrado. No me importa que vayan a explorar la cueva, he visto suficientes películas de terror para conocer el tipo de leyendas urbanas retorcidas que habitan en esos lugares.

Me siento afuera de la cueva y dibujo a Amity y a Damien con un palo en la tierra. Ninguno de ellos tenía papás que les dijeran qué hacer o dónde ir. De hecho, una vez alguien me preguntó eso, por qué casi ninguno de los personajes tiene papás. A Amity la separaron de su familia. Faren era un huérfano de Isla Nocturna. Los papás de Damien y Rory murieron alrededor de los veinte años. Aunque eso no significa que todos hayan sido personas horribles, no lo hice para desquitar alguna agresión subconsciente hacia mis propios padres. Simplemente estaban ausentes.

No sé por qué. Tal vez *sí* fue algo subconsciente.

Obvio que sí. Todo el arte es subconsciente.

Clavo el palo con demasiada fuerza sobre la tierra, y la punta se quiebra. Lo lanzo hacia el claro y empiezo a buscar uno nuevo.

Me pregunto qué estará haciendo mi grupo de fans. Me pregunto qué estarán haciendo Emmy y Max. Probablemente Emmy está lidiando con ese imbécil profesor de Cálculo y, sin duda, Max estará intentando recuperar a su novia. O tal vez no. Quizá Emmy está comiendo un Starbust y viendo repeticiones de capítulos de *Dog Days*, y Max ya haya superado lo de su novia y esté listo para embarcarse en aventuras más emocionantes, como reorganizar sus figuras coleccionables de los Power Rangers. Mañana, cuando mamá y papá me devuelvan mi maldito teléfono, podré averiguarlo. Amity y Damien están viendo hacia la misma dirección, atacando a algún enemigo desconocido, por lo que dibujo frente a ellos un enfurecido generador de ocaso con el cuello largo, la mandíbula abierta y los colmillos extendidos. Al principio la escala del dibujo no está bien, así que lo borro con mi zapato y me levanto para dibujar al monstruo marino en su tamaño real.

Extraño a Wallace. Extraño a Max y a Emmy, y también a los fans, pero extrañaría a Wallace aunque tuviera mi teléfono y pudiera hablar con él. Extraño sentarme a su lado en Murphy, encajonada contra la pared por su enorme cuerpo. Extraño la forma en que sumerge su rollo de sushi por ambos extremos en la salsa de soya cuando salimos a comer. Extraño ver cómo se sacude el cabello de la frente con la punta de su pluma cuando está escribiendo algo, porque lo ha dejado crecer desde octubre, y ahora tiene que hacer eso todo el tiempo.

Por Dios, no han pasado ni siquiera cuatro días desde la última vez que lo vi. Es ridículo. Me acuesto pensando en él; me despierto pensando en él. Quiero dibujarlo, pero aún no lo he intentado. Lo único que me hacía sentir de este modo era *Mar Monstruoso*. Eso no significa que Wallace me haya robado eso, porque todavía sigo amando *Mar Monstruoso*. Sigo estando obsesionada con eso. Y tiene sentido, ¿no? Porque soy su creadora. ¿Quién no se obsesiona con las cosas que crea o que ama? Las ideas son la reproducción asexual de la mente. No tienes que compartirlas con nadie más.

Pero a Wallace… a él lo comparto con muchas personas. Wallace no me pertenece, así como yo tampoco le pertenezco, pero lo deseo. Quiero abrazarlo, quiero estar cerca de él, quiero meterme dentro de su mente y vivir ahí hasta que logre entender la manera en que funciona. Quiero que sea feliz. Me pregunto qué pensaría de este dibujo que hice sobre la tierra. Probablemente diría que es bueno, pero que me olvidé de dibujar los cuernos del generador de ocaso.

Así que añado los cuernos.

Mi familia sale de la cueva. Church y Sully corren disparados hacia los árboles, gritando algo acerca del lago. Papá corre tras ellos, diciéndoles que no corran en el bosque. Mamá es la última en salir, y logra ver mi dibujo antes de que pueda deslizar mi pie por en medio para borrarlo, a pesar de que hago un enorme movimiento en curva. Maldito monstruo marino gigante.

—¿Sigues enojada con nosotros por haberte quitado tu teléfono? —pregunta mamá con voz suave, como si le pudiera arrancar la cara de una mordida.

Me encojo de hombros. No tengo permitido decirle que no, y tampoco voy a mentir para hacerla sentir mejor.

—No hacemos esas cosas para castigarte, ¿sabes?

Camino hacia los árboles para seguir a papá.

—Eliza, estoy intentando hablar contigo.

Me detengo y giro para poder verla a la cara. Mamá pone las manos sobre su cadera.

—No me veas así —dice.

—¿Cómo? —respondo.

—Como si te estuviera haciendo perder el tiempo. Yo te traje a este mundo, lo menos que puedes hacer es escucharme por dos minutos.

—De acuerdo. Habla.

Mamá se cubre la cara con las manos y peina los mechones sueltos de su cabello. Una mancha de tierra aparece en su sien izquierda.

—A veces…

Lanza un suspiro. Cuando mamá suspira significa que

quiere iniciar una conversación que según ella será larga y profunda, pero al final, si no estoy de acuerdo con lo que dice, siempre termino siendo la hija malagradecida.

—A veces —repite— no sabemos qué hacer contigo. Con tus hermanos las cosas son fáciles. Quieren practicar deportes, jugar videojuegos y comer todo lo que puedan. Nos cuentan sobre la escuela y sus amigos. Son como tu papá y yo cuando éramos más jóvenes. No teníamos internet cuando estábamos en la preparatoria. No teníamos teléfonos inteligentes. Y aunque los hubiéramos tenido, creo que no los usaríamos tanto como tú. Ay, lo siento, eso sonó terrible. Es solo que pasas tanto tiempo en línea que nunca sabemos si estás bien o no. No sabemos lo que sucede contigo. Eres tan reservada, y pasas tanto tiempo sola… Fue un gran alivio cuando Wallace empezó a ir a la casa. Lo que estoy tratando de decir es que sentimos que ya no te conocemos. No sabemos lo que quieres.

Hace una pausa, mientras me mira y espera una respuesta.

—*Mar Monstruoso* —digo, porque es lo único que me viene a la mente.

Mamá asiente con la cabeza.

—Y estamos orgullosos de ti por eso. Pero… ¿es todo?

Me encojo de hombros.

—La vida es mucho más que historias, Eliza.

Lo dice como si fuera tan simple. Lo dice como si tuviera elección.

Aquí llega otra vez la frustración, lista para actuar, y

viene acompañada de su mejor amigo, el enojo. Cierro los puños, mi estómago se retuerce en un nudo y aprieto la mandíbula con tanta fuerza que mis muelas rechinan en protesta. Mamá da un paso hacia atrás y luego vuelve a avanzar. Creo que va a abrazarme. No quiero que nadie me toque en este momento.

—Voy al lago —digo, girándome nuevamente.

Esta vez no trata de detenerme.

Sully, Church y papá ya están en la orilla del lago con su equipo para pescar. Hace demasiado frío para que haya peces, pero de todas formas están intentándolo. Mamá se une a ellos.

Me siento sobre una roca que sobresale por encima del lago e intento enojarme, pero no puedo mantener el enojo. Necesito volcanes en erupción, huracanes, terremotos enormes. Si estuviera trabajando en *Mar Monstruoso* en este momento, la sangre de los monstruos de Orcus hambrientos de carne gotearía por las páginas. Necesito venganza. No quiero escuchar a los pajaritos gorjeando sobre una enorme extensión de lago reluciente, y tampoco quiero sentir el viento ligero revolviéndome el cabello.

La naturaleza desafía mi enojo. La naturaleza desafía cada una de mis emociones. No puedo quejarme con ella, suplicarle ni descargar mi furia.

La naturaleza me ignora por completo.

6:43 p. m. 21 - Mar -17

MirkerLurker: Por fin logré salir del infierno.

rainmaker: Ja, ja, vamos, ir a acampar no es tan terrible. ¡Tierra! ¡Aire fresco! ¡FOGATAS!

MirkerLurker: Estoy segura de que tienes un problema. No es normal que te gusten tanto las fogatas.

rainmaker: Las fogatas son felicidad crepitante pura. Bueno, ¿y qué tal estuvo?

MirkerLurker: Mis papás descubrieron que llevaba mi teléfono y me lo quitaron. No me dejaron llevar mi cuaderno de dibujo ni nada. ¿Por qué tanto alboroto por un maldito cuaderno de dibujos?

MirkerLurker: Perdón. Sé que no debería quejarme por esto. Solo fueron un par de días. Pero siempre hacen este tipo de cosas, y no entiendo por qué no paran.

rainmaker: Creo que quieren pasar tiempo contigo. Tienes una cierta tendencia a desconectarte cuando estás trabajando.

MirkerLurker: ¿Y qué? Tú haces lo mismo.

rainmaker: Cuando digo "desconectarte" me refiero a que tengo que empujarte de la silla para atraer tu atención. No es muy normal que digamos. Entiendo por qué lo hacen. ¿No me dijiste que casi te olvidas de celebrar Navidad porque estabas trabajando en algo?

MirkerLurker: Bueno, sí, pero tenía que terminar unas cosas. Era superimportante.

rainmaker: Tal vez tengan razón. No es bueno apasionarte a ese grado y tan frecuentemente por las cosas. Quizá deberías buscar ayuda profesional.

MirkerLurker: Qué divertido. Tú diciéndome que debo buscar ayuda.

rainmaker: Pésima tu actitud, Eliza. Solo estoy tratando de ayudarte.

MirkerLurker: No pedí tu ayuda.

rainmaker: No tenías que pedirla.

6:55 p. m. 21 - Mar -15

rainmaker: ¿Ahora me estás ignorando?

7:03 p. m. 21 - Mar - 15

rainmaker: De acuerdo.

CAPÍTULO 30

El lunes, me paro junto a mi casillero e imagino que el suelo tiembla mientras Wallace camina hacia mí a través del pasillo, partiendo por la mitad el mar de estudiantes que intentan apartarse de él. No parece estar enojado. Cuando está en la escuela nunca parece estarlo. Solo se ve impávido. Puedo percibir el aroma a Irish Spring cuando se detiene a medio metro de mí y me entrega un pedazo de papel con un rápido movimiento. En el papel está escrita una sola línea con su letra tipo imprenta.

"¿Ya terminaste?".

—Sí, ya terminé —digo.

Wallace asiente con la cabeza, guarda el papel en su bolsillo y se recarga sobre el casillero junto al mío. Su mirada se dirige hacia algún lugar al otro lado del pasillo. Sé que tiene razón, y que algunas veces me apasiono demasiado por mi trabajo. Pero también sé que no dije una mentira, incluso si no fui muy amable al decirle que debería buscar ayuda. Parece que lo correcto sería pedir perdón, pero si lo hago significaría que no hay ningún problema y que debería ir por la vida sin hablar con nadie.

Cuando termina la hora de Tutoría, parece que ya me ha perdonado, al menos un poco, porque me envía un mensaje que contiene un enlace al que según él es el mejor quinto libro de *fanfiction* de *Los Hijos de Hipnos*. A la hora del almuerzo, me entrega un nuevo capítulo de su transcripción de *Mar Monstruoso*. Dice que está a punto de terminar el primer libro de la serie, y que si no hubieran surgido tantas cosas de la escuela ya lo tendría listo.

Devoro el nuevo capítulo. Nunca me canso de leer las cosas que escribe, y no sé si es porque está escribiendo algo que yo hice, o porque es realmente bueno. Prefiero pensar que es lo segundo. Hasta ahora, nunca se ha ofrecido a mostrarme algún trabajo de su propia creación, y yo nunca se lo he pedido. No sé qué le diría si no me gustara.

Wallace tampoco me ha pedido ver ninguno de *mis* dibujos originales. A veces creo que lo hace por la misma razón que yo, pero en ocasiones me pregunto si no le importa. Si, como a la mayoría de los fans de *Mar Monstruoso*, no le interesa saber nada más de mí.

La producción de páginas de *Mar Monstruoso* ha aumentado. Cinco páginas a la semana, por lo menos, y un capítulo entero si me dedico enteramente a ello. Cuando Max está en línea, se mantiene ocupado bloqueando a todos los trolls desde su cuenta Forges_of_Risht. Emmy tiene que conectarse todos los viernes por la noche para supervisar el sitio web y asegurarse de que no colapse. Todos los lunes y miércoles, a las tres de la tarde, están reservados para nuestras sesiones de chat quincenales obligatorias, donde no hablamos ni una palabra sobre *Mar Monstruoso*, sino que le preguntamos a Emmy qué tal le está yendo en el último periodo de su primer año en la universidad ("Sigo viva"), y qué opina Max de su nuevo jefe ("Un demonio de carne y hueso").

Los fines de semana son para Wallace. Pasamos los sábados con Cole y Megan, cuando tiene tiempo libre, y con Leece y Chandra en la computadora, si están disponibles. No siempre vamos a Murphy, a veces nos reunimos en el boliche de Blue Lane para jugar. Una semana fuimos al parque que está detrás de la escuela preparatoria, donde Wallace y Cole me enseñaron a lanzar un balón de futbol americano, y luego se turnaron para correr alrededor del lugar llevando a Hazel sobre sus hombros, mientras yo le enseñaba a Megan cómo dibujar un paisaje tomando como base la enorme cancha y los árboles del bosque en la distancia. Después de un rato, le entregué el papel y el lápiz, y le di algunas indicaciones mientras dibujaba.

—Eres muy buena para esto —me dijo, poniendo un mechón de cabello detrás de su oreja y entrecerrando los ojos para ver la arboleda—. O sea, para enseñar.

—¿Tú crees? Traté de enseñarles a dibujar a mis hermanos hace algunos años, pero me dijeron que era muy cruel.

—No, no eres cruel —dijo Megan, riendo—. Solo eres directa. Pero eso es bueno.

Hazel suelta un chillido. Wallace la alza sobre su brazo simulando ser un avión, y Cole juega a ser el avión enemigo al que tiene que derribar.

He dejado de verlos como los "amigos de Wallace". Son *nuestros* amigos. Primero fueron amigos suyos, y lo siguen siendo casi en su totalidad, pero ahora también son mis amigos. Hablo con ellos en los foros con mi cuenta de

MirkerLurker aun cuando Wallace no está presente. Tal vez haya quienes no los consideren la gran cosa, pero para mí significan muchísimo.

Cuando no estoy con ellos, ni hablando con Emmy y Max o pasando el rato con Wallace, me concentro en mí misma. Tengo que asegurarme de no enfocarme demasiado en el trabajo. Pero con cinco páginas a la semana, es mucho más fácil decirlo que hacerlo. Especialmente porque el cómic está a punto de llegar a su fin. Si logro distribuirlo correctamente, *Mar Monstruoso* habrá terminado cuando me gradúe. Tal vez ni siquiera vaya a la fiesta de graduación. Estaré sentada en mi computadora publicando personalmente el final de *Mar Monstruoso*, sin programarlo.

Ya sé cómo terminará todo esto. La historia. Las reacciones de los fans.

Será glorioso.

Y entonces, aparece en la escuela la edición del *Westcliff Star* que habla sobre la graduación.

El *Westcliff Star* solo se enfoca en dos historias cada año. La primera, obviamente, es el recordatorio de la Curva de Wellhouse. La segunda es la graduación de los estudiantes de último año de la preparatoria Westcliff. Todos los papás del pueblo escriben breves relatos nostálgicos sobre sus futuros graduados y los envían al diario, que los imprime junto con las fotografías más horribles que pueden encontrar, y todos en la escuela los leen mientras se ríen de las cosas humillantes que los papás de otros chicos dijeron sobre ellos.

Mis papás han estado esperando este momento desde que llegamos de nuestro campamento en las vacaciones de primavera. Me dijeron que me encantaría lo que iban a escribir. Que de verdad me superencantaría.

Cuando llego a la escuela esa mañana, hay un montón de diarios en el salón de la profesora Grier, y todo mundo está leyéndolos. Tomo uno, petrificada por el terror, mientras siento que el sudor empieza a gotear por mi espalda. Sí, veamos que episodio traumatizante contaron mis papás acerca de mí, para que todos puedan leer sobre la repulsiva Eliza. Camino hasta mi asiento.

La profesora Grier me sigue con la mirada a través del salón. Está sentada como un palo recto en su escritorio, con los ojos muy abiertos y el diario extendido frente a ella. Normalmente no suele mirarme de ese modo, así que hay dos opciones: o tengo algo en la cara o mis papás realmente dijeron algo que no debían. ¡Ay, por Dios!, seguramente pusieron una foto mía de cuando era bebé. O contaron la historia de cuando intenté patear la pelota jugando futbol y fallé la puntería tan espantosamente que el impulso me lanzó al suelo.

Camino hacia mi escritorio a toda velocidad, me siento sin quitarme la mochila de los hombros y abro con fuerza el diario. Las manos me tiemblan mientras recorro las páginas llenas de párrafos con historias sobre infancias, brazos rotos, juegos de beisbol, obras escolares y cumpleaños. Todo está en orden alfabético, así que busco mi nombre y luego tengo que retroceder algunas páginas. Ahí está, una horrible foto escolar mía de cuando iba en séptimo grado, con el cabello grasoso, aparatos dentales y un cuello de tortuga. Por Dios, un cuello de tortuga que parece directamente sacado de los jodidos años sesenta. Mis papás nunca han sido muy buenos para escribir, pero esta vez se las arreglaron para redactar un párrafo entero.

Eliza Mirk

¡Estamos tan orgullosos de nuestra Eliza! Es nuestra primogénita, y sigue siendo tan tenaz y apasionada como siempre. Estos dieciocho años han sido un largo camino, lleno de curvas y vueltas, pero Eliza nos ha enseñado muchas cosas sobre la paternidad, y sobre ser personas. Le fascinan los huevos cocidos, los calcetines gruesos y escuchar su música, aunque a veces el volumen sea demasiado alto (pero ¿qué adolescente no hace lo mismo?). Lo mejor de todo es que es una artista, y lo que más ama en este mundo es su webcómic, *Mar Monstruoso*. Le ha dedicado casi todo su tiempo libre a esta historia, se ha volcado completamente en él, y ha construido algo para sí misma empezando desde cero. Estamos seguros de que, sin importar a dónde vaya o lo que haga después de esto, será una persona exitosa.

Te amamos, Eliza.

Peter y Anna Mirk

Levanto la mirada y el salón está en silencio. No porque la gente haya dejado de hablar, sino porque hay un zumbido tan fuerte en mis oídos que nada puede penetrarlo. El salón se expande y yo me hago pequeña. Parece que las paredes estallan alejándose de mí, y la luz disminuye. Mi corazón late vacilante en mi pecho.

La profesora Grier camina por la hilera de bancas donde estoy sentada, con el diario en la mano. Se arrodilla junto a mi escritorio, y empieza a hablar con demasiada lentitud.

—¿Es verdad esto, Eliza? —dice, mostrándome el diario, que está abierto en mi párrafo y en mi estúpida cara—. ¿Tú... tú creaste *Mar Monstruoso*?

Siento unas ganas terribles de vomitar, que me obligan a cubrirme la boca con una mano.

—Porque yo... bueno, probablemente no debería mostrarte esto, pero...

La profesora Grier se levanta una de sus mangas. Siempre lleva puesta ropa de manga larga y sacos o suéteres sobre sus vestidos veraniegos, aun en verano, y ahora sé por qué: sobre su brazo están tatuadas con tinta negra las palabras *HAY MONSTRUOS EN EL MAR*.

Mi frase más famosa está tatuada en el brazo de mi profesora de Tutoría.

Wallace entra al salón detrás de la profesora Grier. El robusto y lento Wallace. Normalmente se mueve con lentitud, pero hoy, en este mundo en cámara lenta, se mueve demasiado rápido. Llega hasta el escritorio frontal donde están amontonados los diarios. Toma uno y lo abre. Sé que buscará primero mi nombre porque el mío aparece antes que el suyo. Lo verá. Lee despacio, pero no tanto.

Me levanto de mi asiento de un salto, empujando a la profesora Grier, y llego hasta donde está Wallace justo a tiempo para arrancar el diario de sus manos.

—¡No lo leas!

Tomo el diario y lo aprieto contra mi pecho, sin poder tomar suficiente aire. Todas las cabezas se giran levantando la vista de sus diarios. Wallace me mira. Una expresión de confusión y posiblemente de miedo cruza por su rostro.

—No... no lo leas —repito.

En ese momento, casi todos empiezan a hojear los ejemplares en sus escritorios, buscando mi historia. Wallace los observa, luego me mira a mí y, finalmente, al diario. Se estira para tomar otro ejemplar. Trato de detenerlo, pero su enorme mano me toma por una de mis muñecas y luego por la otra, deteniéndome como si fuera una niña pequeña. Pone el diario sobre el escritorio y lo abre de par en par.

—No, Wallace. No lo leas, por favor. Te suplico que no lo leas.

Empujo contra su brazo, intentando alejarlo de la mesa, pero es demasiado *macizo*. Mi voz ahora es un susurro, de modo que los demás no pueden escuchar mis súplicas. Wallace frunce el ceño cuando encuentra mi fotografía y mi párrafo, y empieza a leer. Una sensación de verdadero terror me envuelve como si fuera otra mano enorme. Sé que ya ha terminado de leerlo porque su cara se pone completamente blanca, como si alguien le hubiera cortado la cabeza permitiendo que se desangrara. Wallace me mira, y golpea el diario con uno de sus dedos lo suficientemente fuerte como para arrugar el papel. Luego, golpea otra vez señalándolo. *¿Es cierto? ¿Es cierto? ¿Es cierto?*

—Quería decírtelo —ni siquiera sé si el sonido sale de mi boca—. Quería decírtelo, de verdad, pero no sabía cómo…

Wallace suelta mis muñecas como si fueran venenosas, retrocede, da media vuelta y sale del salón. Intento seguirlo, pero la profesora Grier me toma por los hombros y me dice algo. Yo me sacudo para quitármela de encima. Una voz desde el fondo del salón dice:

—¡No me jodas!, ¿tú escribiste *Mar Monstruoso*?

Salgo al pasillo tropezándome, pero Wallace ya se ha ido. El piso se mueve de un lado a otro, y la oscuridad empieza a nublarme la visión.

La sensación desaparece después de algunos segundos.

O al menos parece que solo fueron unos segundos. Quizá pasaron algunos minutos. Tal vez media hora, porque cuando por fin logro recuperarme, suena la campana y los estudiantes salen corriendo hacia los pasillos.

Deambulo hasta llegar a la primera clase del día sin mi mochila.

***

A medida que avanzan las clases, el número de miradas en el pasillo va aumentando. La gente habla, pero no puedo escuchar lo que dicen. No vuelvo a ver a Wallace, lo que es todo un desafío tomando en cuenta su tamaño. Mi cuerpo es como una taza de té en la que han metido todos mis órganos por la fuerza. Deben ser mis alergias. Después de todo, es primavera.

Wallace tendrá que hablar conmigo a la hora del almuerzo. Estoy segura de que no almorzaría sin mí.

Me detengo a un lado de la horda de estudiantes que sale disparada hacia la cafetería y dejo que me empujen a través de las puertas. Salgo por el otro lado como una hoja arrastrada por la corriente. Permanezco inmóvil por un instante, sin saber exactamente hacia dónde está la cafetería, y luego me tambaleo hasta llegar a las filas para el almuerzo. Si puedo conseguir algo de comer y encontrar a Wallace, todo estará bien.

De pronto, un cuerpo se para delante de mí. Es alguien alto. Es Deshawn Johnson, y me está mostrando algo. Una hoja de papel doblada. Estiro la mano para tomarla, como si estuviera en una especie de sueño y mi cuerpo actuara sin mi permiso. Desdoblo la hoja.

Es mi dibujo. El que Travis me robó en octubre.

—… siento mucho —dice Deshawn—. Travis se portó como un imbécil… quería dártelo antes, pero no tuve oportunidad de hacerlo… Es supergenial que tú seas la que dibuja *Mar Monstruoso*… mi hermano me lo enseñó.

Si permanezco aquí un minuto más voy a vomitar en sus zapatos, así que camino tambaleándome junto a él.

Wallace tiene que estar en algún lado. Obviamente en nuestra mesa o en las ventanas. Echo un vistazo, pero no está aquí.

Me formo en la fila y miro sin parpadear el bolso de la chica frente a mí. No sé lo que pongo en mi charola, y solo me entero cuando llego al final de la fila y la señora del almuerzo me grita mi orden: dos tazones de sopa de jitomate, una charola de vegetales, un puñado de sobres de mostaza y un cono de helado. Este último es para Wallace. A él le encantan los conos de helado.

Deambulo fuera de la fila y vuelvo a mirar hacia la mesa. Wallace sigue sin aparecer. Reviso la cafetería, pero no está formado en ninguna de las filas. No está en las mesas cerca de la puerta, ni junto a la pared. ¿Estará en el patio interior? Hace demasiado frío hoy para que esté allí afuera.

Varias cabezas voltean para verme. Hay muchos ojos. Camino hasta nuestra mesa, y el mundo vuelve a girar. Siento como si fuera un paquete de mostaza y un bebé me estuviera apretando para sacarme todo el contenido. Aprieta mi corazón, mis pulmones y mis ojos hasta que mi visión se reduce a un diminuto punto frente a mí. El cabello se me pega a la cara. Uno de los tazones de sopa se desliza de mi bandeja y salpica los azulejos blancos.

Alguien dice mi nombre. O al menos eso creo.

Tal vez dijeron LadyConstellation.

Camino a través de la sopa. ¿Dónde está Wallace? Debería estar aquí.

¿Terminé las páginas de *Mar Monstruoso* para esta semana? No puedo recordarlo. Seguramente sí lo hice, porque voy muy adelantada.

Mamá y papá no deberían haber escrito eso en el diario.

Hace mucho calor aquí. ¿Por qué hace tanto calor?

Si mis pulmones no salen de esta diminuta taza de té, voy a morirme.

¿Dónde está Wallace?

Estoy cien por ciento segura de que me voy a morir.

Debería estar aquí para poder darle su jodido cono de helado.

Dios mío, me estoy muriendo.

Mi charola golpea el borde de la mesa. Caigo sobre ella y luego choca contra mi estómago. Mis manos colapsan y las piernas se me doblan.

La oscuridad me cubre por completo.

LADYCONSTELLATION AL DESCUBIERTO

Publicado a las 11:03 a. m. el 05 - 06 – 2017 por
BlessedJester

> Damas y caballeros, en este día tan especial les traigo información esperada desde hace mucho tiempo por los internautas. La verdadera identidad de LadyConstellation, la artista famosa por mantener su anonimato, ha sido revelada nada más y nada menos que por una fuente de noticias local. Pulsen sobre la imagen, y sorpréndanse.
>
> *ElizaMirk.jpg*

+90/-21 | 43 Comentarios | Responder | Marcar

1:15 p. m. (emmersmacks se ha unido a la conversación)
emmersmacks: ¿¿¿E???
emmersmacks: ¿Qué fue lo que pasó?

1:16 p. m. (Apocalypse_Cow se ha unido a la conversación)

Apocalypse_Cow: No está conectada, ¿o sí?
emmersmacks: No.
emmersmacks: Está en la escuela.
emmersmacks: ¿Crees que ya lo sepa?
Apocalypse_Cow: Ni idea.
Apocalypse_Cow: Eliza, estamos tratando de controlar los daños. Al menos hasta donde podemos hacerlo. pero creo que se trata de una causa perdida… mentes maestras ya ha encajado el diente.
Apocalypse_Cow: Y cuando Mentes Maestras se ensaña con algo, ya no lo suelta.

CAPÍTULO 31

Cuando era pequeña, mis papás me inscribieron a clases de natación. Una alberca con treinta niños pequeños obligados a flotar sobre sus espaldas sin hundirse en el agua. Siempre me tropezaba con mis propios pies jugando futbol, y en el basquetbol normalmente alguien me derribaba, así que supongo que pensaron que tendría mejor suerte en la natación.

En esa época, todavía quería complacer a mis papás. Quería ser *buena* en algo; pero simplemente no lo era. No me gustaba mucho la natación, pero si descubría que era buena nadadora, lo haría.

No lo era. Cuando el instructor nos enseñó a flotar como si estuviéramos muertos —un movimiento que todos los demás llevaron a cabo instintivamente— yo inhalé agua por la nariz y me sacudí hasta que me dijeron que me detuviera. Pero seguí intentándolo.

El último día de clases, uno de los chicos me retó a sumergirme en el lado más profundo de la alberca. Lo hice, o al menos lo intenté. Mis dedos tocaron el fondo, pero cuando iba subiendo de regreso me di cuenta de que estaba quedándome sin oxígeno. Faltaba un cuarto para llegar a la superficie cuando la falta de aire me nubló la visión y mis brazos y piernas se sacudieron en el agua. Cuando logré salir, el alivio que sentí al poder respirar otra vez desapareció por la intensidad de mi respiración y el dolor del aire frío que punzaba en mi interior. Un espantoso dolor me taladraba la cabeza. Despertarme después de lo que pasó en la cafetería fue como salir del fondo de la alberca. Pulsaciones en la cabeza, aire frío. Una estrecha habitación de hospital se va aclarando a mi alrededor. El brillo de la luz sobre mi cabeza me hace cerrar los ojos con fuerza.

—Annie, apaga la luz.

Las luces se oscurecen.

—Hola, Huevito. ¿Me escuchas?

Abro los ojos otra vez. Papá está sentado junto a la cama. Mamá regresa a su lado desde el apagador de la luz al otro lado de la habitación. Trago saliva sintiendo que tengo una lija en la garganta.

—Sí.

Ambos sonríen. Mamá se pasa una mano por la cara.

—¿Qué pasó? —pregunto.

—Te tropezaste en la cafetería de la escuela y te golpeaste la cabeza con una mesa —dice papá, señalando mi frente. No necesito tocarla para saber que tengo una venda—. Supongo que sangraste por todo el lugar. ¿Cómo te sientes?

—Me duele la cabeza —digo—. Obviamente.

—¿Te sentías bien cuando saliste de casa esta mañana? —pregunta mamá—. ¿Desayunaste?

No respondo nada, porque en ese momento finalmente recuerdo la razón por la que me desmayé, y vuelvo a sentir esa mano apretando y amenazándome. Mis pulmones se contraen anticipándose al momento.

Le dijeron a todos sobre LadyConstellation. Toda mi escuela lo sabe. Toda la ciudad lo sabe.

Wallace lo sabe.

—¿Cuánto tiempo ha pasado? —pregunto.

—¿Desde que te desmayaste en la cafetería? —dice papá, mirando su reloj—. Tal vez una hora y media. Como te heriste la cabeza, no quisieron correr ningún riesgo, así que llamaron una ambulancia y te trajeron aquí. El doctor regresará en cualquier momento para revisarte.

—Se lo dijeron a todos. Lo publicaron en el diario —las lágrimas nublan mi visión. El cuarto empieza a girar, pero yo sigo estando acostada.

—¿Qué dijimos? ¿Te refieres al ejemplar sobre la graduación? —pregunta mamá, parpadeando y volteando a ver a papá—. Solo es el *Star*, Eliza. Nadie lo lee realmente. No creímos que fuera importante si mencionábamos el webcómic. Como a ti te gusta tanto, y estamos tan orgullosos de ti por eso. Pensamos que...

—¡Pero lo leen *millones* de personas! ¡El cómic! —hago un esfuerzo para sentarme, esperando disminuir así la sensación de mareo, pero no funciona—. ¡Millones de personas! ¡Algunas de ellas incluso viven en este lugar! Van a encontrarme. Descubrirán quién soy y me encontrarán.

—Huevito —dice papá, poniendo una de sus manos sobre mi hombro para empujarme hacia atrás, con una expresión de preocupación. Creo que no escuchó lo que acabo de decir.

—*Wallace* vive aquí —digo, empujando su mano—.

¿Dónde está? No ha venido, ¿verdad? No puede verme así.

Mamá frunce el ceño.

—¿Wallace no sabía? Pensé que ya se lo habías dicho.

—¡Por supuesto que no lo sabía! ¡Nadie lo sabe!

Saco las piernas por uno de los bordes de la cama, pero empiezo a sentirme muy mareada, como si estuviera a punto de desmayarme.

La puerta se abre y entra un doctor a la habitación. Tiene bordado en su bata el apellido HARRIS. Cuando me ve en ese estado, deja su archivo sobre el escritorio y se acerca rápidamente.

—¿Te sientes bien, Eliza? —pregunta el Dr. Harris empujándome suavemente de vuelta a la cama.

—No puedo respirar —digo—. Estoy mareada.

—*Sí puedes* respirar. Inhala profundamente desde tu estómago —levanta mis piernas y pone mi cabeza entre ellas. Respiro siguiendo sus instrucciones y, al cabo de un minuto, el mareo desaparece y la habitación deja de dar vueltas—. Estás a salvo en este lugar. Solo estamos tus papás, tú y yo, ¿de acuerdo?

—Sí.

La máquina de ruido blanco zumba suavemente en la esquina. La presión en mi interior disminuye.

—Te hiciste una herida bastante profunda en la frente —dice el Dr. Harris—. Es probable que te quede una pequeña cicatriz. ¿Así es como te sentías en la cafetería, antes de que te cayeras?

—Sí. Pero peor.

—¿Te habías sentido así antes?

—No.

—¿Puedes explicarme exactamente lo que sentiste?

—Pues, mmm… no podía respirar. Estaba mareada, mi visión era muy limitada, y sentía como si estuviera apretujada dentro de un tubo muy pequeño. Pensé que iba a morirme. Pensé que moriría allí delante de todos.

—Eliza nos dijo… bueno, escribimos algo en el diario que tal vez no debíamos haber escrito, y es probable que eso haya ocasionado algunos problemas en la escuela —dice mamá, mirándome—. ¿Puede ser esa la causa?

—Es probable —dice el Dr. Harris poniendo una mano sobre mi espalda—. Creo que sufriste un ataque de pánico. Ahora bien, los ataques de pánico pueden desencadenarse por circunstancias extremadamente estresantes. Un gran cambio de vida, la muerte de un ser querido o cosas parecidas.

Hundo la cabeza más profundamente entre mis rodillas. La frente empieza a palpitarme.

—Puedo recomendarles un excelente terapeuta que ha ayudado a muchos adolescentes con problemas de pánico y ansiedad —dice el Dr. Harris—. Un ataque de pánico no significa que haya un trastorno, pero si empiezas a tener más, y de forma regular, podría convertirse en uno. Queremos hacer todo lo posible para evitar que eso suceda.

¿Trastorno de pánico? Yo no tengo ningún trastorno de pánico. Vimos ese tema en mi materia optativa de Psicología el año pasado. Leí como medio párrafo al respecto.

El Dr. Harris les dice a mis papás que ya puedo irme a casa, pero que no debería regresar hoy a la escuela —de todas formas, ya es muy tarde— y que, si no me siento con ganas, tampoco debería ir mañana. Nos da las últimas indicaciones, y salgo caminando lentamente entre mamá y papá hasta el auto. Me deslizo en el asiento trasero junto a mi mochila recuperada de la escuela en espera del viaje de regreso a casa, y tratando de no pensar en *Mar Monstruoso*.

¿Se habrá enterado ya el grupo de fans? ¿Será que alguien se los dijo? ¿Le creyeron a esa persona, o pensaron que solo se trataba de un nuevo rumor?

A lo largo de los años, la identidad de LadyConstellation ha sido "descubierta" muchas veces. Normalmente se trataba de una persona en busca de sus cinco minutos de fama, hasta que llegaban los investigadores y le arrebataban su popularidad. Pero esta vez es cierto, y la verdad siempre logra permanecer viva. La verdad es el peor monstruo de todos, porque nunca desaparece realmente.

Cuando llegamos, la casa está vacía. Excepto por Davy, que camina pesadamente hasta la puerta y se estrella lentamente contra mis piernas, doblando mis rodillas. Church y Sully siguen en la escuela. Mamá y papá tratan de convencerme para que me recueste en el sofá de la sala, pero yo insisto diciéndoles que me sentiría mejor si me acuesto en mi propia cama. Me ayudan a subir las escaleras, y luego preparan una sopa de fideos con pollo y una bebida de jengibre. Dejo que Davy entre a mi habitación y cierro la puerta. Camino lentamente hasta mi computadora y agito el ratón para despertarla. El escritorio parece tan tranquilo y en calma. Abro el navegador y me dirijo a los foros.

Un caos completo.

Para el ojo inexperto, un foro en línea no es más que un montón de mensajes aleatorios agrupados. Pero para cualquiera que sepa cómo navegar a través de ellos, esos mensajes cuentan una historia. Y la historia de los foros de *Mar Monstruoso* es: "Eliza Mirk: ¿fraude o realidad?". Sé que casi todos opinan que es realidad, aun sin pulsar sobre ninguno de los subforos o sus respectivos comentarios. Encontraron el artículo en el *Westcliff Star*. Localizaron la cuenta de MirkerLurker, y los dibujos que Wallace quería que publicara con tanta insistencia. Me encontraron *a mí*.

Estoy conectada como LadyConstellation, y hay tantos mensajes privados que la página ya no muestra el pequeño número junto al ícono de la bandeja de entrada. Solo aparecen puntos suspensivos. Medio minuto después de haberme conectado, los mensajes empiezan a aparecer en el extremo derecho de mi pantalla. Mensajes de personas que conozco, y de otras completamente desconocidas. De amigos y de trolls. Al principio llegan lentamente, pero cuando la gente se da cuenta de que estoy en línea, la cosa se sale de control. Hay tantos mensajes que la página empieza a alentarse, y aparecen tan rápido que no me da tiempo de leerlos.

Cierro sesión y vuelvo a conectarme, pero ahora como MirkerLurker.

Aquí la cosa está mucho peor. Hay otros puntos suspensivos junto a mi bandeja de entrada, pero cuando empiezo a recibir los mensajes, sí me da tiempo de leerlos. Al menos uno de ellos.

ACABO DE VER QUE TE CONECTASTE COMO LADY CONS-
TELLATION.

CERRASTE SESIÓN CON ESA CUENTA Y AHORA ESTÁS
CONECTADA AQUÍ.

FUE DEMASIADO RÁPIDO PARA SER UNA COINCIDENCIA.

¿DE VERDAD ERES TÚ?

En la ventana del mensaje aparece una imagen. Es mi fotografía del anuario escolar de este año. Ni siquiera es la horrible foto de séptimo año que incluyeron junto con el artículo sobre la graduación. ¿Cómo hizo esta persona para conseguir la foto del anuario de este año?

Me desconecto como MirkerLurker y cierro el navegador, sintiendo mi estómago acalambrado.

Alejo mi silla del escritorio y vuelvo a poner la cabeza entre mis rodillas. No me siento mareada ni tengo problemas para respirar como antes, pero estar en esta posición me hace sentir mejor. Reduce el espacio y me recuerda que no hay nadie más en la habitación.

Tomo mi teléfono y abro la aplicación del foro. Todos los mensajes enviados a MirkerLurker siguen ahí, pero al menos en el teléfono puedo cerrarlos y revisar mi conversación con Emmy y Max.

Control de daños. Trataron de limitar los daños. Suelto una pequeña carcajada histérica. ¿Cómo puedes controlar los daños en una situación así? Ya está. Ganaron los fans. Yo perdí. Eliza Mirk ha sido tragada entre las olas de su mar.

Abro mi conversación con Wallace. No hay nada nuevo desde la última vez que hablamos por aquí. Tampoco tengo ningún correo suyo, ni mensajes de texto y no ha intentado llamarme.

¿Por qué lo haría? Le mentí durante meses. Durante todo el tiempo que nos conocimos. Se podría decir que no fue una mentira real, sino que omití contarle algunos detalles, pero eso es precisamente una mentira. Si yo fuera él, me odiaría. Escucho pisadas subiendo las escaleras. Volteo mi teléfono, apago el monitor de la computadora, y me acurruco sobre la cama junto a Davy, que se queda quieto y me deja usarlo como mi almohada viviente. Las piernas me tiemblan. Mamá toca suavemente la puerta —sé que es ella porque papá nunca toca suavemente— y entra cargando una charola con un plato de sopa, galletas y una bebida de jengibre.

—¿Te sientes mejor? —pregunta.

—Un poco.

Mamá sonríe y retira el cabello de mi frente, teniendo cuidado de no tocar la venda.

—Me alegro. Trata de dormir un rato.

No puedo dormir. Miro fijamente mi computadora desde el otro lado de la habitación, silenciosa e inmóvil, y me pregunto qué tormentas se estarán gestando en el omnisciente internet.

Solo era cuestión de tiempo. Desde ese primer día que conocí a Wallace en la hora de Tutoría. Desde que empecé a juntarme con sus amigos. Desde que me dije que debía esforzarme.

Olvidé que aquí abajo no hay aire.

CAPÍTULO
32

En menos de un día, las habladurías en internet han retomado la historia y la han publicado. A la mañana siguiente, hasta las personas que no son fans de *Mar Monstruoso* saben quién soy y dónde vivo. Saben que estudio la preparatoria. Saben que tengo un perro y dos hermanos menores. No estoy segura de si ya han averiguado mi dirección y mi número de teléfono, pero si no lo han hecho, no falta mucho para que suceda.

Lo que hizo que este asunto estallara así es el hecho de haber mantenido el anonimato durante tanto tiempo. Mi anonimato era como un juego, un acertijo para ser resuelto. En internet el anonimato nunca dura, y todos lo sabían.

LadyConstellation era una piñata bonita a la que destrozaron con un palo, y yo fui el premio que cayó de ella.

Leo los mensajes. Todos y cada uno de ellos. Sé que no debería hacerlo, pero no puedo evitarlo, y no quiero dibujar ni leer. Ni siquiera tengo ganas de ver *Dog Days*, así que las horas pasan muy lentamente. Casi todos los mensajes son cortos. Podría hacer un cronograma con ellos. Empiezan tanteando el terreno, sondeando un poco para comprobar si el rumor es cierto, y luego vienen las preguntas directas. Después aceptan mi nombre y empiezan a cuestionar los detalles. Les obsesiona que sea una chica, y encima de todo una adolescente. Puedo entender que les sorprenda que sea una adolescente, pero por qué se asombran de que sea mujer. LadyConstellation era mujer. Eso no ha cambiado.

Luego aparecen los fans. Algunos me dicen que soy una inspiración para ellos. Otros me escriben para decirme lo mucho que nos parecemos, y que deberíamos ser amigos. Hay quienes solo quieren agradecerme. Les agrada la idea de poder poner una cara junto al nombre; de poner un *nombre* junto al nombre. Les gusta que ahora sea visible para ellos.

Obviamente, también hay mensajes rudos y crueles. Mensajes que no parecen haber salido de un ser humano real, sino de un programa informático diseñado para decir cosas que ninguna persona debería decir a otra. Esos mensajes también los devoro, como si fueran Pringles, lo más probable es que te harán daño, pero una vez que abres el bote, ya no puedes parar. Es una montaña rusa que solo va en picada. Cuando me acerco al final, me siento como un cascarón vacío pulsando el botón de un ratón y leyendo mensajes con los ojos adoloridos.

—¿Eliza? —la puerta se abre, y se asoma una cabeza de cabello oscuro—. Mamá me dijo que te avisara que la cena está lista. Te grité desde abajo, pero me dijo que no escucharías.

—Ajá —digo, sin despegar la vista de la computadora.

—¿Qué estás viendo?

Unas pisadas fuertes se acercan detrás de mí. El aroma a chico sin bañar llena el aire. Sully es un pequeño bastardo veloz, porque antes de poder minimizar la ventana de mensajes de *Mar Monstruoso* y los miles de historias que tengo abiertas en otras ventanas, su mano se acerca al ratón y las cierra de un golpe.

—No leas esa basura —su voz suena bastante enojada—. La gente es estúpida, y no tienes porque leer esas cosas. Ven, la cena está lista.

Ya es demasiado tarde, pero él no lo sabe. Los he leído todos, y estaba leyendo los nuevos a medida que aparecían. Tanto en la cuenta de LadyConstellation como en la de MirkerLurker. Los comentarios en los nuevos artículos, las respuestas a las publicaciones en Mentes Maestras y en los foros de *Mar Monstruoso*. Los buenos, los malos y los feos.

Me levanto y bajo lentamente las escaleras detrás de Sully.

Al día siguiente, le digo a mis papás que me siento mal y tampoco voy a la escuela. Es viernes, y las páginas de *Mar Monstruoso* ya están programadas para publicarse. No puedo ni acercarme al teclado, por lo que es imposible que logre regresar al sitio web para publicar las páginas. Tampoco puedo estar cerca de mi selección de plumas. Ni de un lápiz o un papel. No puedo ni pensar en dibujar.

Ni siquiera puedo pensar en *Mar Monstruoso*.

Las alas de un cuervo, la aleta de un bicho marino, una bufanda larga, un sable, grandes extensiones de agua, relojes, planetas, estrellas. El simple hecho de pensar en esas cosas me da ganas de vomitar. No tengo el menor interés en diseñar páginas ni recuadros. Mucho menos en enlazar las escenas de los personajes.

El final de la historia, tan cerca ya, se escapa de mis débiles manos y huye volando.

No puedo hacerlo. Esa fuerza que me obligaba a seguir adelante ha desaparecido.

Arranco de las paredes todos los posters de *Mar Monstruoso*. Escondo debajo de mi cama el compendio de novelas gráficas. Quito todo el *fan art*, todas las cosas que me han enviado; los pequeños muñecos de peluche, las calcomanías y, especialmente, el disfraz de Kite Waters. También desaparece el Sr. Grancuerpo sin ojos. Me deshago de todo lo que puede caber en el bote de basura.

Más tarde, cuando mamá sube a ver cómo estoy, me encuentra otra vez acostada en mi cama abrazando a Davy, y al ver las paredes vacías y el bote de basura a punto de desbordarse me pregunta si me siento bien. Respondo con una mentira, y mamá se marcha de mi habitación.

Esa tarde, una reportera del *Westcliff Star* llama a la casa preguntando si puede entrevistarme para un artículo. Sully contesta el teléfono y le dice que se vaya a la mierda.

Papá lo regaña a medias. Eso sucede cuando entra la primera llamada. Pero como el teléfono sigue sonando, y nadie me dice quién está llamando, papá deja de regañar a los chicos y empieza a decirles a los que llaman que pierdan nuestro número. Mamá y papá se mueven a mi alrededor como si estuviera electrificada. Solo dicen algunas palabras. Mantienen su distancia todo el tiempo, a menos que necesiten revisar los puntos debajo de mi venda. Quisiera pensar que se sienten culpables, pero creo que no comprenden la magnitud de lo que han hecho.

Esa noche, Church y Sully entran a mi habitación —casualmente en el mismo instante en que debería publicar las páginas de *Mar Monstruoso*— y se sientan a mi lado sobre la cama para que veamos repeticiones de capítulos de *Dog Days*. Al menos, he logrado hacer eso nuevamente. Tener la mente constantemente adormecida no suena nada mal. Sully y Church me ofrecen un tazón más grande que la cabeza de Church lleno de huevos cocidos. Comemos los huevos, mientras los chicos se burlan de los personajes tan estúpidos. Coincido con ellos en que los personajes son estúpidos.

—¿Has hablado con Wallace? —pregunta Church cuando termina el tercer episodio.

—No —respondo, retirando el cascarón a un huevo.

—Hoy vimos a su hermana en la escuela —dice Sully—. Mmm, Lucy.

—Ajá.

Pongo el cascarón en el otro tazón que trajeron y muerdo el huevo cuidadosamente, tratando de no rasguñar con mis dientes la yema endurecida.

—¿Y qué dijo? —pregunto.

—Dijo que Wallace está muy molesto.

—Y que deberíamos convencerte para que hables con él —añade Church.

Quisiera decir que no es mi deber hacerlo feliz, pero le debo una disculpa mejor que la que grité en el salón de la profesora Grier. Pero cada vez que pienso en enviarle un mensaje de texto, con esas dos simples palabras, lo imagino ignorándome, escupiéndome a la cara, cogiendo todos los dibujos que hice para él y quemándolos.

—Voy a pensarlo —digo.

Sí, voy a pensarlo. Si es que puedo forzarme a ir a la escuela el lunes.

CAPÍTULO
33

El lunes tampoco voy a la escuela. Conduzco hasta el estacionamiento del supermercado más cercano, me estaciono en el área más solitaria y me acomodo en el asiento trasero para tomar una siesta hasta que el auto se siente demasiado encerrado y tengo que bajar las ventanillas. Cuando llega la hora en que la escuela debería terminar, regreso a casa. Al día siguiente hago lo mismo.

—Llamaron de la escuela —dice mamá, en cuanto llego a casa—. Dijeron que has faltado a clases dos días seguidos, sin ninguna justificación.

Me detengo vacilante al pie de las escaleras.

—Ah. Sí. Es que… cuando llegué empecé a sentirme mal.

—Si necesitas más días libres, puedo llamar a la escuela —dice mamá, presionando unos viejos pantalones deportivos cortos entre sus manos. Sobre el suelo de la sala hay un montón de ropa para hacer ejercicio que será donada a una obra de beneficencia.

—De acuerdo —respondo, mientras subo las escaleras.

—Eliza, espera —dice mamá, acercándose a mí—. Si hablo a la escuela para reportar que estás enferma, ¿harás una cita con la terapeuta que el Dr. Harris nos recomendó? Tal vez no mañana, pero ¿qué tal la próxima semana? Ya hablamos con ella y nos dijo que haría un espacio en su agenda.

—¿Para qué? —pregunto, pero las palabras suenan vacías.

—Porque tu comportamiento no es el mismo de siempre, y tu papá y yo estamos preocupados.

—No quiero ir.

—Por favor, Eliza. Hazlo por nosotros.

Me encojo de hombros, y mamá parece conformarse con esa respuesta porque me deja subir las escaleras. Después de una semana sin ir a la escuela y de estar acostada todo el día en mi cama viendo repeticiones de capítulos de *Dog Days* hasta olvidar por qué rayos intenté hacer algo por mi cuenta, empiezo a sentirme terriblemente. Todo me duele: el estómago, la cabeza, la espalda, el cuello, y además mi cabello está grasoso. Eso es lo único que me obliga a levantarme de la cama y tomar un baño: cuando empiezo a sentir el aceite exudando de mi cuero cabelludo. Estoy cansada de sentirme tan repugnante; de sentir que mi cuerpo es una *cosa* que tengo que arrastrar conmigo a todas partes. Después de bañarme, vuelvo a colapsar sobre mi cama. Las paredes vacías hacen que mi habitación parezca una celda, pero no tengo energía para decorarlas con otra cosa. Esta semana no habrá páginas de *Mar Monstruoso*. Ni siquiera me conecté para revisar lo que los fans opinaron de las últimas que publiqué.

He perdido las ganas de dibujar, de hablar, de hacer cualquier cosa. El lugar tan importante que ocupaba *Mar Monstruoso* en mi corazón ahora está vacío. Tal vez sea normal. Las cosas más importantes son las que suelen dejar los huecos más grandes.

Había algo claramente no orciano en el general White que Amity no lograba identificar. Todo en él era pronunciado, como fragmentos metálicos fusionados en forma de hombre, vestido con el uniforme militar de la Alianza Orciana.

—Si matas a Faust —dijo—, serás considerada una heroína. Tal vez incluso una leyenda. Esto no pondrá fin a los ataques de nuestros enemigos, pero *sí* equilibrará las cosas, y eso es una ventaja mucho mayor de lo que habíamos esperado durante estas largas décadas.

—Equilibrar las cosas... —dijo Faren, en un tono que indicaba que su fingida compostura estaba desapareciendo—. Si Amity mata a Faust, y ella logra sobrevivir, ¿no se inclinaría la balanza considerablemente en su favor? ¿Tomando en cuenta lo desfavorable que es la situación para ustedes en este momento?

—Me temo que no entiendo a qué se refiere —dijo White.

—¿Qué sucederá después? —dijo Faren mirando fijamente a White—. ¿Después de que Amity venza a Faust? Supongo que no podrán extraer al Observador de su interior. Amity seguirá estando aquí, sintiendo que debe salvar a los inocentes. ¿Qué enemigos le enviarán después de esto? ¿A los rishtianos? ¿A los Ángeles? Esos son los enemigos a los que se refiere, ¿no? ¿Los reyes mecánicos y los demonios de Orcus?

Al decir la última palabra aumentó el volumen de su voz. La piel de Amity se erizó; nunca había pensado en la posibilidad de tener que luchar contra los Ángeles de Orcus.

—Nadie mencionó nada acerca de otros enemigos, Sr. Nox —dijo White, completamente imperturbable.

—*Nox-eys* —lo corrigió Faren con frialdad.

Faren nunca había exigido, ni siquiera solicitado, ser tratado con títulos nocturnianos, y eso, más que su actitud hacia el general, generó dudas en Amity. La actitud fingida de su pobre Colaarin desapareció por completo.

—No creo ni por un instante que permitirán que Amity regrese aquí y viva en paz después de haber derrotado a Faust. Su gente ha dedicado la última mitad del año a convertirla en un arma viviente, y han pasado muchos años estudiándola. Saben hasta dónde puede llegar. Ya la han convencido de que Faust es su responsabilidad... ¿cuándo terminará todo esto?

CAPÍTULO 34

—Esto es estúpido —dice Sully desde la puerta de mi habitación, con los brazos cruzados sobre el pecho, mientras estoy acostada sobre mi cama viendo la televisión sin parpadear.

—No lo es —respondo—. Es mi capítulo favorito.

—No estoy hablando de *Dog Days*.

Giro la cabeza para mirarlo.

—Lo digo porque llevas días sin pararte de la cama, y sin decirle a mamá y papá qué fue exactamente lo que hicieron.

—Ya lo saben.

—Mentira —dice Sully, poniendo los ojos en blanco—. Creen saberlo, pero no lo saben realmente, porque tú no quieres decírselos.

—No importa. Ya está hecho —respondo, volteando de nuevo hacia la televisión.

—Si tú no se los dices, yo lo haré —dice Sully, furioso, y acto seguido se marcha de mi habitación.

Lo ignoro, hasta que escucho que la puerta de la oficina de mamá y papá en el piso inferior se abre con un golpe, y a Sully gritando para pedirles si puede usar su computadora portátil.

Me levanto de la cama de un salto y bajo corriendo las escaleras. La tarea de Church y Sully está esparcida sobre la mesa de la cocina, pero ambos están de pie frente a mamá y papá junto a la barra, mostrándoles algo en la computadora.

Es la publicación en el sitio Mentes Maestras; la que solía mirar todos los días.

—¿Qué es esto? —pregunta mamá, haciendo a un lado su revista deportiva. Ni ella ni papá se han dado cuenta de que estoy en la cocina.

—Es la publicación que volvió famoso a *Mar Monstruoso* —dice Sully—. En este sitio web, Mentes Maestras, la gente comparte cosas. Hay muchísimas personas aquí, y es prácticamente imposible que una publicación logre llegar a la cima de un foro como éste, y permanezca ahí durante tanto tiempo como lo ha hecho *Mar Monstruoso*.

—Y miren todos los comentarios que tiene, y a cuántas personas les gusta —dice Church—. Son personas reales, y la mayoría son fans de *Mar Monstruoso* y lo leen.

—Y aquí solo están algunas de todas las personas que en realidad lo leen —añade Sully, girando la computadora nuevamente hacia él para dirigirse a otro sitio web y mostrárselo a mis papás. Son los foros de *Mar Monstruoso*—. Aquí es donde se reúnen los fans. Si no hubieran dejado de prestar atención a su sitio web desde hace dos años sabrían todo esto. Miren los números que aparecen en las publicaciones. Tan solo vean cuántas personas están conectadas en este momento.

Sully y Church esperan mientras mamá y papá se desplazan a través de las publicaciones del foro leyendo los nombres de usuario, los títulos de las publicaciones y el número de comentarios. Puedo ver desde la puerta a papá frunciendo el ceño y a mamá cubriéndose la boca con su mano. Cierro los puños y los oculto bajo las mangas de mi sudadera, pero no digo una sola palabra.

—Hay *millones* de personas —dice Sully—. Muchas más de las que están conectadas aquí. Esas personas leen las páginas del cómic que Eliza publica todas las semanas. Pagan por ellas. ¿Saben cuánto dinero gana Eliza con todo esto? Siempre deja abierta en su computadora la página de su cuenta bancaria, y Church y yo lo vimos. Es ridículo.

—En serio que sí —dice Church.

—O sea, ustedes se la pasan presionándola con las becas universitarias y todo eso, pero no lo necesita. ¿Si lo sabían, o simplemente dejaron de prestar atención después de que le dieron el teléfono del tipo de los impuestos?

—Pero es… solo es un pasatiempo —dice mamá.

—No lo es —responde Sully, poniendo ambas manos sobre la barra a cada lado de la computadora—. No sé que tengo que mostrarles para que lo entiendan. Esto es *algo importante*. Eliza es famosa. No como una estrella de cine, o algo así, pero muchas personas querían descubrir su identidad. Y ahora, gracias a ustedes, ya saben quién es.

—¿Ninguna de estas personas lo sabía? —pregunta papá suavemente.

—No, obviamente no —dice Church—. ¿Por qué creen que Eliza no quería contárselo a nadie?

—Ella siempre ha sido muy reservada con sus cosas. Creímos que lo hacía porque no quería llamar la atención.

—*Exacto* —responde Sully, enojado—, pero no porque… ¡ay, *no entienden*! Ustedes nos dicen todo el tiempo que debemos cuidarnos y tomar buenas decisiones, pero luego hacen algo como esto —toma algo de las manos de Church: es el ejemplar del *Westcliff Star* sobre las graduaciones—. Esto no fue una buena decisión. Esto fue una pésima decisión. Permitieron que *millones* de personas tuvieran acceso a Eliza, y muchas de ellas no son gente buena. Eliza jamás podrá recuperar esa seguridad. Pero saben qué es lo… lo más…

—Lo más exasperante —completa Church.

—Sí, lo más exasperante —dice Sully, extendiendo los brazos, para abarcar el *Westcliff Star* y la computadora—. Que todo esto se hubiera podido evitar si se hubieran tomado medio minuto para buscar *Mar Monstruoso* en Google. Quieren estar al tanto de todas las otras cosas en nuestra vida, pero nunca se interesaron realmente en esto.

Doy un paso atrás, y una duela del piso rechina bajo mi pie. Los cuatro voltean a verme. Mamá está llorando y papá se ve completamente pálido.

—¿Por qué no nos lo dijiste? —dice mamá—. Pensábamos que seguía siendo algo pequeño. Tu cuenta bancaria nunca tenía mucho dinero… los impuestos…

—Ustedes le dijeron al contador que mis impuestos eran mi responsabilidad y que querían que yo me hiciera cargo de ellos —mi voz se quiebra.

—Si lo hubiéramos sabido, jamás habríamos dicho eso en el *Westcliff Star* —dice papá, con voz rasposa—. Creíamos que era algo que hacías por diversión. Queríamos mostrarte que estábamos orgullosos de ti. Y el *Star*… el *Star* es un diario tan pequeño, que ¿quién iba a leer lo que escribimos? Solo sería para nosotros. Nadie más.

Vuelvo a encogerme de hombros. Esperan que diga algo, pero ¿qué se supone que debo decir? ¿Debería estar enojada? ¿Debería perdonarlos? Mis papás nunca se habían disculpado así, porque nunca la habían cagado en esta magnitud. Una parte de mí no creía que fueran capaces.

Mamá empieza a llorar en serio. Se levanta y sale por la otra puerta, que da hacia el pasillo de su oficina. Church sale detrás de ella.

Al cabo de un instante, me escapo de vuelta a mi habitación. Me acurruco sobre mi cama, con los capítulos de *Dog Days* en la televisión sin volumen, y sintiéndome extrañamente despierta. Como si todo se viera más nítido de lo normal. Pero no me siento mareada.

Diez minutos después, Sully toca la puerta y asoma la cabeza en mi habitación:

—¿Estás bien?

—No sabía que eras tan conocedor de *Mar Monstruoso* —digo.

—Queríamos saber lo que hacías todo el tiempo —responde, encogiéndose de hombros—. Eres nuestra hermana mayor, ¿no? Pero es como si vivieras… en un mundo diferente. Es raro —vuelve a encogerse de hombros—. Church y yo leemos el cómic. También todos nuestros amigos, pero nunca les habíamos contado sobre ti porque nos imaginamos que pasaría algo así. Es supergenial. No que esté pasando todo esto, sino que tú lo hayas hecho. Por la forma en que mamá y papá te trataban, me imaginé que no sabían lo importante que era.

—Ah.

Y todo este tiempo yo pensaba que me odiaban.

—Solo quiero… Gracias. Lo más probable es que no se los hubiera dicho.

Sully pone los ojos en blanco.

—Mamá y papá son muy viejos para entenderlo. No tenían teléfonos móviles cuando eran jóvenes. A lo mejor ni siquiera buscándolo en Google lo hubieran entendido —dice, rascándose la nariz—. Bueno, si necesitas… hablar con alguien, ya sabes dónde encontrarnos a Church y a mí.

—Creo que… de hecho, eso estaría muy bien —respondo.

Mi voz apenas se escucha, pero la expresión de Sully se ilumina. Después de dudarlo unos segundos, entra en mi habitación, cierra la puerta y se sienta con las piernas cruzadas en el extremo opuesto de mi cama.

—Gracias —digo.

Sully me sonríe por primera vez desde hace muchísimo tiempo.

CAPÍTULO 35

El martes por la mañana, muy temprano, cuando mis papás, Sully y Church todavía están dormidos, subo a mi auto y conduzco hasta la Curva de Wellhouse.

A esta hora de la mañana, la carretera está completamente vacía, así que me estaciono en el acotamiento, cruzo caminando todo el puente, y me asomo hacia abajo para ver la plana extensión de hierba junto al río negro. La luz de la luna ilumina el mundo. En la cima de la colina están la cruz, los adornos y los juguetes. También hay flores, algunas frescas y otras ya marchitas, para las personas que se han salido de la curva. Me pregunto si llegará el día en que nada de eso sea necesario, cuando la curva sea solamente una colina.

Wallace dijo en su correo que nunca había regresado a este lugar. Seguramente Vee dejó algo en la pila de ofrendas en honor a la memoria del papá de Wallace, pero Wallace nunca lo hizo.

No traigo nada conmigo, excepto mi pijama y las llaves de mi auto. Miro alrededor, y distingo una roca lisa en la orilla del camino, no muy lejos de donde me encuentro. La tomo, limpiándola un poco con la manga de mi pijama, y la coloco encima de una lata vacía de tarjetas de beisbol, debajo del brazo de un osito de peluche empapado por la lluvia.

—Tómelo como un adelanto —digo—. Más tarde traeré algo mejor.

La Curva de Wellhouse está completamente rodeada de bosque, por lo que es un lugar tranquilo, pero el río bloquea todos los sonidos provenientes de las carreteras cercanas. Me siento junto a las flores y los juguetes, y me deslizo cuidadosamente por la pendiente. Ya veré cómo hago después para volver a subir. En el fondo hay un claro amplio y cubierto de hierba. ¿Cuántos autos se han salido por la curva? ¿Por qué nadie la ha arreglado o la ha hecho más segura? ¿Tienen miedo de que si lo hacen ya no podrán publicar sus historias? ¿De que el futuro será menos interesante si ya no hay piezas de automóviles permanentemente incrustadas aquí abajo?

Me recuesto sobre la fría hierba y miro hacia el cielo. Las estrellas perforan la oscuridad. De todas las constelaciones nocturnianas que conozco, las únicas reales que puedo recordar son la Osa Mayor y la Osa Menor. Ah, y desde luego la constelación Can Mayor, dirigida por Sirio, el Can Estrella, precursor de la canícula de verano. Se ha mencionado tantas veces en *Dog Days* que ya se convirtió en la broma sobre el título más antigua de todas. Pero Sirio ni siquiera está en el cielo ahora.

La Eliza de cuatro años estaría tan decepcionada de mí.

Sí. No tengo duda. La Eliza de cuatro años estaría decepcionada de mí por un montón de cosas. Por esconderme, por haber cursado la mayor parte de la preparatoria sin tener a nadie con quien sentarme a la hora del almuerzo, por permitirme descender hasta el lugar en el que me encuentro. La

Eliza de cuatro años por lo menos *lo intentaba*. Quería ser buena en algo. Hacía las cosas porque quería, y no porque alguien más la obligaba. No tenía jefes. No creo que ningún niño de cuatro años los tenga.

Pero ya no tengo cuatro años. No puedo ser esa Eliza. No puedo ser mi yo de cuatro años, no puedo ser LadyConstellation, ni siquiera puedo ser la novia de Wallace. En este momento, solo puedo ser Eliza Mirk, un ser humano.

Enredo mis dedos entre la hierba. Un murciélago revolotea en lo alto, haciendo parpadear las estrellas a su paso.

El papá de Wallace murió en este lugar. Parece demasiado tranquilo para que un auto se haya desviado hacia una caída fatal. Apuesto que cuando eso sucedió, la Curva de Wellhouse estaba igual de tranquila que ahora. Esa curva no mata a la gente; lo que las mata es el mal tiempo, las malas decisiones y los accidentes desafortunados. La curva de Wellhouse no anuncia que la gente se muere aquí; el *Westcliff Star* se encarga de eso. Porque la Curva de Wellhouse, este pequeño claro, es parte de la naturaleza, y a ella no le importa. A la naturaleza no le importa si nos lanzamos contra ella y nos rompemos algunos huesos. A la naturaleza no le importa si nos sentimos tan pesados que podríamos hundirnos en el suelo sin levantarnos nunca más.

A la naturaleza no le importa quién soy yo, en el mundo virtual o real, y tampoco le importa que necesite quedarme aquí acostada un rato.

CAPÍTULO 36

El miércoles, dos semanas después de mi desafortunado incidente en la cafetería, estoy acostada en el suelo de mi habitación, mirando al techo y dejando que mi cabello húmedo empape la alfombra, cuando, de pronto, suena el timbre.

Escucho las pisadas de papá caminando por el vestíbulo; el suave crujido de la puerta al despegarse de su marco; la voz de papá a lo lejos diciendo *hola* y otras cosas que no logro distinguir. Unos segundos después, alguien sube las escaleras. Es papá. El corazón empieza a latirme rápidamente. ¿Por qué está subiendo? Soy la única que está en el piso superior en este momento.

Papá llama a mi puerta.

—¿Huevito? Wallace está aquí.

Wallace está aquí.

"¿Por qué está Wallace aquí?", pienso.

—No quiero hablar con él —la respuesta es inmediata y con fuerza. No hay la menor duda de esto en mi mente. No puedo hablar con Wallace, y tampoco puedo verlo.

—¿Estás segura? —dice papá, sin abrir la puerta.

—Sí.

—De acuerdo.

Papá baja las escaleras y regresa a la puerta principal.

El sonido ahogado de su voz suena como una disculpa. No escucho ninguna respuesta de Wallace, y si está hablando su voz debe ser demasiado suave para poder escucharla.

La puerta se cierra.

Corro hacia mi ventana, que mira hacia el jardín delantero y la cochera donde Wallace estacionó su auto.

Wallace camina de regreso por la entrada delantera. Desde aquí arriba solo veo una cabeza de cabello oscuro y una camiseta de los Colts. Presiono mi cabeza contra la ventana. ¿Cómo es posible que no sienta mi presencia? ¿Cómo puede ser que no se dé cuenta de lo mucho que deseo que no me odie, y lo arrepentida que estoy? No me importa si no vuelvo a ver una sola página de *Mar Monstruoso* en mi vida, pero sí me importa no volver a verlo nunca más. En este momento, me importa muchísimo.

Busca las llaves de su auto y se detiene, como si acabara de recordar algo. Camina hacia el extremo de la cochera y voltea levantando la cabeza para mirar hacia la casa.

Me ve inmediatamente, y yo me alejo de la ventana de un salto, con la respiración entrecortada. Obviamente sabía que yo estaba ahí, tenía que saberlo. Espío nuevamente por encima del borde de la ventana. Wallace está caminando de un lado a otro. Cada vez que pasa, mira hacia mi ventana. Pasa una vez, otra vez, y una vez más.

¿Se está mentalizando? ¿Para que necesita mentalizarse? ¿Qué va a hacer? ¿Derribar la puerta de la entrada? Finalmente se detiene y mete la mano a su bolsillo para sacar su teléfono. Escribe algo y vuelve a mirar hacia mi ventana.

Tomo mi teléfono del escritorio, donde ha estado llenándose de polvo. Cuando lo enciendo, empiezan a llegar cientos de mensajes, pero el de Wallace está en la parte superior.

"Tenemos que hablar".

Antes de que pueda responder, empieza a escribir nuevamente.

"En serio tenemos que hablar y no quiero estar enviando mensajes afuera de tu casa".

Y otra vez:

"Si no me recibes hoy, simplemente regresaré mañana".

El estómago se me acalambra. Quiere entrar para poder gritarme a la cara. Para poder decirme lo equivocada que estoy, y lo terrible y espantosamente que lo he tratado. Tal vez entonces pueda gritarle en respuesta que ya lo sé, que lo siento en la médula de mis huesos como si alguien me hubiera llenado el cuerpo de culpa.

Me siento por un momento tratando de mantener la calma, con los brazos alrededor de mis piernas y la frente apoyada sobre mis rodillas. Luego, me obligo a levantarme del suelo, salgo de mi habitación y bajo las escaleras dando rígidos y pequeños pasos. Abro la puerta principal de par en par y subo corriendo las escaleras de regreso a mi habitación, dejando esa puerta también abierta. Me acurruco sobre mi cama, apoyando la espalda en la esquina, y con mi almohada apretada entre los brazos como si fuera un escudo.

Escucho cómo se cierra la puerta frontal, y suelto la almohada lanzándola a través de la habitación.

El sonido de pisadas fuertes avanza por las escaleras.

Me levanto y apoyo la espalda contra la ventana. Cierro los ojos y presiono mi teléfono contra mi estómago hasta que puedo sentir la mirada de Wallace sobre mí. Entonces abro los ojos y lo veo parado debajo del marco de la puerta.

Está enojado. Demasiado enojado. Nunca había visto su cara así, ni siquiera cuando se enojaba porque Tim le decía que solo podía escribir si lograba ganar buen dinero con eso. Esto es más que enojo, es ira mezclada con traición y confusión.

—¿Cómo?... —su mandíbula se endurece. Mira al techo—. ¿Cómo pudiste?... —aprieta con fuerza sus dientes—. ¿Cómo pudiste ocultármelo? —su voz se convierte en un susurro. Gruñe y cierra los puños. Las lágrimas me nublan la visión. Está tan enojado.

Saca nuevamente su teléfono, exhalando con fuerza a través de la nariz, como un toro enfurecido. Me seco las lágrimas para poder ver la pantalla. Sus mensajes de texto empiezan a llegar como fuego rápido.

"¿Cómo pudiste ocultármelo? ¿Todo este tiempo?".

"¿Estabas jugando conmigo?".

"¿Fui tu conejillo de Indias o algo así?".

"¿Lo hiciste por aburrimiento?".

"¡Permití que leyeras mis cosas! ¡Permití que leyeras todo!".

"¡Te invité a mi casa!".

"¡Conociste a mi familia!".

"¿Cómo pudiste ocultarme quién eras realmente?".

"¿No querías hacerlo?".

"¿Acaso pensaste en la posibilidad de hacerlo?".

Las lágrimas son tan gruesas que no puedo ver a través de ellas. Wallace da un paso y entra en la habitación. Muevo los pulgares sobre mi teléfono, pero no logro escribir nada. Estoy sollozando demasiado fuerte, y para colmo de males tengo hipo. En medio de mis sollozos me ha entrado un ataque de hipo.

Aprieto mi teléfono con una mano y cubro la otra con la manga de mi sudadera, pero lo que en realidad quisiera ocultar es mi cara. No puedo esconderme de él, no en este momento. Nada de lo que diga podría hacerle entender cuánto lo siento, y eso solo me hace llorar con más fuerza.

El peso de su cuerpo hace crujir mi cama. Cuando me atrevo a mirar de nuevo, lo veo allí sentado, con los codos apoyados sobre sus rodillas y la cabeza entre sus manos. Aprovecho que no me está viendo y saco de nuevo mi teléfono.

"No", escribo. "No estaba jugando contigo. Al principio no quería decírtelo".

Bajo mi teléfono y digo en voz alta:

—Y luego descubrí lo importante que *Mar Monstruoso* era para ti, y ya no pude decírtelo.

Permanecemos en silencio durante varios largos minutos hasta que Wallace dice suavemente:

—Creí que podría tratarse de algo así. Esperaba que así fuera.

Levanto la cabeza.

—Pensé: "Si yo fuera ella, ¿qué hubiera hecho?". Creo que te lo hubiera dicho, pero ¿quién sabe? Tal vez no. A lo mejor hubiera hecho lo mismo.

Se pasa la mano por la cabeza, levantando sus cabellos.

—No entiendo. ¿Cómo puedes ser ella? ¿Cómo es posible que no me haya dado cuenta? —hace una pausa, como si esperara una respuesta, pero no sé qué decir, así que mantengo la boca cerrada.

Wallace vuelve a levantar la vista. Recorre mi habitación con la mirada, mi escritorio, mi computadora, la selección de plumas que no estaba ahí antes. Y luego mira mis paredes vacías.

—¿Qué le pasó a tu habitación? —pregunta.

—No podía seguir mirando todo eso —respondo.

—¿Y qué pasó en la escuela? —dice, frunciendo el ceño.

Trato de explicárselo. No sé si lo entiende, pero me escucha.

—No quiero regresar —digo—. Sé que volverá a suceder. Aun cuando estoy sola, sé que no lo estoy, porque siento como si la gente de internet me estuviera observando. En la escuela es todavía peor, porque puedo *verlos*.

—No te odian —dice—. De hecho, la mayoría son fans. O gente a la que le parece genial que seas medio famosa.

—Eso no cambia las cosas. He leído todos los mensajes. Siento como si fuera demasiado grande para poder asimilarlo. No importa si es bueno o malo.

—¿Has entrado a los foros?

—La última vez que entré fue la semana pasada. La verdad es que ya no quiero estar cerca de mi computadora.

—Sí —dice—. Yo tampoco querría.

Su respuesta lo confirma todo. Las cosas se han puesto peor desde que dejé de leerlas. En internet las grandes noticias suelen apagarse rápidamente; todo mundo lanza el grito al cielo durante un par de días, y luego avanzan al siguiente suceso. Si la revelación de la identidad de Lady-Constellation sigue siendo noticia después de una semana de haberse hecho pública, quiere decir que la gente no lo va a dejar ir tan fácil.

—¿Qué crees que harán cuando descubran que no habrá páginas publicadas esta semana? —pregunto—. ¿Ni la próxima?

—¿Ya no vas a publicar más páginas?

Niego con la cabeza.

—Tengo algunas de reserva, pero no he dibujado nada desde la semana pasada. Desde antes. Y ya no quiero hacerlo. Ni siquiera tengo ganas de tomar un lápiz.

—Pero ¿vas a subirlas finalmente?

—Tal vez. No lo sé.

Hay un sobresalto en su respiración. Me mira, luego baja la vista a sus manos, y vuelve a mirarme. Hay algo extraño en su tranquilidad. Un cierto nerviosismo e incertidumbre.

—Tengo que decirte algo —el volumen de su voz es más alto de lo normal, como si estuviera forzándose a hablar—. Un día antes de que pasara todo eso, lo del ejemplar de la graduación, recibí un correo electrónico de una editorial. Encontraron la transcripción. Están muy entusiasmados por lo famoso que es *Mar Monstruoso*, y quieren publicarlo en formato de novela.

—¿Quieren publicar tu transcripción?

Wallace asiente con la cabeza.

—Eso es genial —digo, secándome los ojos con la manga de mi sudadera—. Es *increíble*. Es un contrato para un libro.

—Pero me dijeron que necesitarían obtener los permisos necesarios para publicarlo. De la creadora.

—Por supuesto —digo, luchando contra mí misma para sacar las palabras de mi boca. Esto es lo mínimo que puedo hacer por él después de toda esta basura. Ya no me importa si mi nombre se hace público—. Por supuesto que tienes mi autorización. Siempre. Solo dime dónde debo firmar.

Pero Wallace no parece feliz. Me mira como si no hubiera entendido algún punto importante.

—No quieren la historia hasta que sepan cómo terminará.

—Pues escribe tú el final —digo.

—No quiere *mi* final, Eliza. Quieren el *tuyo*. No estará bien a menos que sea tu final.

—Puedo decirte cómo termina y tú podrías…

—QUIEREN TU FINAL.

—¿No van a publicarlo si el cómic no está terminado?

Wallace me mira sin parpadear, y el estómago me da un vuelco.

—Eso es ridículo —digo—. Es una buena historia aun sin mi final. La gente va a comprarla…

—Tienes que terminarla —hay una seriedad en su voz que nunca había escuchado.

—No puedo.

—*Tienes que terminarla, Eliza.*

—Ni siquiera puedo tocar un lápiz en estos momentos. Te ha pasado a ti también, ¿no? Cuando no puedes hacer nada porque las cosas no están fluyendo, no sale nada, como si tu cabeza estuviera vacía…

—Tienes que terminar la historia —su voz es dura. Ojalá tuviera mi almohada junto a mí para usarla como escudo—. Nunca volveré a tener una oportunidad como ésta. Si no sucede, voy a pasar otros cuatro años haciendo lo que los demás me digan. Incluso más tiempo. No puedo seguir así. Por favor, Eliza. Solo son unos cuantos capítulos. Esfuérzate y termínala.

No lo entiende. O no quiere entenderlo.

—No puedo —susurro.

—¿Por qué no?

—Porque no hay… no hay nada aquí adentro.

—*¿Por qué no?* No tiene que haber nada. Los artistas crean cosas todo el tiempo sin estar motivados. Si yo pudiera hacerlo por ti, lo haría… mataría por escribir algo sin motivación si eso significara que más adelante podré hacer lo que yo quiero.

Nunca había estado en un problema así. Jamás me habían obligado a hacer algo. No entiendo cómo funciona.

—No puedo.

Wallace se levanta de la cama. Despeina su cabello con sus manos, y luego cierra los puños a sus costados. Un músculo salta en su mandíbula. Mira alrededor, observando las paredes vacías, el escritorio vacío y la computadora en silencio.

—Tienes una vida perfecta —dice—, y no puedes dibujar un par de capítulos.

—Mi vida no es perfecta —respondo.

—Creaste una cosa increíble por la que millones de personas te aman y te veneran. Todos saben lo que hiciste. Reconocen tu talento. Ni siquiera tienes que preocuparte por saber cómo pagarás la universidad, ni por conseguir un trabajo real. No tienes que descifrar lo que se supone que deberías hacer con tu vida. Nadie te dice qué hacer o quién ser. Lo único que tienes que hacer es dibujar unas cuantas páginas. Eso es todo. ¿Cuánto te tomará? ¿Una o dos semanas máximo? Así que, por favor, Eliza, *dibuja las páginas.*

Ya no sé qué más decir, así que me limito a mover la cabeza negativamente.

Wallace se da la vuelta y se marcha. Sus pisadas resuenan fuertemente al bajar las escaleras. La puerta frontal se cierra suavemente, con una pequeña ráfaga de aire.

Habría sido mejor si la hubiera azotado.

CAPÍTULO 37

Estoy sentada frente a mi escritorio con una hoja en blanco y mi lápiz. El lápiz está junto al papel, alineado paralelamente con el pequeño borde inferior. Miro fijamente el lápiz, y éste me devuelve la mirada.

Unos cuantos capítulos. El final. No conozco todos los detalles, pero tengo una vaga idea de lo que sucederá. No puede ser tan difícil.

Se supone que una hoja en blanco debería ser una invitación. Un desafío, incluso. Aquí está tu lienzo: ¿qué tan creativo puedes ser? ¿Qué límites cruzarás para dar vida a esa criatura que solo existe en tu cabeza? Una hoja en blanco es un mundo de posibilidades infinitas.

Pero, en este momento, lo único que veo es un abismo. En el lugar donde las ideas y el entusiasmo solían brotar en mi interior, ahora solo hay un bloque de piedra gigante, inamovible y tan frío que me entumece las extremidades. Mirar una hoja en blanco solo me recuerda que no soy lo suficientemente fuerte para moverla. Tengo que intentarlo. Debo hacerlo por Wallace. Me estiro para tomar el lápiz. Mi mano se detiene, mis dedos se enroscan y mi muñeca se desploma hasta que cae sobre el borde del escritorio. De todas formas, el resultado no será bueno. Los personajes, las escenas.

La gente se va a dar cuenta de que hay algo mal. Tendré que publicar las páginas porque el editor no aceptará la transcripción de Wallace a menos que la historia esté completa, pero todos los lectores que han formado parte de los foros durante todo este tiempo sabrán que los recuadros no son tan buenos como deberían. Que el arte no es tan bueno, los personajes no son tan buenos y que la historia no es tan buena.

Y cuando descubran todo eso, sabrán dónde encontrarme y cómo hacerlo, y entonces podrán cuestionarme al respecto directamente. Algunos incluso lo harán en la escuela.

¿Y si me mandan cartas?

¿O si se aparecen en mi casa?

¿Qué haré si empiezan a decir de mí las mismas cosas que dicen sobre Olivia Kane? "Eliza, la ermitaña, huyó a una cueva en las montañas y aleja a las personas de su propiedad con una escopeta. Coloca trampas explosivas para sus propios fans. Dibujó tantos monstruos que terminó convirtiéndose en uno".

En ese momento me doy cuenta de que estoy sujetando el borde del escritorio con tanta fuerza que mis uñas han dejado profundos surcos en la madera, así que lo suelto. Me obligo a respirar, a empujar todos los otros pensamientos al fondo de mi mente, para poder pensar solo en Wallace. Él obtendrá un contrato para un libro. Usará ese dinero para pagar la universidad, y se especializará en lo que realmente le gusta. Wallace no tendrá que preocuparse por complacer a Tim, ni por estancarse en un trabajo en el que terminará odiándose.

Tengo que intentarlo.

Vuelvo a estirarme para tomar el lápiz, y esta vez lo levanto, pero una descarga recorre mi brazo, poniéndome los pelos de punta y enviando ondas de repugnancia a través de mis músculos. Aprieto fuertemente el lápiz únicamente para no lanzarlo lejos de mí. La primera línea que dibujo está torcida. Ni siquiera sé lo que se supone que debía ser. ¿El margen de un recuadro? ¿Una línea en la cara de algún personaje?

¿En qué parte de la historia me quedé? Ya no lo recuerdo.

Presiono las manos contra mi frente. Mi pecho se contrae cada vez más. Estas cosas se me daban con mucha facilidad. *Mar Monstruoso* nunca había sido difícil. Incluso cuando no estaba segura de la dirección de la historia, simplemente empezaba a dibujar y todo caía como una avalancha. Ahora solo hay un pánico doloroso. *Pánico* porque no hay nada aquí adentro. Porque, a pesar de saber que es tonto pensar así, pues sé que todos me llamarían ridícula si lo supieran, siento como si algo terrible fuera a pasarle a Wallace si no termino.

No sé exactamente qué ni cómo. Lo único que siento es que el terror se eleva por mi garganta.

Vuelvo a intentarlo, pero no pasa nada. Caras, ojos, ropa. Nada de lo que dibujo se ve bien. Es demasiado oscuro, demasiado claro, muy inclinado hacia la izquierda. Las proporciones no son correctas, las líneas parecen temblorosas, el peso está en los lugares equivocados.

El lápiz termina su existencia convertido en dos mitades, una detrás de mi monitor, la otra atascada en el espacio entre mi escritorio y la pared. Me empujo en la silla hasta el otro lado de mi escritorio, activo mi computadora y busco en Google "desaparición de Olivia Kane". Los resultados solo muestran especulaciones de portales de noticias, foros de fans y redes sociales. La teoría de Cole sobre la cueva y la escopeta está casi en primer lugar. Hay quienes creen que Olivia Kane se volvió completamente loca, como si eso fuera algo real. Otros afirman que intentó suicidarse, muchas personas lo creen. Esta teoría está por todas partes. ¿De verdad nunca había leído esta teoría antes, o simplemente decidí ignorarla? ¿Fui tan ingenua que pensé que solo se había escondido por ahí?

La gente dañada no se oculta de sus monstruos. La gente dañada se deja comer.

Me hago un ovillo sobre la silla, con la cabeza hundida entre mis rodillas y los brazos alrededor haciendo las veces de barrera. Ya no puedo llorar. Quisiera que las lágrimas salieran, porque tal vez eso me haría sentir mejor, pero mis papás podrían escucharme, o Sully y Church, o alguien en el omnisciente internet que me encontraría y me destrozaría. No puedo llorar, no puedo dibujar, no puedo estar en línea y no puedo hablar con nadie, entonces ¿de qué sirvo?

¿Qué sentido tengo?

CAPÍTULO 38

La escuela es una bestia aterradora.

Pasas siete horas caminando en su interior, y cuando el día termina se vuelve lo suficientemente pequeña como para subirse a tu auto y acompañarte a casa. Penetra en tu oído y te susurra todas las cosas que podrían suceder al día siguiente. Tu ropa no lucirá bien. Tu cabello no se acomodará. Olvidarás tu tarea. Tendrás *más* tarea. Tendrás que luchar con alguien para conseguir una mesa a la hora del almuerzo.

Todos, todos, todos te juzgarán.

Solo faltan dos semanas para la graduación. No tengo elección.

¿Qué quiero hacer? Quedarme en casa. En mi habitación, específicamente, con las persianas cerradas y la televisión encendida con el volumen muy bajo para poder dormitar entre las soporíferas voces de *Dog Days*. Quiero tener a Davy junto a mí para poder abrazarlo, y no quiero ver ni hablar con nadie. Ni en la vida real, y mucho menos en línea. No quiero pensar en las páginas que no he terminado, ni en la cara de Wallace, grabada a fuego en mi memoria, cuando le dije que no podía hacerlo.

¿Qué sucederá si consigo lo que quiero? Me quedo en casa durante las últimas dos semanas del año de graduación, y mis papás me obligan a ver a esa terapeuta hasta que mi cerebro quede bien limpio y me saquen de allí como un plato de un lavavajillas. Eso podría tomar meses. O, Dios me libre, *años*. No quiero seguir en este estado durante años. No quiero sentirme así. Ni siquiera ir a la universidad mejorará las cosas, porque allí también habrá gente que sepa quién soy. No tengo escapatoria.

Así que regreso a la escuela.

Hace demasiado calor esta primavera para usar sudaderas. Logro sobrevivir usando una técnica para encogerme que perfeccioné hace años cuando me fastidié de que me eligieran para las actividades durante los campamentos deportivos. Nunca hagas contacto visual directo. Vístete con colores apagados. Muévete al ritmo de la multitud. Desaparecer es una forma de arte, y yo soy la reina. O al menos solía serlo.

En cuanto atravieso la puerta, se me traban las rodillas y el calor empieza a acumularse detrás de mis ojos. Intento controlar mi respiración. Después de asegurarme de que puedo volver a caminar sin caerme, empiezo a hacerlo. Un paso después de otro.

No voy a tropezar y desmayarme.

No voy a tropezar y desmayarme.

No voy a tropezar y desmayarme.

Llego hasta mi casillero, pero olvido la combinación de la cerradura. Tengo que revisar mi teléfono por primera vez desde que Wallace fue a mi casa para encontrar la combinación en mis anotaciones.

La puerta del casillero se abre con fuerza y un montón de papeles doblados caen sobre mis pies. Hay más papeles amontonados precariamente en la repisa del casillero debajo de las rejillas de la puerta. Tomo uno y lo desdoblo.

Hola, Eliza.

No me conoces, pero soy una mega fan de *Mar Monstruoso*. Probablemente sea la mayor fan. Lo empecé a leer apenas hace seis meses, pero es mi cosa favorita en todo el mundo. Me fascina tu arte, y espero poder dibujar como tú algún día. ¡Mejórate pronto!

Listria_Dreams

P.D. Sé que te gusta preguntarnos cuáles son nuestros personajes favoritos: ¡el mío es Rory!

Esta persona metió una nota en *mi jodido casillero.*

La dejo caer y me agacho para empujar todas las demás notas hacia adentro antes de que alguien las vea. Pero me queman la piel como si estuvieran en llamas y vuelven a salirse. Son demasiadas.

Un dedo me da un golpecito en el hombro. Doy un salto para alejarme de la persona y me golpeo la cabeza y el hombro contra la puerta del casillero.

Es Wallace.

Se agacha y empieza a tomar las notas con una de sus grandes manos. No intenta ponerlas nuevamente en el casillero, sino que se quita su mochila y las mete ahí. Reprimo todas mis preguntas, mi pánico y mis lágrimas, y continúo haciendo mis cosas, o sea, tomar los libros que voy a necesitar para la primera parte del día. Wallace se cuelga la mochila en los hombros y se aleja a la clase de Tutoría.

No he hablado con él desde que fue a mi casa la semana pasada. ¿Qué puedo decirle? "¿Lo intenté pero sigo sin terminar el cómic, así que siento mucho haber arruinado tu vida?".

No sé hasta qué grado se ha visto afectada su participación en los foros por mi identidad. La gente en los foros sabía que rainmaker tenía algo con MirkerLurker, aunque nunca fuimos demasiado obvios. ¿Habrá tenido que convencer a todos de que no sabía quién era yo cuando se supo que LadyConstellation y MirkerLurker eran la misma persona? ¿Será que alguien ya relacionó a rainmaker con Wallace? Ya es bastante malo que me hayan despojado de mi propio anonimato, no sé lo que haría si tengo que cargar también con lo de Wallace.

Ni siquiera puedo pensar en Cole, Leece, Chandra y Megan. No asistí a la quedada en Murphy el fin de semana pasado. No pude enfrentarlos. Les mentí igual que le mentí a Wallace, y antes que nada son sus amigos. Estarán tan enojados como él, probablemente más.

Cuando llego a la hora de Tutoría, la expresión en la cara de Wallace parece como tallada en piedra. No voltea a verme.

Algunas cabezas sí lo hacen, pero la mayoría de las personas están ocupadas en sus propios asuntos. Wallace saca un papel y empieza a escribir. La profesora Grier, que está sentada en su escritorio, mantiene la cabeza agachada y no despega los ojos del libro que tiene entre sus manos. La punta de un tatuaje se asoma por su manga derecha. Si no supiera que lo tiene, no lo hubiera visto.

Esperaba que ese tatuaje fuera una pesadilla. Alguna visión retorcida que tuve porque todo lo que pasó ese día fue demasiado extraño.

Pero no, no lo es. Mi profesora de Tutoría tiene tatuada en su brazo, con letras mayúsculas, la frase más popular de *Mar Monstruoso*, como un grito de guerra. HAY MONSTRUOS EN EL MAR. Sí, profesora Grier. Sí que los hay. Usted es uno de ellos. Usted es uno de esos monstruos que tendrían que haberse quedado bajo la superficie, pero no lo hizo. Salió de las profundidades, y ahora jamás podré olvidar que la vi. Nunca podré olvidarme de su existencia.

Centro mi atención en mi escritorio y pongo las manos alrededor de mi cuello. Los creadores no deberían sentirse de este modo acerca de sus fans. No debería querer que desaparecieran. Ellos son la razón por la que tengo… la razón por la que tengo *todo*. Gracias a ellos puedo pagar la universidad y pude comprar mi selección de plumas; ellos son la razón por la que puedo pasar tanto tiempo haciendo las cosas que amo.

Espero que Olivia Kane nunca se haya sentido así sobre mí.

Olivia Kane.

No sé exactamente qué le sucedió, solo sé que no quiero que me pase a mí.

Saco una libreta de mi mochila y la abro en una página en blanco. Antes de que sucediera todo esto, jamás hubiera tratado de contactar a Olivia Kane. Mi corazón hubiera estallado por el esfuerzo, y habría tenido demasiado miedo de la posible respuesta.

Pero a grandes males…

Srta. Kane:

Me llamo Eliza Mirk. Esta carta no es para hablar sobre Los Hijos de Hipnos, *aunque sí soy fan de su trabajo. Yo soy la creadora del webcómic* Mar Monstruoso, *y hace poco alguien reveló mi identidad a mi grupo de fans. El día que esto sucedió, tuve un ataque de pánico, me tropecé y quedé inconsciente sobre una de las mesas de la cafetería.*

Soy patética, ya lo sé.

Desde entonces, la gente ha tratado de contactarme a todas horas y por todos los medios posibles, incluyendo mensajes por internet, correos electrónicos, e incluso notas introducidas en mi casillero de la escuela. Algunas son muy lindas, pero otras no tanto. Siento como si la gente me observara todo el tiempo, como si estuvieran atentos a todo lo que hago; aun cuando estoy completamente sola en habitación. No he podido comer ni dormir bien, y no sé qué hacer con mi vida.

Después de pasar dos semanas en casa, ya regresé a la escuela, pero siento la piel erizada todo el tiempo, como si estuviera tambaleándome al borde de un mareo sofocante, como si el pánico pudiera estirarse y atraparme en cualquier momento. Quiero irme a casa, y no salir nunca más de mi habitación.

Sé que esto no es exactamente igual a su caso, pero lo peor de todo es que no puedo terminar Mar Monstruoso.

Estaba tan cerca del final, y ahora he perdido la motivación por completo. Es como un pozo que se ha secado. No sé cómo llenarlo nuevamente, y no estoy segura de si quiero hacerlo, pero tengo que lograrlo. Hay muchísimas razones por las que debo terminarlo. No debería sentirme así, ¿verdad? No debería sentirme tan atacada. Esto es con lo que tienen que lidiar las figuras públicas. Creo que tengo algo mal, y no sé cómo arreglarlo. Tengo miedo de sentirme así el resto de mi vida. Me siento aterrada todo el tiempo.

No sé si usted pueda ayudarme, o si acaso sabe de lo que le estoy hablando, pero usted es la única persona que creo que puede entenderme.

Gracias por su tiempo.

Eliza Mirk

P.D. Una disculpa, sé que dije que no hablaría sobre Los Hijos de Hipnos. No tiene que responder esto, y estoy segura de que la gente se lo pregunta todo el tiempo, así que si se siente incómoda, por favor, ignórelo. ¿Sabe cómo habría terminado la serie? No necesito que me diga nada específico; solo me pregunto si usted conocía el final pero no pudo terminarlo, como me pasa a mí, o si no había un final.

CAPÍTULO 39

Paso el resto del día en la escuela con la carta para Olivia Kane doblada en tres partes y sujetada fuertemente entre mis manos.

A la hora del almuerzo, en el patio interior, Wallace me entrega su hoja de conversación por encima de su charola repleta de comida. Por lo menos su apetito no se ha visto afectado con todo lo sucedido.

"¿Qué es eso?".

Son las primeras palabras que me dirige, habladas o escritas, desde el día que estuvo en mi habitación. Aun después de observar su cara y su lenguaje corporal sigo sin tener la menor idea del tono de su mensaje. ¿Está enojado? ¿Tiene curiosidad? Definitivamente no está preocupado, ¿o sí? Ni siquiera sé por qué está sentado junto a mí en este momento. Debe de ser la costumbre.

"Una carta para Olivia Kane", escribo. Hay otros estudiantes en el patio interior, y no tengo ganas de hablar en voz alta.

Wallace frunce el ceño.

"¿Puedo leerla?".

Sostengo la carta doblada entre mis dedos. No tenía planeado que Wallace la leyera. Tampoco es como si estuviera esperando con el brazo extendido a que se la entregue.

Quizá no estaría mal permitir que la lea. Tal vez así entendería lo que intenté explicarle ese día. Incluso podría ayudarme a mejorarla; después de todo, él es el escritor.

"No, es solamente para ella".

Wallace lee mi mensaje y no dice nada más.

Cuando llego a casa, busco un sobre y una estampilla en la oficina de mamá y papá, y pongo la carta en el buzón. Hace unos años, los foros de *Los Hijos de Hipnos* publicaron una dirección del editor de Olivia Kane, donde recibían cartas en su nombre. No sé si todavía sigan recibiéndolas, o si se las envían. Las probabilidades de que lea mi carta son prácticamente nulas, y es mucho menos probable que reciba una respuesta de su parte. Pero no me importa si Olivia Kane ahuyenta a la gente de su propiedad con una escopeta, gritando como una desquiciada.

Al menos tengo que intentarlo.

CAPÍTULO 40

—Eliza, ¿por qué no te adelantas y te sientas en el sofá? Ponte cómoda.

—De acuerdo.

—¿Quieres algo de beber?

—Mmm, quizá un poco de agua.

—Perfecto. Me alegra que hayas decidido venir a hablar conmigo.

—No iba a hacerlo. O sea… mis papás querían que viniera. La verdad es que no me gusta mucho hablar. Lo único que quiero es dejar atrás todo esto.

—Por supuesto. Leí el cuestionario que te pedí que llenaras, y lo comparé con lo que me contaron tus papás… parece que este año escolar fue una verdadera montaña rusa.

—Sí. Supongo.

—¿Y a qué se debe?

—Todo se ha puesto peor. Bueno, no peor. ¿Más o menos? Ay, no sé, creo que *peor* no es la palabra correcta. ¿Más intenso?

—Intenso puede ser una buena descripción. ¿Cuándo crees que las cosas empezaron a ir cuesta abajo?

—Primero todo mejoró, y luego empezó la caída. No sé. Tal vez en octubre.

—¿Qué pasó en octubre?

—Mmm. Fue cuando conocí a Wallace.

—Wallace es tu novio, ¿cierto?

—Sí. O lo era. Ya no estoy segura.

—De acuerdo, entonces fue cuando conociste a Wallace. ¿Cómo sucedió el cambio?

—Empezamos a pasar tiempo juntos. Yo no me juntaba con nadie en la escuela… o fuera de ella. Wallace es fan de *Mar Monstruoso*, y esa fue la primera vez que conocí a uno de mis fans en la vida real. También conocí a sus amigos.

—¿Te llevabas bien con ellos?

—Sí.

—¿Wallace conoció a tus amigos?

—Sí, técnicamente. Max y Emmy participan en los foros de *Mar Monstruoso*, así que probablemente los haya visto rondando por ahí.

—¿No conoces a Max ni a Emmy en la vida real?

—Sí los conozco en la vida real. El hecho de que sean amigos virtuales no significa que mienten todo el tiempo.

—Me refiero a que no los conoces en persona, como para poder estirar una mano y tocarlos.

—No. Max vive en Canadá y Emmy estudia en California.

—Entonces estás acostumbrada a interactuar con la gente principalmente a través de internet.

—Supongo. Antes de Wallace, prácticamente solo convivía con mi familia. ¿Eso está mal?

—No necesariamente. Muchas personas, especialmente adolescentes de tu edad, encuentran en línea sus círculos sociales y sus amigos más cercanos. Me disculpo por haber dicho "en la vida real". Mi intención no fue sonar como si creyera que esas relaciones no son valiosas.

—Está bien. Tu actitud es mejor que la de mis papás.

—¿Qué dicen tus papás?

—Muchas cosas. Solían decirme que estaban de acuerdo con todo esto del internet, pero creo que no era verdad. Se alegraron cuando Wallace apareció. Supongo que pensaron que por fin estaba saliendo del cascarón, o algo así.

—¿Y tenían razón?

—Tal vez. No sé. Empecé a hacer más cosas fuera de casa, pero no era igual al mundo virtual.

—¿Cómo te sentías cuando estabas en línea?

—Como la creadora de uno de los webcómics más populares del mundo. Era invencible. Es mucho más fácil lidiar con las personas cuando sientes que eres intocable.

—Es normal experimentar ese tipo de diferencias de poder. ¿Te sentías así siempre que estabas con Wallace?

No. Algunas veces, pero no siempre. Fingía que yo también era una fan. Wallace es el escritor de *fanfiction* de *Mar Monstruoso* más popular de todos.

—¿Por qué no me cuentas un poco más sobre *Mar Monstruoso*?

—¿Qué quieres saber?

—Dime de qué trata la historia.

—¿Qué no lo has leído? Puf… perdón, eso sonó mal. O sea, es que todo esto tiene que ver con *Mar Monstruoso*. Por eso pensé que tal vez lo habías buscado en internet… lo siento, no soy pretenciosa, te lo juro.

—No te preocupes. Sí lo busqué, pero quería escuchar tu propia descripción.

—Es... difícil de explicar. Hay un chico, una chica y... ¿has leído *Fausto*? ¿O has visto la película? Sí conoces la leyenda de Fausto, ¿no?

—Sí, la conozco.

—Bien, pues, básicamente, el chico y la chica vendieron sus almas a cambio de un gran poder. Más o menos. Es raro. Viven en un enorme y lejano planeta llamado Orcus, el cual es casi puro océano. El chico y la chica son los únicos que pueden matarse uno al otro, y se enfrentan entre sí en los bandos opuestos de una guerra... no lo estoy explicando bien.

—Estás haciendo un buen trabajo.

—Bueno, pues la chica descubre que su bando la ha engañado, y el chico trata de convencerla para que se una al suyo, pero resulta que sí es, más o menos, el monstruo que todo el mundo cree, solo que en un modo distinto...

—¿Cuánto tiempo llevas trabajando en *Mar Monstruoso*?

—Muchos años.

—¿Piensas a menudo en eso?

—Todos los días. A veces no puedo pensar en otra cosa. Pero no he podido trabajar desde que... desde hace unas semanas.

—Cuando se supo que tú eres la creadora.

—Sí.

—¿Por qué?

—He perdido la motivación. Solía ser parte de mí,

algo que hacía todo el tiempo. Ni siquiera sé si extraño hacerlo o no.

—¿Has estado trabajando en otra cosa?

—No. Sí lo he intentado, pero cuando lo hago empiezo a sentirme culpable por no dedicarme a *Mar Monstruoso*.

—¿Por qué te sientes culpable?

—En parte se debe a los fans, creo. Llevan tanto tiempo leyéndolo, y la historia está tan cerca del final, que siento como si los estuviera defraudando. Bueno, de hecho, *sí* los estoy defraudando. Pero también tiene que ver con la historia en sí misma... no importa. Es una estupidez.

—Nada es estúpido, Eliza. ¿Qué pasa con la historia?

—Siento que estoy defraudando a la historia. Como si no fuera digna de ella porque no pude terminarla.

—¿Eso te hace sentir mal?

—He tenido algunas pesadillas al respecto.

—¿Pesadillas?

—Sí... pesadillas tipo ser devorada por monstruos marinos. Es normal, ¿no?

—Sí, es normal tener pesadillas cuando estás bajo mucho estrés. He conocido algunos artistas que han experimentado sentimientos similares, por ejemplo, sentirse indignos de su propio trabajo, sentir culpabilidad por una pieza incompleta, ansiedad por lo que sus fans quieren y por lo que pueden hacer para darles gusto. Es *normal,* pero eso no significa que siempre sea *saludable.* Eliza, tu valor como persona no depende del arte que creas o de lo que otras personas opinen de él.

—Entonces… ¿de qué depende? ¿Qué existe más allá de lo que creamos y lo que dejamos atrás?

—¿Crees que las personas que valen más son aquellas que *solo* llevan a cabo cosas excelentes?

—Pues…

—Déjame ponerlo de otra manera: tus hermanos son atletas, ¿no?

—Sí.

—Si pierden un juego, ¿no se arriesgan también a perder a sus aficionados?

—Supongo.

—¿Eso hace que sus vidas valgan menos que las de dos chicos que siempre ganan?

—Por supuesto que no. Eso sería ridículo. Es solo un juego.

—Ellos podrían decir lo mismo de *Mar Monstruoso*. Es solo un cómic.

—Pero aun así, es diferente.

—Creo que te sorprendería saber lo delgada que puede ser la línea entre el arte y los deportes. Algunos artistas consideran su oficio como un deporte, y hay atletas que ven su deporte como un arte. Mi punto es que solemos atribuir un valor a las cosas que más nos importan, pero a veces no nos detenemos el tiempo suficiente para contemplar el panorama general. Tú puedes ver quiénes son realmente tus hermanos, independientemente de lo que hacen y de sus logros, pero te resulta difícil hacer lo mismo contigo.

—Yo… tal vez…

—El valor de una persona no se basa en ninguna evidencia tangible. No existe un análisis, ni una escala. Cada quien tiene su propio concepto. Pero lo que sí puedo asegurarte es que *Mar Monstruoso* no es la medida de tu valor en la vida, Eliza. El hecho de que termines de escribirlo o no lo hagas no determina si debes vivir o morir.

—Pero... Wallace. A Wallace le ofrecieron un contrato para publicar un libro con su transcripción de la historia, y eso cambiaría completamente su vida, pero a la editorial no le interesa a menos que la historia esté completa. Si no la termino, Wallace va a perder todo.

—¿Es una situación de vida o muerte?

—No.

—¿Wallace corre algún peligro del que solo puede salvarse con esto?

—Pues... no. Pero le facilitaría muchísimo las cosas...

—Parece una situación complicada.

—¿Qué se supone que debo hacer? Por eso estoy aquí. Por eso estoy intentando superar todo esto para seguir dibujando. Si no fuera por Wallace, jamás volvería a pensar en el cómic. *Quiero* terminar el cómic por él, pero no puedo. Si Wallace no consigue el contrato, será mi culpa.

—Creo que lo importante aquí no es que termines el cómic, sino que comprendas que no puedes hacerte responsable de la vida de Wallace, o de las vidas de tus fans. El estado de tu grupo de fans no puede determinar tu valor personal.

—Pero sí es *mi culpa*. Debería poder terminarlo, aunque no tenga ganas de hacerlo.

—Entiendo que tal vez ésta no sea tu primera elección y, definitivamente, no parece ser la más amable, pero ¿qué crees que sea más importante? ¿Trabajar a pesar del bloqueo, o tomarte un tiempo para descansar?

—¿No se supone que tú deberías darme la respuesta?

—En este caso, creo que es más importante que tú tomes la decisión. Es probable que este problema —tu ansiedad— no se arregle de un día para otro. Te puedo recetar un medicamento, pero es esencial que aprendas a identificar los momentos en que empiezas a sentirte abrumada, para que sepas cuándo puedes hacer un esfuerzo y seguir adelante, y cuándo necesitas dar un paso atrás.

—Ah.

—Analicemos otra cosa. ¿Habías pensado en lo que harías después de terminar *Mar Monstruoso*?

—Pues… creía que simplemente caería colapsada sobre el suelo. Como una marioneta a la que le han cortado los hilos, ¿sabes?

—¿No tenías otras ideas que quisieras explorar?

—No.

—La vida no termina con una historia. Tal vez no termines *Mar Monstruoso*, o tal vez sí lo hagas. Quizá no vuelvas a dibujar nada después de *Mar Monstruoso*, o quizá sí. A los fans les seguirá gustando tu trabajo. Los criticones encontrarán otra cosa para criticar. El tiempo seguirá avanzando, y tú también lo harás.

—Pero… ¿cuánto tiempo tomará? Estoy cansada de sentirme así.

—Eso es difícil de responder.

—Tengo que ir a la universidad en otoño. No puedo...
no quiero tener que lidiar con todo esto y además estar en un
nuevo lugar.

—¿Has pensado en tomarte un descanso? ¿Un año
sabático? No tienes que entrar a la universidad inmediatamente.

—Pero ¿qué haría mientras tanto? No puedo quedarme en mi habitación todo el tiempo, ¿verdad? Aunque eso es
lo que quisiera.

—Si sigues viniendo, podemos hablar sobre el tema,
pero creo que sería un momento ideal para reflexionar un
poco. Para volver a encontrar tu centro. Además de que sería
un gran respiro para trabajar en tu ansiedad.

—Eso... suena bien.

—¿Quieres más agua? Los hielos ya se derritieron y
debe estar tibia.

—Ah. Sí, gracias.

CAPÍTULO
41

Esperaba ansiosamente el día de la graduación.

Mis calificaciones bajaron un poco durante las últimas semanas, pero estaba tan cerca el final del semestre que no importó. No bajaron tanto como para que las universidades que me habían aceptado retirarán su ofrecimiento. Decidí entrar a una pequeña universidad local, y casi inmediatamente escribí una carta al director de admisiones explicándole por qué quería aplazar mi entrada un año.

En septiembre del año pasado, a mamá y papá no les hubiera encantado la idea de que me tomara un año sabático. Pero, después de todo lo que pasó, estuvieron de acuerdo en que probablemente era la mejor decisión. Creo que en parte se debió a la improvisada intervención de Sully y Church en mi favor. Justo después de eso, papá empezó a interceptar todas las llamadas y el correo dirigido a mí, y mamá planeó una lista de actividades que podíamos llevar a cabo para que pasara más tiempo fuera de casa —por suerte, la mayoría de las actividades implicaban sacar a pasear a Davy por el vecindario— y, además, colgó un pequeño cartel sobre el refrigerador con una hilera de emoticonos, para que pudiera señalar cómo me sentía cada día. Hace un tiempo me hubiera parecido estúpido, pero, algunos días es más fácil hacer eso que hablar.

—¿Cómo que no vas a ir a la escuela el próximo año? —gruñe Sully durante la cena, cuando mamá y papá anuncian el plan—. ¡*Nosotros* sí tenemos que ir! ¡Qué megainjusto!

Church se limita a comer sus chícharos en silencio.

—¡Sully! —dice mamá, enojada.

Ninguno de mis hermanos tiene permitido quejarse por las cosas relacionadas con mis "ataques", como los llama Sully, aunque solo se trate de una broma, pero me divierte ver a Sully tan enojado. Hace que todo esto parezca un problema ridículo típico de una película, donde todo se resuelve con un lindo moñito después de una hora y media de diversión familiar.

Sully se hunde en su silla con una expresión de resentimiento.

Algo vibra. Church saca su teléfono del bolsillo.

—Ah, mira —dice, pasándome su teléfono por encima de la mesa, con un mensaje de Lucy Warland en la pantalla.

—¿Por qué tienes el número de Lucy Warland? —pregunto.

—Porque es buena onda —dice Church—. Y porque Sully no se atrevió a pedírselo.

La cara de Sully se pone completamente roja.

—Me dijo que me enviaría fotos de la ceremonia de graduación —continúa Church.

Ah, la graduación. Esa cosa que logré, y que luego me negué a celebrar. El simple hecho de saber que no tengo que volver a pisar esa preparatoria me permite respirar con más facilidad. Abro la foto en pantalla completa y veo una ceremonia a la que asistieron la mitad de mis compañeros, que están sentados con sus togas de graduación en hileras ordenadas. Hay una fila a un lado del escenario, donde los graduados suben uno a uno para recibir sus diplomas de manos del director.

Lucy tomó la foto mientras Wallace subía. Puedo verlo como si la foto fuera un video: Wallace marca conscientemente su propio ritmo al subir las escaleras, y atraviesa el escenario. Su cara se ve inexpresiva, como siempre, porque hay demasiadas personas, y mientras más repleto está un lugar, menos expresiva es su cara. Es más alto que el director. Sus enormes manos hacen que las del profesor se vean diminutas. Recoge su diploma y baja lentamente, mientras la mayoría de los presentes piensan que es estúpido, o el típico deportista torpe, o un don nadie.

Yo sé quién es. Sé lo que puede lograr.

—¿Ya me devuelves mi teléfono?

Le entrego el teléfono a Church, y Sully me lanza una mirada asesina.

—¿Qué te pasa? —pregunta—. Parece que te comiste un montón de clavos.

—¿Puedo retirarme?

—Claro —dice mamá, parpadeando—. ¿Por qué?

—Necesito ir a mi habitación para cambiarme de ropa. Se supone que quedé de verme con Wallace en su casa después de la ceremonia.

Mamá y papá se miran mutuamente.

—No lo sabíamos —dice papá.

—Perdón, olvidé decírselos.

Subo las escaleras a toda prisa y busco en mi cajonera algo bonito para ponerme. Algo realmente bonito, como la ropa que mamá y papá me regalan en Navidad. Me arreglo el cabello. Intento maquillarme un poco, lo arruino y vuelvo a intentarlo. "Warland" está tan cerca del final de la lista de apellidos, que la ceremonia ya debe haber terminado.

Mamá y papá dejan que me vaya sin hacer mucho alboroto. Creo que están impactados de verme tan arreglada y maquillada.

No hay nadie en casa de los Keeler. Me estaciono a un lado de la acera y camino hasta la casa para sentarme en el porche. La noche de finales de mayo está bastante cálida, y el sol se ve a lo lejos a punto de desaparecer en el horizonte. Ha pasado mucho tiempo desde la última vez que estuve aquí. Wallace y yo no hemos hablado realmente desde la carta de Olivia Kane, aunque seguimos almorzando juntos en la escuela. Es demasiado lío romper con la rutina. No sé si todavía sigue en pie la oferta de la editorial, y tampoco sé si Wallace espera a que un día me aparezca en su puerta —como ahora— con las páginas en la mano.

Lo que sí sé es que no vine aquí por eso. Estoy aquí porque tengo que hacerle entender que la culpa me está carcomiendo.

Espero quince minutos hasta que un auto aparece en la calle y se estaciona en la cochera.

La familia Keeler baja del auto. Primero Tim, Bren y Lucy. Luego Vee. Wallace es el último en salir del asiento trasero, lo que significa que debe haber ido apretujado en medio de Bren y Lucy. Nunca entenderé cómo se las arreglaron para caber todos en ese auto.

—¡Ay, Eliza! ¡No esperábamos encontrarte aquí, cariño! —dice Vee, apresurándose hasta donde estoy y abrazándome con fuerza.

La siguiente es Lucy, como si la cordialidad estuviera grabada en su ADN. Sus mil trencitas han sido reemplazadas por suaves y lacios mechones de cabello.

—¿Viste las fotos que le mandé a Church? No tomé muchas, pero me dijo que quería que le enviara *algunas*, así que...

—Sí, me las enseñó.

Luego aparecen Bren y Tim, pero ninguno de los dos son personas abrazadoras, y por mí está perfecto. Bren pone una mano sobre mi hombro. Hoy lleva el cabello peinado hacia atrás y sostenido con una gruesa diadema naranja.

—¿Cómo te sientes?

—No me quejo.

Bren sonríe.

—Nos entristeció que no estuvieras presente en la graduación —dice Tim, también sonriendo. Antes no estaba segura de lo que pensaba de mí, pero ahora que sabe que hice *Mar Monstruoso*, su opinión debe haber mejorado. Seguramente—. ¿Te quedarás un rato con nosotros?

—Pues... no lo sé. Quería hablar con Wallace unos minutos.

Tim mira por encima de su hombro para ver a Wallace, que sigue de pie junto al auto.

—Muy bien. Entonces nos retiramos —dice, conduciendo al resto de la familia al interior de la casa. Solo nos quedamos Wallace, yo y la silenciosa calle.

—Hola —digo.

—Hola —responde. Su débil voz apenas atraviesa la distancia que nos separa. Lleva bajo el brazo su toga y su birrete; debajo de la toga lleva puesto un traje, sin el saco.

—Te ves bien con corbata —digo.

—Siento como si me estuvieran ahorcando —responde—. ¿Te maquillaste?

—Un poco. ¿Me veo estúpida?

—No.

Me acomodo el cabello detrás de la oreja, mientras intento que mi respiración se normalice, y a partir de ese momento mis pensamientos empiezan a disminuir la velocidad.

"Mi cuerpo no es una cosa repugnante que tengo que arrastrar conmigo. No me están apretujando a través de un tubo diminuto. Estoy aquí. Puedo hacer esto".

Me repito estas cosas una y otra vez, pero no sé si creo en ellas. Al menos no todavía.

—Lucy nos envió una foto tuya. Me sentí… me sentí muy feliz al verla.

—De acuerdo.

Me acerco un poco más a él.

—No he terminado las páginas. Si las hubiera terminado, te lo habría dicho. Lo… lo intenté —Wallace permanece inmóvil—. Estoy desesperada por terminarlas. Odio no poder hacerlo. Odio ser la persona que te impide avanzar. Y tenías razón cuando dijiste que tengo todo lo que alguna vez podría necesitar. No creo que mi vida sea perfecta, pero es bastante buena comparada con otras, y no debería quejarme tanto como lo hago.

Wallace no dice nada.

—Lo siento —digo—. Por haberte mentido, y por no poder terminar.

Ni una sola palabra.

Finalmente, me atrevo a decirlo:

—Te extraño.

—Me extrañas —repite.

No puedo descifrar la expresión de su cara.

—Sé que ahora las cosas están raras por distintas razones. Y no te culpo si... si me odias —las piernas empiezan a temblarme, así que junto mis rodillas—. Pero quería que supieras que te extraño, y que no quiero que las cosas sigan así. Entiendo si solo quieres que seamos amigos, y también si no estás interesado, pero después de este verano no volveremos a estar en el mismo lugar —después de un insoportable momento de silencio, dice—. No sé si puedes entender lo enojado que estoy.

—¿Qué? —digo, sintiendo que el alma se me cae hasta los pies.

—Me mentiste durante todo ese tiempo, incluso después de mi correo, y luego... lo de las páginas —encoje sus enormes hombros—. No sé cómo voy a pagar la universidad. Supongo que tendré que conseguir un montón de trabajos. Voy a estar trabajando casi todo el verano, así que no creo tener tiempo para poder vernos.

—Ah.

—Solo... Ya sabes.

—Sí —respondo, centrando mi atención en la defensa delantera del auto.

Wallace pasa junto a mí y entra en la casa. Sin decir adiós. Sin un "nos vemos después". Simplemente desaparece en el interior, dejándome ahí parada completamente sola.

Siento como si la tierra se tragara mis pies. Al caminar por la cochera me parece como si estuviera caminando en un charco de lodo, y cuando por fin logro llegar al final, ya no puedo moverme. Me arrodillo y pongo las manos detrás de mi cuello y los hombros entre las rodillas. Mi respiración se convierte en una serie de jadeos intensos y profundos.

Wallace no me perdonará. No importa lo que me diga a mí misma. No importa cuántas veces me disculpe o trate de explicarle. Ni en mi peor pesadilla imaginé que no querría volver a ser mi amigo. En ella, lo más terrible que pasaba era que descubría mi verdadera identidad.

Wallace no me perdonará.

¿Cómo podría hacerlo cualquier otra persona?

Mar Monstruoso Mensaje Privado

10:05 p. m. (MirkerLurker se ha unido a la conversación)
MirkerLurker: Chicos, ¿están por aquí?

10:08 p. m.
MirkerLurker: Estoy.
MirkerLurker: Teniendo algunos problemas.
MirkerLurker: Con todo.

10:10 p. m.
MirkerLurker: Bueno.

10:21 p. m.
MirkerLurker: Tengo que irme.

CAPÍTULO
42

Estoy sentada dentro de mi auto al otro extremo del Puente de Wellhouse, mirando hacia la Curva de Wellhouse. Las palabras de Wallace resuenan en mi cabeza. Sacan a la superficie todas las publicaciones de los foros, todos los correos y mensajes de las personas que quieren saber quién soy, qué soy y cuándo voy a terminar *Mar Monstruoso*. Estoy completamente sola en medio de la carretera, pero no lo parece.

Los listones desgastados por el viento, atados a la cruz en la cima de la Curva de Wellhouse, están inmóviles. El cielo parece hecho de terciopelo negro perforado por las estrellas.

Las llantas de los autos rechinan a lo lejos. Estoy paralizada, siento como si un relámpago recorriera mis venas mientras el miedo se apodera de mi pecho. Cualquiera que vea un auto estacionado en la Curva de Wellhouse sabrá lo que estoy haciendo aquí.

Pasa un minuto, y la noche vuelve a quedar en silencio.

Mi cuerpo se tranquiliza y el miedo se desvanece, dejando en su lugar esa intensa tensión en mi estómago que no ha desaparecido completamente desde que mi identidad fue revelada. No estoy bien. Sé que no lo estoy y que existen distintas formas de ayudarme a estar bien otra vez, pero no puedo esperar tanto tiempo. No valdrá la pena volver a estar bien, porque la gente seguirá odiándome. Siempre seré la decepción, la chica rara, la villana de tercera que vive en las alcantarillas.

En cualquier caso, todo estará mejor cuando me haya ido; no estaré ahí para estropear los momentos de convivencia familiar, ni para molestar a Max y a Emmy con mis problemas, o recordarle a Wallace todo lo que hubiera podido tener.

Estoy tan cansada. Estoy cansada de sentir esa ansiedad retorciendo mi estómago con tanta fuerza que me impide mover el resto de mi cuerpo. Estoy cansada de ser vigilada constantemente; de querer hacer algo por mí misma, pero siempre terminar tomando la salida fácil.

Pensé que esto sería una salida fácil. Miro hacia la Curva de Wellhouse, pero ésta me ignora igual que lo hace con el resto del mundo. Cuando conduje frente a ella hace una hora, me pareció muy conveniente. Incluso providencial. No recuerdo cuántas veces he visto la Curva de Wellhouse pensando que tal vez sería agradable volar. Y aquí apareció, justo cuando la necesitaba. Hace una hora, cuando me estacioné aquí, pensé que sería una decisión fácil: pisar el acelerador hasta el fondo y mantener recto el volante. Pero ahora que está frente a mí: la velocidad, la adrenalina, la caída… no, no es fácil en lo más mínimo. Quien piense que se trata de una salida fácil es porque no ha tenido que enfrentarse a ella.

Me digo a mí misma: "Todo estará bien", y suelto una carcajada histérica.

Estoy pensando en suicidarme. Por supuesto que nada va a estar bien.

Hundo la cabeza entre mis brazos. Ya no estoy segura de nada. No sé, *no lo sé*. Maldita sea, estoy tan cansada. Extraño a Davy. Extraño mi habitación tranquila donde nadie resulta herido, y el constante zumbido de mi computadora. Quiero estar allí.

Quizá debería irme. Esta idea disminuye un poco mi pánico. *Podría irme a casa*. Solo por esta noche. De todas formas, estando aquí sentada estoy mucho más estresada de lo que estaría en casa, y no tengo por qué apresurar esta decisión. Puedo dormir un poco, y al menos durante esas horas no tendré que pensar en nada más.

Sí. Eso es lo que haré.

Bajo las piernas y busco a tientas la palanca de velocidades. No despego la vista de la Curva de Wellhouse, como si fuera un dragón durmiente que pudiera despertar y atacarme en cualquier momento. "Hoy no", pienso, mirando la curva y su bonito monumento. "Hoy no seré tuya".

Estas palabras envían un escalofrío por mis brazos. Hoy no.

Unas llantas rechinan en el asfalto, y un par de luces delanteras encendidas aparecen avanzando por la curva. Las luces del auto me impiden mirar mientras busco a tientas mi cinturón de seguridad y mis llaves. El otro auto se detiene en medio de la curva, cerca del monumento. La puerta del conductor se abre y una silueta corpulenta y oscura sale volando tan rápido que tropieza y tiene que sostenerse con las manos para no caer al pavimento. Pasa corriendo frente a mis luces delanteras: es Wallace, moviéndose más rápido que nunca. Se patina un poco para poder frenar, y al hacerlo casi arranca mi espejo lateral.

Mira al interior del auto, y nuestras miradas se encuentran. Golpea con fuerza la ventanilla.

—¡Baja del auto!

No espera a que responda. Abre la puerta de un tirón, haciendo a un lado mi cinturón de seguridad a medio poner, y me carga como si pesara lo mismo que una bolsa llena de hojas. Me pone de pie sobre el suelo junto al auto y me suelta inmediatamente.

—Ya deberías haber llegado a tu casa. No contestabas tu teléfono —la voz rasposa sale de su garganta entre respiraciones agitadas. Tiene los ojos muy abiertos y la cara enrojecida—. ¿Por qué no contestabas tu teléfono?

—Lo apagué. Ya estaba a punto de irme a casa —no necesito decirle toda la verdad, porque ya la conoce. Puedo verlo en sus ojos mientras se llenan de lágrimas.

Me abraza fuertemente. Se ha olvidado de lo enorme que es; me arqueo hacia atrás para acomodarme en la curva de su torso, quedándome sin aliento. Un cosquilleo provocado por la agradable sensación de su abrazo me recorre desde la punta de la cabeza hasta la planta de los pies.

No me muevo. No puedo hacerlo, no todavía.

—Estabas enojado —mi voz es apenas más fuerte que un susurro.

—Cielos, Eliza, no —dice, sin soltarme y apretándome con más fuerza. Su voz se entrecorta una y otra vez, como disparos rápidos. Todo su cuerpo empieza a temblar—. No me importa nada de eso. ¿Estás aquí por mi culpa? Me porté como un imbécil. Debería haberme dado cuenta… *sí* me di cuenta de lo que estaba pasando, pero no… ni siquiera intenté ayudarte. Fui un estúpido porque solo estaba enfocado en lo que yo quería —solloza fuertemente, y su voz se rompe por el llanto—. Por favor, no lo hagas. Te lo suplico. No puedo perder a otra persona en esa maldita curva.

En ese momento comprendo lo que estaba a punto de hacer y cómo hubiera afectado a Wallace. Entonces, yo también empiezo a llorar.

Qué terrible habría sido si de verdad hubiera llevado a cabo lo que planeaba hacer. Qué horrible que Wallace me haya encontrado aquí, contemplando la idea.

—Lo siento —digo, en medio de un ataque de hipo—. No… no era mi intención… No pensé. No estaba pensando. No debería haber… no en este lugar.

—No, no —dice Wallace, sosteniéndome por la parte trasera de mi cuello. Sus dedos son fuertes y reconfortantes, e impiden que me separe de él—. Solo me alegro de que estés viva. Eso es todo. No eres una mala persona. No pienses eso, por favor.

—Pero te mentí. Y lo de la transcripción es tan importante para ti —mis manos suben por sus costados, alrededor de su espalda y hasta sus hombros—. Escribir y la universidad y hacer lo que amas. Eso es importante.

Wallace me abraza con más fuerza. Perdemos el equilibrio y nos estrellamos contra mi auto, cayendo al suelo.

—No más importante que tu vida —dice, sollozando en voz alta. Un segundo después se incorpora y me suelta.

Volteo hacia él, incorporándome también. Wallace se limpia la cara con el cuello de su camiseta—. Demonios, me voy a sacar los ojos con tanto temblor.

Me río, solo un poco, porque, aunque sigo sintiéndome como una persona detestable y una peor amiga, yo también estoy temblando. Es un estremecimiento constante provocado por la angustia contenida desde hace tanto tiempo, que sale desde la base de mi cráneo y recorre el resto de mi cuerpo.

—¿De verdad estabas a punto de marcharte? —pregunta.

—Sí.

—No regreses a este lugar, por favor.

Asiento con la cabeza. No quiero hacerlo. No lo haré.

Wallace toma mi mano y la sostiene entre las suyas, presionándola contra su estómago. Cierra los ojos. Sus palmas se sienten ásperas donde se raspó con el pavimento.

—Me asusté muchísimo —dice.

—Lo sé. Perdón.

—Yo también lo siento —Wallace parece un gigante sentado así con la cabeza agachada. Mi mano parece diminuta entre las suyas. Todo en él es grande: sus manos, sus muñecas, sus brazos. Cada parte de su cuerpo se estremece por la culpa, y lo mismo me sucede a mí. Ya no hay aciertos ni errores entre nosotros. O al menos espero que no los haya.

—Wallace —digo, y él levanta la vista—. Quiero ser feliz.

—Yo también —responde.

Permanecemos sentados en silencio durante varios

minutos, hasta que ambos dejamos de temblar. Me levanto del suelo y lo jalo para que él haga lo mismo, pero su peso hace que parezca como si solo estuviera inclinándome en el aire. Wallace se levanta y me abraza nuevamente, pero esta vez un poco más suave.

Me observa mientras me subo a mi auto y me marcho a casa.

Me despierto al sentir que Sully me lanza un sobre a la cara.

Los rayos del sol atraviesan la ventana de mi habitación. Davy está acostado a mis pies. Sully se marcha dejando la puerta abierta, por lo que puedo escuchar el ruido de mamá, papá y Church en el piso inferior. En la parte frontal del sobre está mi dirección, y una dirección para devoluciones que solo es un apartado postal sin nombre. La letra es de estilo manuscrito fluido escrita con tinta oscura. Abro a toda prisa el sobre y saco una nota escrita en un grueso papel.

Ya sé de quién es la firma al final de la carta, aun antes de que mis ojos la hayan visto, pero eso no lo hace menos increíble.

Querida Eliza:

Muchas gracias por tu carta. No suelo escribir cartas a menudo, y ha pasado mucho tiempo desde la última vez que mantuve correspondencia con alguien fuera de un radio de ocho kilómetros de mi casa, así que te pido una disculpa si algo de esto suena un poco extraño.

Debería empezar diciéndote que no eres patética. No te conozco, y sin embargo, sé que no eres patética en lo más mínimo. La mayoría de las personas no lo son, sino que solamente creen serlo. Perder el conocimiento por haberte golpeado con la mesa de una cafetería no te convierte en una persona patética. (Aunque estoy segura de que no te hizo sentir nada bien).

Sin duda alguna, estar expuesto al público es difícil, y si además le aumentas el hecho de tener que ir a la preparatoria, se vuelve peor. Y encima de todo, siendo una adolescente. Alguna vez yo también fui una adolescente que iba a la preparatoria, y la verdad es que no tengo muy buenos recuerdos. A mi hermana le encantaba la preparatoria. Pero yo no tenía su talento para lidiar con las tareas escolares, las actividades extracurriculares y los círculos sociales, todo al mismo tiempo. Aunque nunca la envidié por esto, porque yo podía escaparme en mi escritura.

Tengo la impresión de que tal vez éste no fue tu caso. Yo me volví famosa en una etapa posterior de mi vida, cuando ya estaba bien establecida y había dejado la escuela desde hacía muchos años. Pero a ti la fama siempre te ha acompañado; por lo que pude leer en algunos artículos que me fueron enviados, tú has trabajado en esta historia la mayor parte de tu vida como estudiante de preparatoria. No puedo imaginar lo difícil que habrá sido mantener el secreto al mismo tiempo que compartías esta parte de tu corazón con tanta gente.

Crear arte es una tarea solitaria, y por eso las personas introvertidas, como nosotras, nos deleitamos con ello, pero cuando tenemos a los fans acechándonos a cada instante, se transforma en una soledad de otro tipo. Nos convertimos en animales enjaulados que son observados por los visitantes del zoológico, mientras la gente espera que actuemos para ellos a fin de evitar que se aburran o se enojen. No siempre es tan malo. A veces nos va bien, y entonces la jaula empieza a sentirse como un pedestal.

Espero no haberte asustado con mi metáfora del zoológico. No pensé que tendría un final tan amargo. En parte, a esto se debe que no haya terminado Los Hijos de Hipnos. *En ese entonces empecé a experimentar un cambio en mi estilo de escritura, y tuve miedo de que el quinto y último libro fuera distinto a los otros. Temía que mis fans se dieran cuenta y que terminaran odiándolo; temía que nunca más volvieran a comprar uno de mis libros. Al final eso fue lo que me impidió continuar: el miedo. El miedo acabó con mi motivación y mi amor por la historia.*

Creo que, si de verdad quieres terminar lo que empezaste, tienes que preguntarte: ¿por qué dejé de hacerlo? ¿Fue por miedo? ¿Por apatía? ¿O hay algo más? Me temo que no puedo responder esta pregunta por ti, pero sí puedo decirte que, si se debe a algo en tu interior, es decir, si no hay nadie en el mundo físico sosteniendo un cuchillo contra tu garganta y amenazándote de muerte si continúas escribiendo, entonces puedes trabajar en ello y superarlo. Sea lo que sea, finalmente pasará. Mi temor a la reacción de los fans hacia el quinto libro de Los Hijos de Hipnos *ha desaparecido desde hace muchos años, y a menudo siento que mi interés vuelve a despertarse. Esa pequeña llama en mi pecho se enciende durante algunas horas, esperando ser alimentada con más leña. Si lo hago, el interés continúa estando presente. Si la dejo morir, desaparece.*

Si quieres recuperar tu motivación, debes alimentarla. Aliméntala con todo lo que tengas a tu alcance: libros, programas de televisión, películas, cuadros, obras de teatro, experiencias reales. Algunas veces, el hecho de alimentarla simplemente significa trabajar para vencer la falta de motivación, trabajar aun cuando odies hacerlo.

Creamos arte por distintas razones: riqueza, fama, amor, admiración. Pero he descubierto que el deseo produce los mejores resultados. Cuando de verdad quieres aquello que estás creando, su belleza se reflejará en el exterior, a pesar de que los detalles no estén completamente ordenados. El deseo es el combustible de los creadores y, cuando lo tenemos, la motivación se produce sola.

Yo perdí el deseo de crear Los Hijos de Hipnos. *Podría hacerlo; podría escribir el libro final. Pero no sería tan bueno como alguna vez lo fue, mis fans no estarían felices con el resultado, y realmente sentiría que los estoy defraudando a ellos y a mí. Prefiero mil veces que especulen incesantemente sobre el final a escribir un final mediocre que mis fans no merecen. Y más importante todavía: un final que yo no merezco; que no se merece mi yo más joven, la que creó originalmente esta historia, la que la amaba con una intensidad que yo apenas estoy empezando a recuperar.*

Espero que tú no pierdas el deseo de crear Mar Montruoso. *Parece una historia maravillosa.*

Te deseo mucha esperanza,
Olivia Kane

P.D. Para serte honesta, no tengo ningún problema en responder a tu pregunta. Quizá Los Hijos de Hipnos *no tenga un final que los fans puedan leer, pero sí tenía uno en mente mientras escribía la historia. Creo que siempre tenemos un final, en algún lugar de nuestras mentes, aun si no lo tomamos muy en serio. Es como la vida, lo que le da sentido a una historia es que tiene un final. Nuestras historias tienen vidas propias, y depende de nosotros darles un sentido.*

Mar Monstruoso Mensaje Privado

10:58 a. m. (MirkerLurker se ha unido a la conversación)
MirkerLurker: Y...

MirkerLurker: ¿Hay alguien en casa?

10:51 a. m. (Apocalypse_Cow se ha unido a la conversación)
Apocalypse_Cow: La hija pródiga ha regresado. Perdón por no haberte respondido ayer. ¿Tenías algún problema? nos preocupaste.

Apocalypse_Cow: Digo ¿Con quién vería Emmy, Dog Days?

MirkerLurker: Ja.

MirkerLurker: No, estoy bien. Estaba intentando desconectarme un poco de internet.

MirkerLurker: Y quería pedirles perdón por haber desaparecido tanto tiempo.

MirkerLurker: Y también darles las gracias por todo lo que hicieron por mí cuando la noticia se hizo pública.

Apocalypse_Cow: No tienes que disculparte. Yo habría hecho lo mismo. Nadie necesita tanta atención, especialmente después de haber mantenido el anonimato durante tantos años.

Apocalypse_Cow: Y de nada, porque la verdad sí merezco muchísimos elogios por mis acciones tan honorables durante la operación el escándalo de Eliza Mirk. Tal vez estaría bien un ascenso a dios y Señor de los Foros, y una estatua de mi persona hecha de oro sólido.

10:58 a. m. *(emmersmacks se ha unido a la conversación)*

emmersmacks: ¡¡¡¡¡E!!!!!

emmersmacks: ¡¡¡¡¡¡¡REGRESASTE!!!!!!!

MirkerLurker: Hola, Em.

emmersmacks: ¿¿¿CÓMO HAS ESTADO???

emmersmacks: ¿¿¿TODO BIEN???

MirkerLurker: Sí, todo bien. He estado tratando de mantenerme alejada de internet lo más que puedo.

emmersmacks: A la gente le siguen encantando las páginas de Mar Monstruoso.

emmersmacks: Dicen que ya no regresarás a terminarlas.

Apocalypse_Cow: Em, en serio, mantén la boca cerrada.

Apocalypse_Cow: No tienes que terminarlas si no quieres, E. No tienes que hacer nada solo porque esos mocosos malcriados de los foros te lo dicen.

MirkerLurker: La verdad es que no son mocosos malcriados, son fans. Ellos son la única razón por la que todo esto existe. Tengo que intentar terminarlo por ellos, ¿no crees?

Apocalypse_Cow: No.

emmersmacks: Bueno, yo quiero ver el final.

emmersmacks: Pero si eso te va a poner triste, entonces no quiero que lo hagas.

MirkerLurker: Bueno, no importa. No estoy aquí para hablar de Mar Monstruoso. ¿Qué han hecho ustedes dos últimamente? Y Max, más te vale que no digas nada patético como "comer Twizzlers". No te he enviado Twizzlers desde hace tiempo, y sé que los únicos que comes son los que yo te mando.

MirkerLurker: Em, ¿terminaste la escuela?

emmersmacks: ¡¡Sí!!

emmersmacks: Obtuve 92 puntos en la clase de Cálculo.

emmersmacks: Chúpate esa, profesor Teller.

Apocalypse_Cow: Eso fue lo que le dijo en su cara al profesor.

MirkerLurker: No es cierto.

MirkerLurker: Ay, por favor, dime que sí lo hiciste.

emmersmacks: Tal vez.

emmersmacks: Lo que nunca te dicen sobre la universidad es lo bien que se siente cuando puedes mandar al carajo a los profesores imbéciles.

Apocalypse_Cow: Yo te hubiera puesto un 100 perfecto solo por eso.

emmersmacks: Gracias.

emmersmacks: ¡¡¡Uy Uy!!!

emmersmacks: ¡¡¡No te hemos dicho que Max ya regresó con Heather!!!

MirkerLurker: ¿En serio?

Apocalypse_Cow: Sí, fue raro. No sé si ya sabían esto, pero a sus seres queridos les gusta cuando, ya saben, pasan tiempo con ellos en persona. Es una cosa nueva que he estado probando durante los últimos dos meses.

Apocalypse_Cow: Funciona bastante bien, de hecho.

Apocalypse_Cow: Pero Heather también juega Warcraft conmigo tres noches a la semana, así que piensen lo que quieran.

MirkerLurker: ¡Ay, eso me pone superfeliz! Me da gusto que hayan regresado.

Apocalypse_Cow: ¿Cómo van las cosas entre el Sr. Wallace y tú?

Apocalypse_Cow: ¿Cuándo descubrió quién eres?

MirkerLurker: Si les parece bien, prefiero no hablar sobre Wallace.

MirkerLurker: La principal razón por la que me conecté es para decirles cuánto los quiero, chicos. Han hecho tantas cosas por mí. Y creo que no se los digo lo suficiente.

Apocalypse_Cow: No es necesario que te pongas toda cursi, E.

emmersmacks: No tienes que decirlo.

MirkerLurker: Sí, sí tengo. Dejo de hablarles durante semanas enteras, y aun así me dejan regresar al grupo. Siempre tienen tiempo para mis problemas, pero yo nunca tengo tiempo para los suyos. No tenía idea de que las cosas andaban mal entre Max y Heather, y no estuve aquí cuando Emmy puso en su lugar a ese profesor.

MirkerLurker: En serio, lo siento mucho, chicos.

Apocalypse_Cow: Será mejor que dejes de hablar, o me vas a hacer llorar.

Apocalypse_Cow: Y si yo estoy a punto de llorar, ¿qué estará sintiendo la pobre Emmy?

Apocalypse_Cow: Por Dios, solo tiene doce años.

emmersmacks: NO TENGO DOCE.

emmersmacks: Acabo de cumplir quince.

El día en que Amity debía partir, Faren se quedó despierto con ella. Ninguno de los dos dijo nada. Cuando los cuervos afuera empezaron a graznar —señal de que la mañana estaba cerca, porque eran los meses de invierno y el sol no saldría hasta más tarde— ambos se levantaron de la cama y se vistieron. Mientras desayunaban su avena líquida, la alarma que le habían dado a Amity comenzó a vibrar sobre la mesa, indicando que Sato estaba a punto de llegar. Ambos permanecieron inmóviles mirándola. Amity soltó su cuchara. Había perdido el apetito de repente.

Amity no quería reunirse con Sato dentro de su casa. No quería que hubiera ningún pretexto para invitarlo a pasar, ni para permanecer ahí más de lo necesario, así que salió al patio de piedra y se sentó en una de las pequeñas bancas, rodeada por los árboles de madera negra y teniendo frente a ella una vista despejada del camino que llevaba hasta el acantilado. Una cantidad incontable de cuervos revoloteaban sobre los árboles a su alrededor, oscureciendo el paisaje.

Faren desapareció en el interior de la casa durante un minuto, y regresó con una de sus hojas de papel. Era una de las pequeñas, la típica hoja café arrugada por el paso del tiempo; la dobló, acomodándola cuidadosamente sobre la palma de su propia mano. Se sentó junto a Amity sobre la banca, y tomó su mano presionando el grueso papel contra ella.

—Sé que White dijo que no necesitarías nada, pero pensé que tal vez esto podría ayudarte.

Amity desdobló el papel, y descubrió en él una constelación desconocida.

—¿Tú la inventaste?

—No —dijo Faren, negando con la cabeza—. Ésta es una de las Sin Nombre.

Amity comenzó a girar el papel para mirarlo desde distintos ángulos. No tenía ninguna forma en particular; nada que destacara a primera vista. Los Nocturnianos solían dividir las constelaciones en dos tipos; sus propias constelaciones, y las de los demás. Las suyas tenían nombres como Faren y Gyurhei; las otras solo eran llamadas Sin Nombre, porque los Nocturnianos no podían reclamarlas como suyas. Amity nunca había entendido esto. ¿No se supone que para poder decir que algo es una constelación primero tienes que identificarla como tal? ¿Cómo podían asegurar que esas constelaciones pertenecían a otras culturas si nunca habían hablado con ellos? Pero los nocturnianos lo sabían.

—¿Por qué dibujaste esta constelación? —preguntó.

—Porque es la tuya —respondió Faren, tomando el papel y enderezándolo sobre las manos de Amity. No existía una dirección correcta para las constelaciones, pero en la parte inferior del papel había escrito AMITY—. La encontré hace algunos años, antes que el Observador. Obviamente su nombre real no es Amity. Me gustaría decirte cuál es. Pero pensé que... podíamos hacer una excepción con esta constelación.

Amity volvió a observar la imagen que tenía en sus manos.

—Es... ¿Encontraste mi nombre en una constelación?

Los Nocturnianos podían hacerlo sin problemas, porque recibían sus nombres con base en las estrellas. Pero ella estaba relacionada con una de las Sin Nombre... ¿Eso quería decir que provenía de la cultura a la que había pertenecido esa constelación? Si lograba descifrar el significado y su origen, ¿podría descubrir también su verdadero origen?

Faren la había encontrado en una constelación.

Lo abrazó por el cuello. La presión en su pecho superó todos los otros sentimientos. Faren se acercó también a ella abrazándola fuertemente, sosteniendo su cabello con una mano mientras sus labios le tocaban el cuello.

—Voy a regresar —dijo Amity—. Voy a regresar. Te lo prometo.

CAPÍTULO 43

Todos los días saco a pasear a Davy. Me siento en las bancas del parque y escucho cantar a las aves. Observo los entrenamientos de futbol soccer de mis hermanos. Ayudo a mis papás con las tareas de la casa, porque resulta que el yoga de mamá para doblar la ropa es superrelajante. Especialmente cuando lo combino con mi nueva medicina para la ansiedad.

Mi terapeuta dice que éste es un verano de descubrimientos, y lo primero que descubro es que me gusta estar fuera de casa. En los parques, en el bosque, en la orilla de los lagos, recorriendo los maizales en el campo. Wallace suele llevarme a un sitio donde su papá jugaba futbol americano. Es un enorme campo abierto en medio de la nada y rodeado de árboles. No hay carreteras ni caminos alrededor, ni tampoco instalaciones eléctricas. El silencio es absolutamente sobrecogedor, y eso hace que me enamore de ese lugar de inmediato.

Así transcurren dos meses, y yo pienso a menudo en la Curva de Wellhouse. El pensamiento sigue ahí, pero la importancia va y viene.

Regresé una vez en uno de mis días tranquilos, y solo

lo hice porque iba acompañada de Wallace. Nos detuvimos en la cima de la colina, junto a la cruz y los adornos. Quité la roca que puse allí hace meses; y en su lugar Wallace puso la camiseta de futbol americano que tenía colgada en su pared. Las palabras WARLAND 73 ondean sobre la cruz en medio de la suave brisa veraniega.

Wallace está yendo con su propio terapeuta. No me cuenta mucho sobre las visitas, de no ser por los ejercicios que tiene que hacer para empezar a hablar frente a gente extraña. Seguramente habla sobre su papá con su terapeuta, y acerca de todas las cosas que me contó en su correo, pero nosotros nunca tocamos el tema, y creo que es mejor así. En lugar de eso, me cuenta que irá a la universidad el próximo otoño para estudiar administración de empresas, con una especialización en escritura creativa. Nos ponemos de acuerdo para decidir cómo haremos para vernos cuando Wallace ya no esté aquí, y hablamos sobre los nuevos capítulos que me enseña de una historia original escrita por él que tenía en mente desde hace tiempo.

Nos reunimos con sus amigos. Él ha estado en contacto con ellos desde que estalló la noticia, pero yo no. Tal y como lo esperaba, Megan es la más comprensiva. Leece solo está emocionada por conocerme. A Chandra le toma un tiempo acostumbrarse, pero después se pone nerviosa por haberme enseñado sus dibujos. Cole es el más difícil. Nos sentamos en nuestra mesa de siempre en Murphy, y Cole pasa la mayor parte de la primera hora observando a Wallace. Cuando se da cuenta de que él no va a echarme del lugar, Cole me mira y dice:

—Pues sí. Supongo que esto es bastante genial.

No sé si después de todo lo que pasó puedan ser mis amigos también, pero espero que así sea.

Wallace convence a mis hermanos para que empiecen a jugar futbol americano con él por las tardes. Mamá y papá se unen al grupo, porque son mamá y papá, y cualquier forma de ejercicio físico es para ellos una pequeña dosis de felicidad. Al principio, me parece raro observarlos y darme cuenta por primera vez de que realmente lo hacen por diversión. Para ellos no representa un castigo, y tampoco es una forma de matar el tiempo. Les produce felicidad, igual que me pasa a mí cuando dibujo.

En el caso de Wallace es todavía más raro, porque una cosa es escucharlo hablar sobre lo mucho que le gusta el futbol americano, y otra verlo jugar. Y además es bastante bueno, lo cual me parece injusto. ¿Cómo puede ser que una persona sea tan buena en dos cosas completamente distintas? ¿Cómo puede amar con la misma intensidad el futbol americano y la escritura? Pero parece que no hay límites para él. No es una cuestión de elegir y escoger. Wallace no pone una barrera entre su deporte y su arte.

Invitan a algunos de los chicos del vecindario a jugar con ellos, y al cabo de un tiempo se convierte en una reunión semanal. Un día de agosto, mientras camino con Davy junto al terreno abierto donde juegan, escucho a Wallace gritar a través de la cancha.

Al principio no puedo creer que sea él. Nunca había escuchado su voz resonando con tanta fuerza a través de un espacio tan grande. Pero veo que tiene una mano alrededor de su boca mientras con la otra les da indicaciones a los jugadores, incluida Lucy, quien los convenció de dejarla jugar y ahora está ganándoles a todos.

Me detengo para mirarlos. Church pasa corriendo frente a mí y me ve, luego llega hasta donde está Sully, al otro lado de la cancha, y le da un codazo en las costillas señalando con la cabeza hacia donde yo estoy. Finjo amablemente no darme cuenta de lo que sucede. Sully agarra el balón, y ambos empiezan a hacer malabares con él a lo largo de la cancha en una forma que no creía que fuera legal en el futbol americano, zigzagueando entre los otros jugadores hasta que llegan a los botes de basura —las porterías improvisadas— al otro lado del terreno. Wallace les grita algo y suelta una carcajada cuando empiezan a celebrar exageradamente su anotación.

Wallace los regresa a la línea de formación. El otro equipo atrapa el balón. Su mariscal de campo lo sostiene entre sus manos, mientras busca un pase abierto. Wallace se abre paso entre la línea y se abalanza sobre él.

—¡ACABA CON ÉL! —grito.

Tanto Wallace como el mariscal voltean a verme completamente sorprendidos, pero el impulso de Wallace lo lanza directamente hacia el otro chico, y ambos caen al suelo.

—¡Lo siento! —digo.

Alguien grita pidiendo un tiempo de descanso. Wallace se levanta del suelo, ayudando al otro chico, y se acerca corriendo hacia mí. Su camiseta está pegada a su pecho por el sudor, y me sonríe cuando le entrego mi botella llena de limonada. Se bebe la mitad de un sorbo. Davy refriega su nariz en la pierna de Wallace, hasta que éste lo acaricia.

—Se supone que estamos jugando futbol bandera —dice—. Debería prohibirte la entrada a la cancha por interrumpir el juego.

—Nah, eso le quitaría la diversión —me estiro un poco y tomo la manga de su camiseta—. Apestas a rayos.

—Deberías venir a jugar con nosotros —dice.

No se ha apartado de mí las pocas veces que me acerqué durante esta semana para tocarlo así, pero su cuerpo se queda quieto como anticipándose a lo que está sucediendo. Él no ha hecho ningún intento de acercarse. Supongo que puede deberse a mil razones, pero por el momento no le pediré que me las diga.

—No creo que sea buena idea —si intentara jugar con ellos, seguramente terminaría pisoteada sobre el suelo. Mi terapeuta dice que es bueno conocer nuestros propios límites. Éste es uno de los míos—. Pero veo que Lucy está dándoles una paliza.

—Lo sé.

—Estás gritando.

—Tú también.

—¡Oye, burro! —dice Lucy, que aparece en uno de los extremos de la cancha—. ¡Ya estamos listos otra vez!

—¡Ya voy! —dice Wallace, entregándome la limonada.

Solo queda un sorbo al fondo de la botella. Debería ir a casa y prepararme para la comilona que tendrá lugar cuando Wallace y el resto de la familia regresen.

Wallace permanece inmóvil mirando la cancha durante

un eterno segundo. Se da la vuelta y, antes de que pueda reaccionar, se inclina para besarme. Sabe a sudor y limonada. Es un beso rápido y sencillo. Se aleja, mirando hacia abajo, y dice suavemente:

—Sorpresa.

El alivio se refleja en mi cara. Arrugo la nariz y suelto una carcajada.

—A *rayos*.

—Ay, por favor, acepta que lo amas —dice, agitando su camiseta sudada hacia mí, antes de dar la vuelta y alejarse corriendo.

—Te amo a *ti* —digo, pero ya está demasiado lejos para escucharme.

No importa. Ya lo sabe.

Regreso a casa después de pasear a Davy, y le quito la correa cuando entramos para que pueda seguirme lentamente hasta mi habitación y colapsar sobre mi cama para tomar una siesta. Mi edredón lleva semanas completamente cubierto de pelo blanco, un poco más no hará ninguna diferencia. Abro la ventana y enciendo el ventilador de techo para que el aire empiece a circular en la habitación, luego empujo la silla de mi escritorio a un lado y paso los siguientes diez minutos haciendo estiramientos. Estirar el cuerpo hace que todo parezca mejor. Mi cuello, mi espalda, mis piernas. Todo lo que siempre está acalambrado cuando me siento en mi escritorio durante mucho tiempo.

Mis papás han estado buscando una silla ergonómica de escritorio. Mamá quiere comprarme una pelota de ejercicio para sentarme en ella. Yo les digo que usaré cualquier cosa que me compren, porque se han esforzado muchísimo todo este tiempo para ayudarme. Saben que cometieron un error, puedo verlo en sus caras cada vez que hablo con ellos. Ya no quiero que se sientan mal. Puede que tome mucho tiempo llegar a ese punto, pero vale la pena la espera.

Cuando termino de estirarme y siento que mi mente está respirando, voy a mi silla y enciendo la computadora.

Durante la última semana, esto se ha convertido en una especie de ritual diario. Me siento, miro la computadora y la enciendo. Cada día intento avanzar un poco más, pero no tanto que empiece a generarme ansiedad. Después de encenderla, observo la pantalla principal durante algunos minutos, o juego algo. El otro día la usé para buscar en Google un mejor arnés para pasear perros. Vuelvo a hablar con Max y Emmy, pero solo con ellos. Nadie de los foros de *Mar Monstruoso*.

No he regresado a los foros. Hoy abrí el navegador y coloqué el cursor encima de la pestaña que conduce a ellos, pero no pulse sobre ella. Sigo creyendo que si lo hago terminaré alterándome. Así que lo dejo por la paz.

Pero quiero ir a algún lado. Un lugar que no sea un buscador ni un sitio web de consulta. Mi atención se desvía del monitor hacia los libros alineados junto a él. Esos libros son lo único que hay sobre el escritorio además del monitor. Los puse allí cuando me cansé de que el escritorio siempre estuviera vacío. Es la colección de *Los Hijos de Hipnos*.

Ése es el lugar. Ahí es donde quiero ir.

Mis dedos recuerdan la dirección del sitio web como

si tuviera trece años otra vez, cuando visitaba todos los días los foros de fans de *Los Hijos de Hipnos*. El sitio aparece en la pantalla inmediatamente. Sigue existiendo, después de todo este tiempo. Todas las salas y las publicaciones. Tal vez los fans ya no están presentes, pero la esencia sigue estando ahí, como una pequeña cápsula de tiempo hecha por ellos.

El simple hecho de ver la publicación de bienvenida vuelve a producir todas esas emociones. Durante algunos años, éste era el lugar al que pertenecía. Era una ciudadana en la ciudad de los fans de *Los Hijos de Hipnos*, y todas las mañanas me despertaba emocionada por hablar con mis compatriotas. Me desplazo a través de algunas de las viejas salas de juegos de rol, donde alguna vez fingí ser una cazadora de pesadillas en el mundo de *Los Hijos de Hipnos*, que blandía una enorme hacha de batalla como lo hacía Marcia, uno de mis personajes favoritos. Encuentro las discusiones donde la gente alegaba sobre el significado detrás de los símbolos de los libros y algunas partes de la trama. Después, empiezo a leer las conversaciones sobre las citas favoritas de los cuatro libros, y las interminables especulaciones sobre aquel quinto libro espectral y el desenlace de Olivia Kane. Las mismas especulaciones que acabaron con la red de fans y destruyeron para siempre este foro.

No quiero que la red de fans de *Mar Monstruoso* colapse de la misma manera que le sucedió a la de *Los Hijos de Hipnos*. No quiero que mis fans desaparezcan como me pasó a mí. No todos tienen la ventaja de contar con sus propias creaciones para mantenerlos a flote; no todos podrán crear sus propios espacios donde puedan ser quienes ellos quieran y amar lo que les gusta sin temor a ser juzgados. No quiero que pierdan esta historia ni esta comunidad. No los conozco a todos, pero sí sé quién era yo, y lo que eso hubiera significado para mí.

También estoy consciente de que ésta no es una razón suficientemente buena como para forzarme a terminar el cómic. Si no tengo la motivación para hacerlo, las cosas no saldrán bien y nadie estará feliz con el resultado.

Pero la motivación no surge de la nada. Tienes que alimentarla, igual que alimentas a los monstruos buenos.

Tomo el primer libro de *Los Hijos de Hipnos* y paso mi mano sobre el martillo de guerra grabado en relieve sobre la portada. Los libros nunca tuvieron el nombre de Olivia Kane ni el título impresos en la portada. Solo las armas. Mis dedos rozan el lomo del libro y se topan con el apellido KANE, y luego, en letras más grandes, CAZADOR DE SUEÑOS.

Lo abro completamente. Leo la sinopsis escrita en la parte interior de la solapa delantera. "Las pesadillas de Emery Ashworth intentaban asesinarla constantemente...". Luego le doy vuelta a las hojas hasta llegar al primer capítulo. Siempre sucede lo mismo, la primera página me invita a leer la siguiente, y la siguiente, y la siguiente, hasta que la puerta frontal se abre de golpe y Wallace entra en la casa seguido de mis hermanos, mientras yo he llegado al último capítulo y estoy a unas cuantas páginas de terminar el libro.

—Hola —dice Wallace, asomando la cabeza por mi puerta—. Me imaginé que estarías aquí.

—¿Qué hora es? —pregunto, levantando la cabeza.

—Son como las cuatro y media. Tus papás están preparando la cena.

—Ah.

—¿Estás leyendo otra vez *Los Hijos de Hipnos*?

—Pues… sí, supongo —no lo tenía planeado, pero ahora me muero de ganas por pasar al segundo libro—. Estoy a punto de terminar.

Wallace se sienta en el suelo, cerca del borde de mi cama, y acaricia a Davy mientras espera a que termine de leer.

Esa noche, después de cenar, regreso a mi habitación, tomo el segundo libro y empiezo a leerlo otra vez. Luego, el tercero. Los he leído tantas veces que los recorro como si me los supiera de memoria, y cuando dan las cinco de la madrugada estoy en la mitad del cuarto libro. Cuando mis papás se despiertan, ya he terminado de leerlos, y me han exprimido las emociones como si fueran un trapo húmedo. Como si alguien me hubiera cortado por la mitad para restregar mi interior con un cepillo duro, y me hubiera vuelto a coser.

Mi cerebro está funcionando a toda velocidad. La sangre fluye con fuerza por mis venas, mis dedos se retuercen nerviosamente, y siento que *necesito* algo. Lo necesito, lo necesito, lo necesito. Lo necesito en este momento; lo necesito más de lo que nunca he necesitado nada en mi vida.

Necesito mi lápiz.

CAPÍTULO 44

Mar Monstruoso me pertenece.

Yo lo creé. Él no me creó a mí.

No es un parásito, una obligación ni un destino.

Es un monstruo.

Es mi monstruo.

Y tengo un hacha de guerra esperándolo.

FOROS SOBRE MAR MONSTRUOSO

PERFIL DE USUARIO
LadyConstellation**
Admin.

EDAD: 18
UBICACIÓN: Indiana
INTERESES: Dibujar. Pasear a mi perro. Huevos.
(Y también me sigue gustando montar monstruos marinos.)

Seguidores 6, 340, 228 | Siguiendo 0 | Publicaciones 6, 979

ACTUALIZACIONES
Ver actualizaciones anteriores

Ago 25 2017
> Vayan aquí. Lean esto. Agradézcanme después.
> *marmonstruoso.com*

EPÍLOGO

Obviamente le enseño las páginas a Max y a Emmy antes de publicarlas. No soy tan mala amiga. Max exige que las suba todas inmediatamente. Emmy está tan histérica por el final que lo único que puede decirme es que viaje a California con un galón de helado y la abrace.

No leo los comentarios. No entro a los foros. No quiero ver lo que la gente dice sobre mí o mi historia. Todavía no estoy lista para eso, pero sí estoy lista para que esto se termine.

Max y Emmy se encargan de revisar los foros, y Wallace me cuenta cómo están las cosas entre los fans.

—Están volviéndose completamente *locos* —me dice, la misma noche que publico las páginas. Tengo abierta la imagen de su cámara web en una ventana y el juego Buscaminas en otra. Wallace mira hacia un lado, desplazándose a través de los foros de *Mar Monstruoso*. Detrás de él hay un pequeño dormitorio universitario, con una cama debajo de la cual está el escritorio de su compañero de cuarto, y una televisión montada precariamente sobre una cómoda atiborrada de paquetes de sopas de fideos y cajas de cereal abiertas. Quisiera echarle la culpa de todo ese desorden a su compañero de cuarto, pero si es comida, seguramente el culpable es Wallace.

—Todos los días aumenta el número de lectores. Son muchos más que los que hubo alguna vez en la red de fans. Y todas las personas que escribieron artículos sobre tu identidad en mayo, ahora están hablando de esto. Dicen que el cómic ha regresado y que ya escribiste el final. Es un *suceso*, Eliza. Ahora está de moda leer *Mar Monstruoso*. No solo entre los fans de los cómics; todo mundo lo está leyendo. Internet está lleno de noticias sobre esto.

—Imagínate lo que harán cuando se enteren de la publicación de tu transcripción —digo, mientras despejo una esquina de mi tablero de Buscaminas.

Wallace sonríe, radiante.

—Mi editora dice que estamos en muy buen tiempo para tener listas las versiones preliminares del primer libro antes de la convención de cómics —afirma, mientras escucho que pulsa el botón de su mouse—. Mira, esto fue lo que me dijo: "Tus capítulos estaban escritos tan impecablemente, que las correcciones serán muy ligeras". Y no deja de preguntarme si estoy seguro de que tendré tiempo suficiente para hacer mis correcciones con todas mis tareas.

Su sonrisa crece aún más.

—Como si de verdad fuera posible que una tarea, por inmensa que sea, pudiera alejarme de esto.

—Y si llegara a suceder, conozco algunas personas que estarían dispuestas a ayudarte.

—Espero que no te refieras a contratar agentes externos para hacer mi tarea.

—¿No has escuchado las noticias? Soy famosa. Puedo hacer lo que quiera.

Wallace se ríe.

—¿Quién es famosa? —dice Tyler, el compañero de cuarto de Wallace, que entra en la habitación cargando un cesto con ropa recién lavada. Wallace le explica la conversación rápidamente, y cuando llega a la parte de *Mar Monstruoso*, Tyler se agacha hacia la cámara web y dice:

—¿*Tú* escribiste *Mar Monstruoso*? —luego mira otra vez a Wallace—. ¿Tu novia escribió *Mar Monstruoso*?

—Se llama Eliza —dice Wallace.

—Es una broma, ¿no? —Tyler suelta su cesto lleno de ropa y sale corriendo del dormitorio. Un minuto después, regresa con una multitud de estudiantes universitarios, todos hablando al mismo tiempo sobre *Mar Monstruoso*.

Wallace maneja la situación bastante bien. Primero les bloquea la vista hacia el monitor de la pantalla, permitiendo que hagan todas sus preguntas preliminares, y después deja que me vean. Y deja que yo los vea a ellos. No son monstruos. Son personas. Nos saludamos, y todos se muestran muy amables. Quieren saber qué se siente ser yo.

—Mucho mejor de lo que se sentía antes —respondo.

Creo que las cosas estarán bien. Pienso que será extraño, y tal vez un poco aterrador, y creo que habrá veces en las que siga pensando que soy la peor persona sobre el planeta. Pero también sé que seguiré amándome a mí misma y todo lo que he hecho. Y sabré, sin lugar a duda, que esas dos cosas son independientes.

Soy Eliza Mirk, hija, hermana y amiga.

Soy Eliza Mirk, progenitora de una red de fans.

Soy Eliza Mirk.